JN008690

韓国語能力試験
合格対策講座2

改訂新版 NEW

TOPIK

II 3級～6級

読解編

李昌圭 著

白帝社

韓国語能力試験（TOPIK）Ⅱ 合格のために

まえがきにかえて

TOPIKⅡは従来の韓国語能力試験中級（3・4級）と韓国語能力試験上級（5・6級）が統合されてできた試験です。学習者が受験回ごとに得点を積み上げることによって現在の実力と以後の実力の向上が一貫して測定出来るようにとの意図で3・4・5・6級が一つの試験として統合されましたが、試験のレベルと内容が広範囲になった分、学習範囲も広く試験準備がかえって難しくなっています。特に中級レベルの学習者には一気に上級レベルの試験まで受けざるを得ず大きな負担になっています。

本書はこのような現状を踏まえ、中級から上級レベルまでの幅広い学習者がTOPIKⅡの出題内容を熟知して試験に対応できるように試験内容を詳細に分析し、実戦的な問題で構成しています。構成に際しては次のような点に留意して試験準備や普段の学習成果の確認が効率良くできるようにしました。

❶ 既出の読解問題を詳細に分析し、その出題内容を類型別に整理。

出題内容と傾向が体系的に把握できます。

❷ 受験に役立つ資料を類型別にまとめて「合格資料」として提示。

TOPIKでは、過去の問題に出てきた語彙、文法事項などが繰り返し出題されます。頻出する内容を問題別にまとめた「合格資料」を通して能率的に試験準備ができます。

❸ 実戦的な練習問題を類型別にまとめ、本試験の配置順に提示。

約500問の豊富な練習問題と資料を出題順序に沿って実戦的に練習できます。

❹ 練習問題にはチェックボックス（□）を設定。

間違えた問題や不得意な問題は印をつけて繰り返し練習できます。

本書で実戦的な問題を解くことによってTOPIKⅡの学習事項を確実に理解し、身につけることができるはずです。 TOPIKⅡの受験対策用として、また学習成果の総合的な確認用として大いに活用してください。

みなさんのさらなる韓国語力の向上とTOPIKⅡ各級の合格を願います。

李　昌圭

目次

韓国語能力試験Ⅱ合格のために ………………………… 3

韓国語能力試験Ⅱ受験にあたって ………………………… 10

第1章 読解編（1）中級前半 ………… 15

1 出題類型と内容 ………………………… 16

2 問題類型別分析と対策 ………………………… 17

1. 短文の空所語句補充問題 ………………………… 70
2. 類似表現選択問題 ………………………… 84
3. 情報の主題選択問題 ………………………… 90
4. 情報文の内容把握問題 ………………………… 96

第2章 読解編（2）中級後半 ………… 107

1 出題類型と内容 ………………………… 108

2 問題類型別分析と対策 ………………………… 109

1. 文整序問題 ………………………… 138
2. 文の空所補充問題 ………………………… 142
3. 文の内容把握問題（1） ………………………… 146
4. 文の内容把握問題（2） ………………………… 150
5. 文の内容把握問題（3） ………………………… 156

第3章 読解編（3）上級前半 …… 161

1 出題類型と内容 …… 162
2 問題類型別分析と対策 …… 163
1. 新聞見出しの意味把握問題 …… 172
2. 文の空所補充問題 …… 176
3. 文の内容一致問題 …… 180
4. 文の主題把握問題 …… 184
5. 脱落文挿入問題 …… 188

第4章 読解編（4）上級後半 …… 193

1 出題類型と内容 …… 194
2 問題類型別分析と対策 …… 195
1. 人物の心情把握と文の内容一致問題 …… 212
2. 文の主題把握と空所補充問題 …… 218
3. 脱落文挿入と文の内容一致問題 …… 222
4. 筆者の執筆の目的・態度把握と空所補充問題 …… 226

目次

第5章 模擬試験編 …… 233

第1回TOPIKⅡ読解　模擬試験

読解（1番～50番） …… 236

第2回TOPIKⅡ読解　模擬試験

読解（1番～50番） …… 254

❖ TOPIKⅠ模擬試験の正答と配点表 …… 271

第6章 解説編 …… 273

第1章 読解編（1） …… 274

1. 短文の空所語句補充問題 …… 278
2. 類似表現選択問題 …… 286
3. 情報の主題選択問題 …… 290
4. 情報文の内容把握問題 …… 295

第2章 読解編（2） …… 302

1. 文整序問題 …… 307
2. 文の空所補充問題 …… 309
3. 文の内容把握問題（1） …… 311
4. 文の内容把握問題（2） …… 314
5. 文の内容把握問題（3） …… 318

第3章 読解編(3) ………………………… 320
1. 新聞見出しの意味把握問題 ………………… 322
2. 文の空所補充問題 ………………………… 325
3. 文の内容一致問題 ………………………… 328
4. 文の主題把握問題 ………………………… 331
5. 脱落文挿入問題 …………………………… 334

第4章 読解編(4) ………………………… 337
1. 人物の心情把握と文の内容一致問題 ……… 337
2. 文の主題把握と空所補充問題 ……………… 342
3. 脱落文挿入と文の内容一致問題 …………… 345
4. 筆者の執筆の目的・態度把握と空所補充問題…………… 348

第5章 模擬試験編 ………………………… 352
第1回TOPIKⅡ読解　模擬試験 ……………… 352
第2回TOPIKⅡ読解　模擬試験 ……………… 365

付録 答案用紙サンプル ………………… 379

合格資料

合格資料 1 よく出る類似表現リスト …… 19
合格資料 2 広告・案内文などの情報の意味を問う問題の既出例 …… 24
合格資料 3 よく出る広告などの情報の選択肢 …… 27
合格資料 4 よく出る案内文・説明書・掲示文などの情報の選択肢 …… 27
合格資料 5 中級出題の助詞リスト …… 32
合格資料 6 よく出る連結語尾・連結表現リスト …… 35
合格資料 7 よく出る終結語尾・終結表現リスト …… 53
合格資料 8 文整序問題の既出例 …… 110
合格資料 9 空所補充問題の既出例 …… 113
合格資料 10 よく出る副詞リスト …… 121
合格資料 11 既出のことわざリスト …… 123
合格資料 12 よく出る慣用句リスト …… 126
合格資料 13 よく出る心情を表す語彙リスト …… 135
合格資料 14 新聞見出しの意味把握問題の既出例 …… 164
合格資料 15 心情・態度を表す語彙の既出の選択肢例 …… 197
合格資料 16 よく出る心情・態度を表す語彙のまとめ …… 198
合格資料 17 その他参考になる心情・態度を表す語彙リスト …… 199
合格資料 18 「筆者の執筆の目的を問う問題」でよく出る選択肢例 …… 208
合格資料 19 「筆者の態度を問う問題」でよく出る選択肢例 …… 209

練習用正答チェックシート

第1章 練習用正答チェックシート …… 68

第2章 練習用正答チェックシート …… 136

第3章 練習用正答チェックシート …… 170

第4章 練習用正答チェックシート …… 210

TOPIK 試験会場が開設される地域・都市

・札幌、仙台、 山形

・東京、横浜、埼玉、千葉、茨城、山梨

・長野、富山、新潟、石川

・静岡、名古屋

・京都、大阪、神戸、岡山

・香川、高知

・広島、島根、下関

・福岡、北九州、大分、熊本、鹿児島、長崎

※試験会場の最新情報は申し込み時に「韓国教育財団」のHPで確認できます。

韓国語能力試験Ⅱ受験にあたって

韓国語能力試験(TOPIK)とは

❶ 対象:韓国語を母語としない世界の学習者を対象としている。日本では春季(4月)と夏季(7月)、秋季(10月)の3回実施される。

❷ 目的:韓国語の効果的な学習方法の提示と成果の測定、また韓国の大学への留学、企業などへの就業に際して必要な韓国語能力の測定、評価に活用することが目的とされる。

❸ 主管:韓国の教育科学技術(日本の文科省に該当)部傘下の国立国際教育院が試験の出題、採点などの試験全般を管理している。

❹ 内容:TOPIK ⅠとTOPIK Ⅱに分けて実施し、得点によって1級～6級までに等級が判定される。TOPIK Ⅰは聞き取り30問と読解40問で試験を実施し、得点によって1級と2級に判定する。TOPIK Ⅱは1限に聞き取り50問と作文4問、2限に読解50問で試験を実施し、得点によって3級と4級(中級)、5級と6級(上級)に判定する仕組みになっている。

TOPIK Ⅱ等級別評価内容

等級		評価基準
中級	3級	・日常生活で困ることなく、様々な公共施設の利用と社会的な関係維持に必要な基本的なことばを使うことができる。 ・日常の具体的な素材は勿論、自分に身近な社会的素材について理解し、表現することができる。 ・文語と口語の基本的な違いが区別・理解でき、使うことができる。
	4級	・公共施設の利用と社会的な関係維持に必要なことばや、一般的な仕事をこなすのに必要なことばも一定程度使うことができる。 ・ニュースや新聞記事の中の平易な内容が理解でき、一般的で社会的、抽象的な素材を理解し、使うことができる。 ・よく使われる慣用的な表現と代表的な韓国文化に対する理解をもとに社会的、文化的な内容を理解して使うことができる。

等級		評価基準
上級	5級	・専門分野での研究や業務遂行に必要な言語機能をある程度使いこなすことができる。 ・「政治、経済、社会、文化」の全般にわたって馴染みのない素材についても理解して使うことができる。 ・格式体や非格式体の表現と口語体、文語体の表現を適切に区別して使うことができる。
	6級	・専門分野での研究や業務遂行に必要なことばを比較的正確で流暢に駆使できる。 ・「政治、経済、社会、文化」の全般において馴染みのない話題についても話ができる。ネーティブスピーカーのレベルには及ばないが、問題なく話題に対応できる。

試験概要

❶ **実施時期**：日本国内では4月と7月、10月の年３回実施される。

❷ **合格発表**：検定日から約３か月後、成績通知書が郵送される。

また試験から約1か月後に国立国際教育院のHP（www.topik.go.kr）の「나의 시험정보」→「성적확인」のページで成績が確認できる。成績は発表日から2年間有効。

※国立国際教育院成績確認HP：（受験回・受験番号・生年月日の入力が必要）

❸ **TOPIKⅡ（中・上級）試験の構成と配点**

時限	試験区分	時間	形式	問題数	配点	配点合計
1限	聞取り	60分	四択	50問	100	200
	作文	50分	記述式	4問	100	
※1限後30分休憩						
2限	読解	70分	四択	50問	100	100

❹ **TOPIKⅡの合格基準**：聞き取りと作文、読解の合計300点満点中、次の得点基準で3級～6級までの合格が判定される。

TOPIKⅡ各級別合格点（300点満点中）				
等級	3級	4級	5級	6級
合格点	120点以上	150点以上	190点以上	230点以上

※得点合計119点以下は3級に不合格となる。問題領域別の落第点はなく、合計点のみで合格級が判定される。

❺ **TOPIKⅡの試験時間**

時限	試験科目	入室時間	開始	終了
1	聞き取り・作文	12:30	13:00	14:50
2	読解	15:10	15:20	16:30

願書の入手

❶ 日本地域の試験実施機関である「韓国教育財団」のホームページからダウンロードして入手できる。

【http://www.kref.or.jp/moushikomi】

申込の方法・期間

❶「韓国教育財団」のホームページからインターネットで申し込むか、上記の事務局に願書を郵送して申し込む。 またコンビニの店頭端末を利用して申し込むこともできる。申し込み方法の詳細は上記の「韓国教育財団」のHPで確認できる。

❷ 検定日の約3か月前から2か月前の間に申し込める。

❸ 試験会場は願書に記載されている全国主要都市の検定会場から自分の希望する会場を選択する。

試験内容

TOPIKⅡ読解（2限）試験（50問/70分/100点）

区分	問題の類型		問題数	配点
中級レベル	1	短文の空所語句補充問題	2	2
	2	類似表現を選ぶ問題	2	2
	3	情報の主題を選ぶ問題	4	2
	4	情報文の内容把握問題	4	2
	5	文整序問題	3	2
	6	文の空所補充問題	3	2
	7	文の内容把握問題（1） ［文中空所補充問題＋文の内容一致問題］	2	2
	8	文の内容把握問題（2） ［文中空所補充問題＋文の中心となる考えを選ぶ問題］	2	2
	9	文の内容把握問題（3） ［筆者の気持ちを選ぶ問題＋文の内容一致問題］	2	2
上級レベル	10	新聞見出しの意味把握問題	3	2
	11	文の空所補充問題	4	2
	12	文の内容一致問題	3	2
	13	文の主題把握問題	4	2
	14	脱落文挿入問題	3	2
	15	人物の心情把握と文の内容一致問題	2	2
	16	文の主題把握と空所補充問題	2	2
	17	脱落文挿入と文の内容一致問題	2	2
	18	筆者の執筆の目的把握問題と筆者の態度把握問題、 空所補充問題	3	2
TOPIKⅡ読解編			50問	100点

※試験の内容や試験関連事項は変わることがあります。受験に際しては「韓国教育財団」の韓国能力試験HPで最新の情報を確認して下さい。

◆【第6章　解説編】無料ダウンロードサービスのご案内◆

第6章　解説編（273 ページから 377 ページ）をPDFファイルでダウンロードしてご利用いただけます。

第1章　読解編（1）
第2章　読解編（2）
第3章　読解編（3）
第4章　読解編（4）
第5章　模擬試験編

に出題されているすべての問題の正答と日本語訳などの解説が【第6章　解説編】に掲載されています。ダウンロードして必要なページをプリントしたり、タブレット上で開いて使用すれば、問題と解説の情報を同時に開示することができ、より学習効果が高まります。ぜひご利用ください。

【第6章　解説編】のダウンロードページ
https://www.hakuteisha.co.jp/news/n34124.html

第1章
読解編（1）

中級前半

1 出題類型と内容 ･･ *16*

2 問題類型別分析と対策 ････････････････････････････････････ *17*

1. 短文の空所語句補充問題 ････････････････････････････････ *70*
2. 類似表現選択問題 ･････････････････････････････････････ *84*
3. 情報の主題選択問題 ････････････････････････････････････ *90*
4. 情報文の内容把握問題 ･･･････････････････････････････････ *96*

TOPIKⅡ					
時限	科目	問題数	形式	時間	配点
1	聞き取り	50問	4択式	60分	100点
	作文	4問	記述式	50分	100点
2	読解	50問	4択式	70分	100点
等級別判定		3級	4級	5級	6級
		120点以上	150点以上	190点以上	230点以上

読解（1）問題

❶ 出題類型と内容

読解問題50問中1番〜24番までは中級レベルの問題で構成されている。
この章で取り上げる中級前半の1番〜12番までの問題は、

❶ 短文の空所に語句を補充する問題、
❷ 置き換え可能な類似表現を選択する問題、
❸ 広告文、案内文、説明書などを読み、その対象や主題を把握する問題、
❹ 図表や情報文を読み、その内容を把握する問題、

の形式で出題される。
この中級前半の問題では、広告文や案内文、図表などの情報文を読んでその主題や内容を把握する問題が12問中8問を占め、特に比重が高く構成されている。

区分	本試験1番〜12番までの問題：類型と内容	問題数と配点
1	短文の空所語句補充問題 【1〜2】 短文の空所に当てはまる文法表現を選ぶ。	2問×2点
2	類似表現選択問題 【3〜4】 短文の下線部と置き換えられる類似表現を選ぶ。	2問×2点
3	情報の主題選択問題 【5〜8】 広告、案内文、標語、説明書などの情報文を示し、何についての情報なのかその対象や主題を選ぶ。	4問×4点
4	情報文の内容把握問題 【9〜12】 図表や情報文を読み、その内容と一致するものを選ぶ。	4問×2点
※4つの問題類型、問題総数12問、配点は各2点で出題。		

② 問題類型別分析と対策

問題類型1 短文の空所語句補充問題

短文の空所に当てはまる語句はどれかを選ぶ問題【1〜2】が2問出題される。文脈に合う文法表現と結合した語句を選ぶ文法問題で、終結語尾、連結語尾、慣用表現、助詞などの中級レベルの文法表現の意味と機能を理解しているかが問われる。ただ、文法表現の意味がわかっていても文全体の意味が理解できなければ適切な文法表現を選ぶことはできない。文法表現だけでなく文全体の意味が理解できる語彙力も合わせて必要なのはいうまでもない。

➡ 既出問題に出てきた語尾と慣用表現、助詞のリストは合格資料5、6、7を参考

類題	※ (　　) 에 들어갈 가장 알맞은 것을 고르십시오. (각2점) 식품은 시간이 (　　) 신선함이 떨어진다. ① 지나도록　② 지날수록　③ 지나든지　④ 지나더라도
正解	②
解説	※ (　　) に入る最も適切なものを選びなさい。(各 2 点) 食品は時間が (経つほど) 鮮度が落ちる。 ① 経つまで　② 経つほど　③ 経つか　④ 経っても

類題	연극이 너무 지루해서 거의 (　　) 했어요. ① 졸려고　② 조는 척　③ 졸다시피　④ 졸거나 말거나
正解	③
解説	芝居があまりにも退屈でほとんど (居眠りをして) いました。 ① 居眠りをしようと　② 居眠りをするふりを ③ 居眠りをして　④ 居眠りをしようがしまいが

問題類型2 類似表現を選ぶ問題

短文の中の下線部の表現と置き換えても意味上の違いのない類似表現を選ぶ問題【3～4】が2問出題される。これも語彙の類似性ではなく、文法表現の類似性を問う問題で、中級レベルの文法表現の意味と機能が理解できているかどうかが問われる問題でもある。類似した意味や機能を持った語尾と慣用表現が理解、活用できる文法力が求められる。

➡ 既出問題に出てきた語尾と慣用表現のリストは合格資料6、7を参考

類題	※다음 밑줄 친 부분과 의미가 비슷한 것을 고르십시오. (각2점) 아침에 서둘러 집을 나오는 바람에 휴대 전화를 놓고 왔다. ① 나오는 대로　　② 나오는 길에 ③ 나온 탓에　　④ 나온 김에
正解	③
解説	※次の下線部と意味が似ているものを選びなさい。(各2点) 朝、急いで家を出てきたせいで携帯電話を忘れてきた。 ① 出てきてすぐ　　② 出てくる途中 ③ 出てきたせいで　　④ 出てきたついでに

類題	유리창을 닦기만 하면 비가 와서 속상해요. ① 닦든지 말든지　　② 닦으라고 ③ 닦자마자　　④ 닦을 때마다
正解	④
解説	ガラス戸を拭いたら決まって雨が降って腹が立ちます。 ① 拭こうが拭くまいが　　② 拭けと ③ 拭くやいな　　④ 拭くたびに

合格資料 1 よく出る類似表現リスト

TOPIKは、試験の質や難易度を一定に保つために、試験問題のプール制が導入されている。プール制とは、あらかじめストックした問題を改変して繰り返し出題する方法なので、問われている内容が過去の問題と類似しているものが毎回多く出題される。本「合格資料」は過去の問題で頻出した内容をまとめたものである。今後もこの中から出題される可能性が高いのでしっかり覚えておくようにしよう。

置き換えられる類似表現	意味
□ 꾸준히 하면 좋아지는 법이에요. =좋아지기 마련이에요.	根気よくやればよくなるものです。
□ 실력이 있어서 잘 할 줄 알았는데. =하려니 생각했다.	実力があるのでよくできると思ったが。
□ 급하게 나오느라고 깜빡 했어. =나온 탓에	急いで出てきたのでうっかりした。
□ 역에 내리자마자 전화를 드릴게요. =내리는 대로	駅に降りたらすぐお電話します。
□ 참석할지 말지 고민 중이에요. =참석할까 말까	出席しようかどうか悩んでいます。
□ 뛰어간다고 해도 못 탈 것 같아요. =뛰어가 봤자	走って行くとしても乗れそうにないです。 =走っていったところで
□ 보시는 바와 같이 =보시다시피	ご覧の通り
□ 사람마다 달라요. =사람에 따라서	人によって違います。
□ 부탁해도 거절할 게 뻔해. =부탁하나마나	頼んでも断るに決まっている。
□ 잘 아는 것처럼 이야기하던데. =아는 듯이	よく知っているかのように話していたが。
□ 공사를 시작한 것 같아요. =시작했나 봐요.	工事を始めたようです。
□ 서로의 장점을 발견하게 돼 있죠. =발견하기 마련이에요	互いの長所を見つけるようになるものです。
□ 설명을 읽었는데도 잘 모르겠다. =읽고도	説明を読んだけれど、よくわからない。 =読んでも

□ 다 끝난 거나 마찬가지예요. =끝난 셈이지요.	全部終わったも同然です。
□ 잊어버리지 않게 잘 적어둬. =않도록	忘れないようによく書いておきなさい。
□ 넘어질 것 같아서 걱정했다. =넘어질까 봐	倒れそうで心配した。 =倒れるのではないかと
□ 기억이 날락 말락 하는데. =날듯 말듯 하는데.	思い出しそうで思い出せない。
□ 그렇게 대충 할 사람이 아닌데. =할 리가 없는데.	そんなに大雑把にやる人ではないのに。 =やるはずがないのに。
□ 혼자서 걸을 수 있을 만큼 =걸을 수 있을 정도로	一人で歩けるほど
□ 빨리 도착할 수 있게 보내 주세요. =도착할 수 있도록	早く着くように送ってください。
□ 설악산은커녕 남산도 못 가 봤어. =설악산은 말할 것도없고	雪岳山どころか南山に行ったこともない。 =雪岳山は言うまでもなく
□ 손님이 올지도 몰라서 못 나가. =올까 봐	お客さんが来るかも知れないので出られない。
□ 인터넷으로 알아봤어요. =인터넷을 통해서	インターネットで調べてみました。 =インターネットを通じて
□ 물어보나마나 모두 참석할 거야. =물어보지 않아도	聞くまでもなくみんな出席するだろう。
□ 가격이 조금 비싸더라도 =비싸도	値段が少し高くても
□ 좀 쉰다는 것이 그만 잠이 들었어. =쉬려고 하다가	ちょっと休むつもりがつい寝てしまった。
□ 오는 길에 샀어요. =오다가	来る途中に買いました。
□ 칼국수를 먹든지 만두를 먹는다. =먹거나	手打ちうどんを食べるか餃子を食べる。
□ 비가 오기만 하면 허리 아프대요. =오면 항상	雨が降ると決まって腰が痛いそうです。 =降るといつも
□ 일도 잘 하는데다가 예의도 바르다. =잘 할 뿐만 아니라	仕事もよくできる上に礼儀正しい。 =よくできるだけでなく

□ 너무 마음 쓰지 않아도 돼. ＝신경쓰지	あまり気を遣わなくてもいい。
□ 서울역에 도착하면 전화할게요. ＝도착하는 대로	ソウル駅に到着したら電話します。 ＝到着したらすぐ
□ 졸업한 후에 무엇을 할 계획입니까? ＝졸업하고 나면	卒業した後、何をするつもりですか。 ＝卒業したら
□ 여기가 고향이나 같거든요. ＝고향인 셈이거든요	ここが故郷みたいなものですよ。
□ 이렇게 하면 효과가 있다고 해서 ＝있다기에	こうすると効果があると言われたので
□ 눈물이 날 정도로 감동적이었다. ＝날 만큼	涙が出るほど感動的だった。
□ 서두르면 실수하기 마련이지요. ＝실수하는 법이지요	急ぐとミスするものですよ。
□ 무거워서 들고 다닐 때 불편해요. ＝다니기에	重くて持って歩くには不便です。
□ 몰라보게 변했더라고요. ＝몰라볼 정도로	見違えるほど変わっていました。
□ 수리해도 또 고장날지 모르니까 ＝수리해 봐야	修理してもまた故障するかも知れないから
□ 다른 곳에 가 봐야 다 비슷해요. ＝가 본다고 해도	他の所に行ってみたってみんな同じです。
□ 지금 확인하려고 했어요. ＝확인할 참이었어요.	いま確認しようとしました。
□ 먹었다고 생각할게. ＝먹은 셈 칠게	食べたことにしておくよ。
□ 모자를 쓰고 식사를 하는 분이에요. ＝쓴 채	帽子をかぶったまま食事をしている方です。
□ 문제가 생기면 바로 알려 주세요. ＝생기자마자	トラブルが生じたらすぐ教えてください。
□ 방에서 공부하나 봐요. ≒공부하는 모양이에요	部屋で勉強しているようです。
□ 음식을 먹을 때마다 목이 아파요. ＝먹기만 하면	食べ物を食べるたびにのどが痛いです。

問題類型3 情報文の主題を選ぶ問題

商品広告、案内文、説明書、標語などを提示し、何についての広告、案内なのかその情報の意味を問う問題【5～8】が4問出題される。問題は概ね、

❶ 掃除機、運動靴、冷蔵庫、新聞などのような商品広告が1問、

❷ 映画館や病院、眼鏡店、美容室などのような店や施設の広告が1問、

❸ 標語や展示、店の営業時間、公演などのような案内広告が1問、

❹ 商品の注意事項や使用方法、保管や交換方法、製品の説明書などが1問、

の4問で構成されている。生活の中で多く接する広告や案内、製品の説明書などの短い文が中心で、先に選択肢の意味を把握してから読むと正答を選ぶポイントが絞りやすい。

既出 64回	※다음은 무엇에 대한 글인지 고르십시오. (각2점) **더위를 싹~** 자연 바람을 선물합니다. ① 에어컨　② 청소기　③ 냉장고　④ 세탁기
正解	①
解説	※次は何についての文章なのか選びなさい。(各２点) **暑さをきれいさっぱり～** 自然の風をプレゼントします。 ① エアコン　② 掃除機　③ 冷蔵庫　④ 洗濯機

既出 37回	**작은 물건도 소중하게!** 당신의 마음을 배달합니다. ① 식당　② 은행　③ 방송국　④ 우체국
正解	④
解説	**小さいものも大事に!** あなたの気持ちをお届けします。 ① 食堂　② 銀行　③ 放送局　④ 郵便局

既出 60回

등산할 때 담배와 라이터는 두고 가세요.
작은 실천이 아름다운 산을 지킵니다.

① 건강 관리　② 전기 절약　③ 화재 예방　④ 교통 안전

正解　③

解説

登山に行く時は、タバコとライターは置いて行ってください。
小さな実践が美しい山を守ります。

① 健康管理　② 電気の節約　③ 火災予防　④ 交通安全

既出 41回

“엄마, 잘 다녀왔습니다.”
참 반가운 한마디!
우리 아이 학교 다니는 길을 지켜 주세요.

① 교통 안전　② 전기 절약　③ 예절 교육　④ 환경 보호

正解　①

解説

“ママ、ただいま。”
本当にうれしい一言！
我が子の通学路を守ってください。

① 交通安全　② 電気節約　③ マナー教育　④ 環境保護

類題

1. 기한 : 202X년 10월 20일(목) 17:00까지
2. 서류 : 원서 1부와 사진 파일을 이메일로 보내주십시오.

① 등록 문의　② 교환 방법　③ 접수 방법　④ 주의 사항

正解　③

解説

1. 期限：202X年10月20日（木）17：00まで
2. 書類：願書1部と写真データをメールで送ってください。

① 登録の問い合わせ　② 交換の方法　③ 受付の方法　④ 注意事項

合格資料 2 広告・案内文などの情報の意味を問う問題の既出例

※1) 収録された既出の問題文は各回の一部である。　※2) 解説は274ページへ

既出	問題文
37回	•시원한 장소에 보관하십시오. •사용 후 뚜껑을 꼭 닫으십시오. ① 주의 사항　② 재료 안내　③ 구입 방법　④ 제품 문의
36回	**쉿!** 상대방 목소리까지 들립니다. 공공장소에서는 작은 소리도 소음일 수 있습니다. ① 치과　② 서점　③ 미술관　④ 안경점
35回	**아프세요? 참지 마세요.** 상담부터 수술까지 친절하게 도와 드리겠습니다. ① 학원　② 병원　③ 박물관　④ 대사관
34回	**시원한 바람이 씽씽!** 더위야. 가라! ① 라디오　② 에어컨　③ 전화기　④ 청소기
33回	★★★★★　이 가격에 이 정도 상품이면 최고인 것 같아요. 매우만족　써 보니 가볍고 튼튼해요. 디자인도 마음에 들고요. ① 사용 소감　② 상품 설명　③ 이용 방법　④ 문의 사항
32回	**"빠르고 깨끗하게 언제나 새 옷처럼"** 30 분이면 건조까지 끝~ ① 청소기　② 냉장고　③ 가습기　④ 세탁기
31回	1. 나오는 곳이 앞을 향하도록 잡아 주세요. 2. 손잡이를 당겨 원하는 곳에 뿌려 주세요. ① 구입 안내　② 효과 설명　③ 문의 사항　④ 사용 방법

30回	볼수록 멋진 디자인, 탈수록 편안한 느낌 최고를 향해 달리는 당신을 위해!	① 침대　② 등산복　③ 자동차　④ 운동화
29回	**종이 한 장으로 보는 넓은 세상!** 김민호 교수님을 모시고 세계지도의 역사를 배워 봅시다. 일시：4월 3일(수)　14：00~16：00 장소：302호	① 공연 초대　② 여행 광고　③ 수업 소개　④ 회원 모집
28回	**젊음을 바르세요!** 1주일만 쓰면 피부가 먼저 알아요.	① 옷　② 안경　③ 화장품　④ 휴대 전화
27回	1. 입 안을 깨끗하게 하고 입 냄새를 없애준다. 2. 이를 하얗게 하고 충치를 없애준다.	① 제품 효과　② 사용 순서　③ 수리 방법　④ 주의 사항
26回	꽉 막힌 도로가 싫으십니까? 약속 시간 걱정하지 마십시오. 빠르고 안전한 시민의 발이 되겠습니다.	① 지하철　② 자전거　③ 자동차　④ 비행기
25回	건조한 날씨 때문에 코와 목이 아프세요? 한번 물을 넣으면 하루 종일 우리 집 공기를 **촉촉하게~** **'촉촉이'** 로 건강을 지키세요.	① 냉장고　② 세탁기　③ 청소기　④ 가습기
24回	지금까지 느껴 보지 못한 가장 편안한 휴식! 이제 옆 사람이 움직여도 깨지 않습니다.	① 탁자　② 옷장　③ 책상　④ 침대

23回	**'한사랑회'** 에서는 함께 차도 마시고. 우리 차에 대해 공부도 하실 분을 기다리고 있습니다. 차를 좋아하는 분이라면 누구나 환영합니다. ① 수업 안내　② 활동 문의　③ 직업 소개　④ 회원 모집
22回	모르는 단어가 주머니 속으로! 언제 어디서든 편리하게 찾아보세요. ① 지도　② 가방　③ 손목시계　④ 전자사전
21回	**미술 여행** 300장이 넘는 사진과 재미있는 그림! 한 장씩 넘길 때마다 즐거움이 가득합니다. 최현경 지음 / 45,000원 ① 책 소개　② 공연 안내　③ 미술관 소개　④ 전시회 안내
20回	소리 없이 깨끗하게! 집 안의 먼지를 깔끔하게 없애 주는 **'싹싹이'** ① 휴지　② 세제　③ 세탁기　④ 청소기
19回	꿈과 환상의 세계로 여러분을 초대합니다. 온 가족이 함께 즐기세요. ① 호텔　② 우체국　③ 백화점　④ 놀이공원
18回	**설악산 + 정동진** 숙소 설악호텔 149,000원 ☎ 02-1234-5678 ※15명 이상 단체 예약 시 10% 할인 ① 여행상품　② 여행예약　③ 행사초대　④ 행사일정

合格資料 3 よく出る広告などの情報の選択肢

- □ 가구점
- □ 가방
- □ 가습기
- □ 거울
- □ 공원
- □ 과자
- □ 그림책
- □ 기숙사
- □ 껌
- □ 꽃집
- □ 냉장고
- □ 대사관
- □ 대학교
- □ 도서관
- □ 드라마
- □ 등산
- □ 등산복
- □ 라디오
- □ 목욕탕
- □ 문구점
- □ 미술관
- □ 미용실
- □ 박물관
- □ 반지
- □ 방송국
- □ 배달
- □ 백화점
- □ 병원
- □ 비누
- □ 비행기
- □ 빨래방
- □ 빵집
- □ 사전
- □ 사진관
- □ 사진기
- □ 서점
- □ 선풍기
- □ 세제
- □ 세탁기
- □ 세탁소
- □ 손목시계
- □ 수건
- □ 슈퍼마켓
- □ 시계
- □ 식당
- □ 신문
- □ 신발
- □ 안경
- □ 안경점
- □ 안약
- □ 에어컨
- □ 여행사
- □ 연극
- □ 연필
- □ 영화
- □ 영화관
- □ 옷
- □ 옷 가게
- □ 옷장
- □ 우산
- □ 우체국
- □ 운동복
- □ 운동화
- □ 은행
- □ 음식점
- □ 의자
- □ 자동차
- □ 자전거
- □ 전자사전
- □ 전화기
- □ 정수기
- □ 주스
- □ 지갑
- □ 지도
- □ 지하철
- □ 지하철역
- □ 채소가게
- □ 책
- □ 책상
- □ 청소기
- □ 체온계
- □ 치과
- □ 치약
- □ 침대
- □ 칫솔
- □ 카메라
- □ 컴퓨터
- □ 탁자
- □ 택배회사
- □ 편의점
- □ 학원
- □ 향수
- □ 화장품
- □ 휴대 전화
- □ 휴지

合格資料 4 よく出る案内文・説明書・掲示文などの情報の選択肢

- □ 감상문 모집
- □ 강사 모집
- □ 건강 관리
- □ 공연 안내
- □ 교환 방법
- □ 구입 방법
- □ 내용 소개
- □ 대회 안내
- □ 동창회 안내
- □ 마감 안내
- □ 문의 방법
- □ 미술관 소개
- □ 미용실 광고
- □ 바르는 방법
- □ 보관 방법
- □ 봉사 활동
- □ 분실물 찾기
- □ 사용 방법
- □ 상품 소개
- □ 샴푸 광고
- □ 선거 안내
- □ 세일 기간
- □ 세일 내용
- □ 수리 방법
- □ 수업 소개
- □ 수업 안내
- □ 식사 예절
- □ 씻는 방법
- □ 여행 안내
- □ 여행 예약
- □ 연극 소개
- □ 영업 시간
- □ 영업 장소
- □ 영화 소개
- □ 요리 교실
- □ 요리 책
- □ 이용 방법
- □ 이용 순서
- □ 자연 보호
- □ 작가 소개
- □ 작품 모집
- □ 장소 안내
- □ 전시회 안내
- □ 전화 예절
- □ 제품 소개
- □ 제품의 사용법
- □ 제품의 장점
- □ 졸업식 안내
- □ 주의 사항
- □ 지우는 방법
- □ 직업 소개
- □ 직원 모집
- □ 책 소개
- □ 포장 방법
- □ 학교 소개
- □ 학생 모집
- □ 할인 안내
- □ 행사 안내
- □ 행사 일정
- □ 화재 예방

問題類型4 情報文の内容把握の問題

広告、統計グラフ、催し案内文、各種統計の説明文などを読み、その内容と一致するものを選ぶ問題【9～12】が4問出題される。問題は概ね、
❶ 求人、会員募集、ポスター公募、展覧会などのような各種広告が1問、
❷ 外国人居住率、米の生産と消費量などのような統計グラフが1問、
❸ 展示会や公開授業、公演案内などのような各種行事の説明文が1問、
❹ 小学生数、就業率、平均寿命などのような主に数値関連の説明文が1問、
の4問で構成されている。

広告とグラフで出来ている問題は、選択肢を先に読んで選択肢の順に広告やグラフの関連箇所を確認していけば一致しているかどうかが見つけやすい。行事や数値関連の説明の問題文は大体4つか5つの文で構成されているので、各文を先に読んでその順番ごとに選択肢を確認していくと、問題文と選択肢が一致しているかどうかがわかりやすい。

既出 37回

※다음 글 또는 그래프의 내용과 같은 것을 고르십시오. (각2점)

가을밤 별자리 축제

●일시 : 11월 22일(토) 19 : 00～23 : 00
●장소 : 영월천문대
●대상 : 초등학생 자녀가 있는 50가족
●참가비 : 가족당 20,000원 (단, 영월군민은 무료)
●신청 방법 : 전화접수 (033-123-4567)

① 축제는 평일 오후에 개최된다.
② 초등학생들만 축제에 참가할 수 있다.
③ 축제에 참가하려면 전화로 신청해야 한다.
④ 영월에 사는 사람들은 이만 원을 내야 한다.

正解　③

解説

※次の文、またはグラフの内容と一致するものを選びなさい。(各2点)

秋の夜の星座祭り

・日時：11月22日（土）19：00～23：00
・場所：ヨンウォル天文台

・対象：小学生の子供がいる 50 家族
・参加費：家族当たり 20,000 ウォン（ただし、ヨンウォル郡民は無料）
・申し込み方法：電話受付（033-123-4567）

① 祭りは平日の午後に開催される。
② 小学生だけ祭りに参加することができる。
③ 祭りに参加するには電話で申し込まなければならない。
④ ヨンウォルに住む人たちは2万ウォンを出さなければならない。

既出 52回

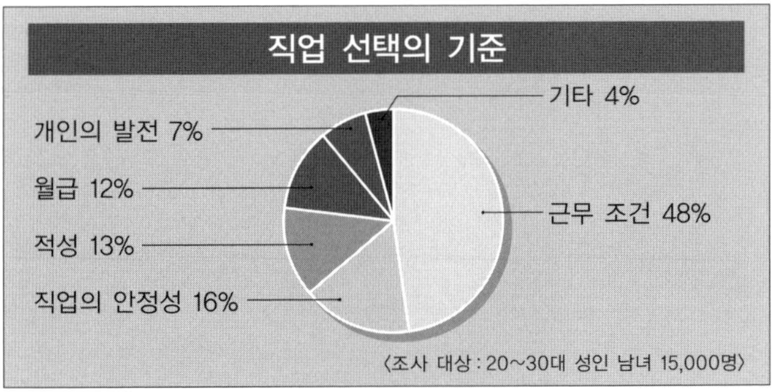

① 직업의 안정성을 중요하게 생각하는 사람이 가장 적다.
② 월급과 적성을 중요하게 생각하는 사람의 비율이 같다.
③ 개인의 발전보다 월급을 중요하게 생각하는 사람이 더 많다.
④ 근무 조건을 중요하게 생각하는 사람이 전체의 반을 넘는다.

正解　③

解説

職業選択の基準
個人の発展：7%、給料：12%、適性：13%、職業の安定性：16%
勤務条件：48%、その他：4%

① 職業の安定性を重要視する人が最も少ない。
② 給料と適性を重要視する人の割合は同じだ。
③ 個人の発展より給料を重要視する人がもっと多い。
④ 勤務条件を重要視する人が全体の半分を超える。

既出
60回

인주시의 한 고등학교는 올해부터 여름 교복으로 티셔츠와 반바지를 입고 있다. 기존 정장형 교복은 활동할 때 불편하다는 학생들의 의견이 많았기 때문이다. 몸이 편해지니 학생들은 다양한 활동에 적극적으로 참여하기 시작했고 공부에도 더 집중할 수 있어서 학습 효율이 올라갔다. 새 교복은 기존 교복보다 가격이 저렴해서 학부모에게도 인기다.

① 학부모들은 정장형 교복을 더 좋아한다.
② 새 교복은 정장형 교복보다 가격이 비싸다.
③ 기존 교복에 비해 새 교복은 활동할 때 불편하다.
④ 학교는 학생들의 의견을 받아들여서 교복을 바꿨다.

正解 ④

解説

インジュ市のある高校は今年から夏の制服としてティーシャツと半ズボンを着用している。既存のスーツスタイルの制服は活動する時に不便だという学生たちの意見が多かったからだ。体が楽になると学生たちは多様な活動に積極的に参加し始めたし、勉強にもさらに集中することができたので学習効率が上がった。新しい制服は既存の制服より値段も安いので保護者にも人気だ。

① 保護者たちはスーツスタイルの制服をもっと好む。
② 新しい制服はスーツスタイルの制服より値段が高い。
③ 既存の制服に比べて新しい制服は活動する時に不便だ。
④ 学校は学生たちの意見を受け入れて制服を変えた。

既出 41回

최근 초록 콩나물을 찾는 주부들이 늘고 있다. 노란 콩나물은 보통 검은색 천으로 덮어 어두운 곳에서 기른다. 그러나 초록 콩나물은 천으로 가리지 않고 밝은 곳에서 자라게 한다. 햇빛을 받아 초록색으로 변한 콩나물은 노란 콩나물보다 영양가가 높다. 특히 초록 콩나물은 노란 콩나물보다 비타민이 많이 들어 있어서 피로 회복에 좋다.

① 노란 콩나물은 햇빛을 받고 자란다.
② 초록 콩나물은 검은색 천을 덮어서 키운다.
③ 노란 콩나물은 초록 콩나물보다 피로 회복에 좋다.
④ 초록 콩나물은 노란 콩나물에 비해 영양가가 많다.

正解 ④

解説

最近緑色のモヤシを求める主婦たちが増えている。黄色いモヤシは普通黒い色の布で覆って暗いところで育てる。しかし、緑色のモヤシは布で覆わないで明るいところで育つようにする。日光にさらされて緑色に変わったモヤシは黄色いモヤシより栄養価が高い。特に緑色のモヤシは黄色いモヤシよりビタミンが多く含まれていて疲労回復に良い。

① 黄色いモヤシは日光を浴びて育つ。
② 緑色のモヤシは黒い布で覆って育てる。
③ 黄色いモヤシは緑色のモヤシより疲労回復に良い。
④ 緑色のモヤシは黄色いモヤシに比べて栄養価が高い。

中級レベル出題の文法事項

合格資料 5 中級出題の助詞リスト

助詞	意味	用例
□ 같이	①例え　②時の強調	～のように
얼음같이 찬 물로 몸을 씻었다. 그는 소같이 일만 하다. 매일같이 지각을 한다.		氷のように冷たい水で体を洗った。 彼は牛のように働いてばかりいる。 毎日のように遅刻をする。
□ 까지	①限度・範囲・到達点、 ②追加　③強調	～まで
동생을 역까지 바래다 주었다. 언제까지 울고만 있을래? 너까지도 나를 못 믿겠니? 저렇게까지 좋아할 줄 몰랐다.		弟を駅まで送ってやった。 いつまで泣いてばかりいるつもり？ 君までも私を信じないの？ あんなにまで喜ぶとは思わなかった。
□ 나/이나	①例示 ②選択 ③強調	でも、か、や、も
밥이나 먹으러 갑시다. 버스나 지하철로 가면 된다. 오늘 커피를 다섯 잔이나 마셨다.		ご飯でも食べに行きましょう。 バスか地下鉄で行けばいい。 今日コーヒーを5杯も飲んだ。
□ 나마/이나마	不充分・譲歩	でも、ではあるが
너나마 와 주어서 다행이다. 먼발치로나마 보게 되어 기뻤다. 원시적이나마 도구를 쓰고 있었다.		君でも来てくれてよかった。 遠くからでも見られてうれしかった。 原始的ではあるが、道具を使っていた。
□ 는커녕/은커녕	否定内容強調	～どころか、～はおろか
저축은커녕 생활비도 모자란다. 밥은커녕 죽도 못 먹는다. 쉬기는커녕 자지도 못했다.		貯蓄どころか生活費も足りない。 ご飯どころかおかゆも食べられない。 休むどころか寝ることもできなかった。
□ 대로	①同様、根拠　②区別	～通りに、～なりに
모형대로 잘 만들었다. 계획대로 진행되고 있다. 나는 나대로 해 보겠다.		模型通りによく作った。 計画通りに進行されている。 私は私なりにやってみるつもりだ。
□ 더러	対象	～に

동생더러 언제 가느냐고 물었다. 그 여자가 나더러 누구냐고 물었다. 아내더러 술을 사오도록 했다.		弟にいつ行くのかと聞いた。 彼女が私に誰なのかと聞いた。 妻にお酒を買って来させた。
□ 든지/이든지	全部容認	～でも
사과든지 배든지 다 잘 먹는다. 과일이라면 뭐든지 다 좋아한다. 배 고프니까 무엇이든지 빨리 주세요.		りんごでも梨でもどれもよく食べる。 果物なら何でも全部好きだ。 お腹すいたから何でも早くください。
□ 라도/이라도	①次善 ②強調 ③前面容認 ④例え	～でも
술이라도 한잔할까? 바빠서 몸이 열개라도 모자란다. 나는 언제라도 시간이 있다. 마치 약속이라도 한 듯 찾아왔다.		お酒でも一杯やろうか。 忙しくて体が 10 個でも足りない。 私はいつでも時間がある。 まるで約束でもしたかのように訪ねてきた。
□ 라야/이라야	①指定 ②軽視	～でなければ～ない、～といっても
이곳은 청소년이라야 들어갈 수 있다. 이 일은 자네라야 할 수 있다. 재산이라야 집 한 채가 전부다.		ここは青少年でなければ入れない。 この仕事は君でなければできない。 財産といっても家屋一軒がすべてだ。
□ 로서/으로서	身分・地位・資格	～として
친구로서 한마디 하겠다. 가장으로서 느끼는 책임이 있다.		友人として一言言いたい。 家長として感じる責任がある。
□ 마다	①全部 ②間隔	①～ごとに、②～おきに
일요일마다 비가 온다. 버스는 5 분마다 출발한다.		日曜日ごとに雨が降る。 バスは5分おきに出発する。
□ 마저	否定的な状況の追加	～さえ、～まで、～も
추운데 바람마저 세게 불었다. 가족들마저 나를 믿어주지 않는다.		寒いのに風まで強く吹いた。 家族さえ私を信じてくれない。
□ 만	①限定 ②強調 ③程度	～だけ、～ばかり、～ほど、こそ
반찬이 없어서 밥만 먹었다. 그를 만나야만 모든 문제가 해결된다. 동생이 형만 못하다.		おかずがなくてご飯ばかり食べた。 彼に会ってこそすべての問題が解決できる。 弟は兄ほどできない（に及ばない）
□ 만큼	①程度・限定 ②比較	～ほど、～だけ、～くらい
그 사람만큼 능력 있는 사람은 없다. 부모님에게만큼은 잘해 드리고 싶다. 나도 당신만큼은 할 수 있다.		あの人ほど能力のある人はいない。 親にだけはよくしてあげたい。 私もあなたくらいはできる。
□ 밖에	特定の事柄以外排除	～しか

하나밖에 남지 않았다. 나를 알아주는 사람은 너밖에 없다. 가지고 있는 돈이 천 원밖에 없었다.		一つしか残っていない。 私をわかってくれる人は君しかいない。 持っている金が千ウォンしかなかった。
□ 부터	①起点 ②順序 ③強調	～から
아침부터 눈이 내리고 있다. 너부터 먼저 먹어라. 평소부터 운동을 많이 해 왔다.		朝から雪が降っている。 君から先に食べて。 普段から運動をたくさんやってきた。
□ 야말로/ 이야말로	事柄の強調・確認	～こそ
통일이야말로 우리의 최대의 과제다. 김 교수야말로 진정한 학자다. 너야말로 조용히 해라.		統一こそわれわれの最大の課題だ。 金教授こそ本当の学者だ。 君こそ静かにしなさい。
□ 에다	①場所 ②追加 ③手段	～に　　　※「에다가」の縮約形
귀중품은 집에다 놓아두는 게 좋다. 5 에다 5 를 더하니 10 이 되었다. 밥을 물에다 말아 먹었다.		貴重品は家に置いておくのがいい。 5 に 5 を足すと 10 になった。 ご飯を水に入れて食べた。
□ 에다가	①場所 ②追加 ③列挙 ④手段 ⑤対象	～に、～に加えて
언덕 위에다가 집을 지었다. 이번에는 월급에다가 수당도 붙었다. 술에다가 고기에다가 실컷 먹었다. 이불은 햇볕에다가 말려야 좋다. 난초에다가 물을 주었다.		丘の上に家を建てた。 今回は月給に加えて手当てもついた。 酒に肉にたらふく食べた。 布団は天日に干したほうがいい。 蘭に水をやった。
□ 조차	事柄の強調、類推	～さえ、～まで、～も
밤낮 공부만 하던 민수조차 떨어졌다. 목이 아파서 침조차 삼키기 힘들다. 자식들조차 얼굴을 내밀지 않는다.		日夜勉強ばかりしていたミンスさえ落ちた。 のどが痛くてつばさえ飲み込みづらい。 子供たちさえ顔を出さない。
□ 처럼	例え、同様	～のように
얼음처럼 차갑다. 아이처럼 순진하다. 새처럼 날고 싶다.		氷のように冷たい。 子供のように純真だ。 鳥のように飛びたい。
□ 치고	①例外なく ②例外的に	～で、～として、～にしては
대학생치고 그걸 모르는 사람은 없다. 동생은 중학생치고는 키가 너무 작다.		大学生でそれを知らない人はいない。 弟は中学生にしては背が低すぎる。

合格資料 6 よく出る連結語尾・連結表現リスト

※1) 本リストは、空所補充問題と類似表現問題によく出てくるものを既出問題から抽出し、まとめたものである。繰り返し出題されるものが多いのでしっかり覚えておくようにしよう。

※2) リスト中のVは動詞、Aは形容詞、Nは名詞との結合関係を示す。

終結表現	意味／用例	
VA+-(으)ㄴ/는 걸 보니(까)	判断	～のをみると
손이 떨리는 것을 보니 긴장한 것 같다. 연락이 없는 걸 보니 잘 안된 것 같다.	手が震えているのをみると緊張しているようだ。 連絡がないのをみるとうまくいかなかったようだ。	
V-(으)ㄴ 대로 V-는 대로 V-(으)ㄹ 대로	①同様に ②すぐ ③その都度すべて ④極限 ⑤最大限	～とおり、～まま、 ～たらすぐ、～たびに、 ～かぎり
본 대로 들은 대로 이야기를 했다. 아는 대로 설명하겠다. 미국에 도착하는 대로 연락할게요. 기회 있는 대로 메모를 한다. 그들의 애정은 식을 대로 식었다. 될 수 있는 대로 빨리 돌아오겠다.	見たまま聞いたままに話をした。 知っているとおりに説明する。 アメリカに到着したらすぐ連絡します。 機会ある度にメモをする。 彼らの愛情は冷え切っている。 出来る限り早く帰って来るつもりだ。	
VA-(으)ㄴ/는 만큼	程度、原因・根拠	～ほど、～くらい、～から
노력한 만큼 대가를 얻을 수 있다. 까다롭게 검사하는 만큼 준비를 잘 해 놓아라.	努力した分だけ対価を得ることができる。 厳しく検査するのだから準備をよくしておきなさい。	
V-(으)ㄴ 셈치고	仮定	～ことにして
죽었다가 다시 살아난 셈치고…. 속은 셈치고 미련을 버리려고 한다. 거긴 구경한 셈치고 좀 쉬자.	生き返ったことにして … 。 騙されたつもりで未練を捨てようと思う。 そこは見たことにしてちょっと休もう。	
VA+-(으)ㄴ/는/(으)ㄹ지	疑問、推測	～か、～かどうか
이 강이 얼마나 깊은지 알고 있어요. 무엇이 틀렸는지 답을 맞춰 보자. 그가 올지 안 올지 모르겠다.	この川がどのくらい深いか知っています。 何が間違ったのか答を合わせてみよう。 彼が来るか来ないかわからない。	
V-(으)ㄴ 지	時間の経過	～て、～てから
그를 만난 지도 꽤 오래되었다. 결혼한 지 3 년이 지났다.	彼にかなり久しく会っていない。 結婚してから 3 年が経った。	
A-(으)ㄴ데도 V-는데도 N-인데도	逆接の状況や事実の 説明（意外・不服）	～だが、～のに、～ても
이렇게 추운데도 놀러 나갔다. 날씨가 좋은데도 방에만 틀어박혀 있다.	こんなに寒いのに遊びに出かけた。 いい天気なのに部屋に閉じこもっている。	

많이 먹는데도 살이 안 찐다. 열심히 일하는데도 가난하게 산다. 결혼한 지 오래됐는데도 아기가 없다. 밤인데도 검은 안경을 쓰고 있다.	たくさん食べているのに太らない。 一生懸命働くのに貧しく暮す。 結婚して久しいのに子供がいない。 夜なのに黒いメガネをかけている。	
VA-(으)ㄴ들	仮定譲歩	～といっても、～だとしても
멀리 간들 얼마나 가겠니? 여기를 떠난들 설마 우리를 잊겠니?	遠く行ったとしてもそんなには行っていないだろう。 ここを去るとしてもまさか我々を忘れることはないだろう。	
V-(으)ㄹ 겸	二つ以上の行為の並行	～がてら、～を兼ねて
쇼핑도 할 겸 친구도 만날 겸 나갔다. 스트레스도 풀 겸 노래방에 갔다.	ショッピングもし、友達にも会うつもりで出かけた。 ストレスも解消しがてらカラオケに行った。	
V-(으)ㄹ 바에	場合・状態には（むしろ）	～するのなら、～するからには
그럴 바엔 차라리 그만두겠다. 어차피 갈 바에는 지금 당장 가겠다.	そんなことをするくらいならいっそやめる。 どうせ行くのならいますぐ行きたい。	
VA-(으)ㄹ 뿐	限定	～だけで、～のみで
그저 웃고만 있을 뿐 말이 없다. 값만 비쌀 뿐 품질이 안 좋다.	ただ笑っているだけで黙っている。 値段ばかり高くて品質はよくない。	
VA-(으)ㄹ 뿐만 아니라 N- 뿐만 아니라	限定せず状況・ 事柄の追加	～だけでなく、～ばかりか ～のみならず
맛이 있을 뿐만 아니라 값도 싸다. 돈도 없을 뿐만 아니라 시간도 없다. 얼굴뿐만 아니라 다리도 붓고 아프다.	美味しいだけでなく値段も安い。 お金もないばかりか時間もない。 顔だけではなく足も腫れて痛い。	
VA-(으)ㄹ까 봐(서)	疑心・心配の推測	～かと思って、～そうで
시험에 떨어질까 봐 걱정이다. 비가 올까 봐 빨래를 널지 않았다.	試験に落ちるのではないかと心配だ。 雨が降るかも知れないので洗濯物を干さなかった。	
VA-(으)ㄹ까 싶어(서)	疑心・心配の推測	～かと思って、～そうで
누가 볼까 싶어 고개를 푹 숙였다. 시험에 떨어질까 싶어 조마조마했다.	誰かに見られるかと思って顔を伏せた。 試験に落ちるかと思ってはらはらした。	
V-(으)ㄹ래야	仮定・条件	～ようとしても
※「-려고 해야/-려고 해도」の縮約形 믿을래야 믿을 수 없었다. 갈래야 갈 수 없는 고향. 그는 미워할래야 미워할 수 없다.	 信じようとしても信じられなかった。 行こうとしても行けない故郷。 彼は憎むに憎めない。	
VA-(으)ㄹ수록	程度の比例	～ほど、～であるほど
높이 올라갈수록 기온은 떨어진다. 이것은 더우면 더울수록 잘 자란다. 아이일수록 단백질이 많이 필요하다.	高く上がるほど気温は下がる。 これは暑ければ暑いほどよく育つ。 子供であるほどタンパク質が多く必要だ。	

읽으면 읽을수록 재미있다.	読めば読むほど面白い。	
V-(으)ㄹ 정도로	程度	～ほど、～くらい
밤을 새워도 다 못 할 정도로 많다. 김치가 없으면 밥을 못 먹을 정도로 좋아한다.	徹夜してもすべてできないほど多い。 キムチがなければご飯が食べられないほど好きだ。	
VA-(으)ㄹ지라도	譲歩的仮定	～ても、～ようとも
경기에 질지라도 정당하게 싸워야 한다. 그는 힘은 약할지라도 기술이 좋다.	競技に負けることがあっても正々堂々と闘わなければならない。 彼は力は弱くても技はいい。	
V-(으)ㄹ지 말지	判断の迷い・躊躇	～ようか～まいか
회식에 참석할지 말지 고민 중이다. 유학을 갈지 말지 망설이고 있다.	会食に出席しようかしまいか思案中だ。 留学に行こうか行くまいか迷っている。	
V-(으)ㄹ 테니까	①意志・予定 ②推測	～つもりだから、～から
뒤에서 잡아 줄 테니까 타 봐. 내일 갈 테니까 기다려라. 시장할 테니까 어서 들어라.	後ろから支えてやるから乗ってみて。 明日行くから待っていなさい。 お腹がすいているだろうから早く食べて。	
V-(으)ㄹ 테면	意図仮定	～つもりなら、～なら
떠날 테면 떠나라. 그만둘 테면 언제라도 그만둬라.	去りたければ去りなさい。 やめるつもりならいつでもやめなさい。	
VA-(으)ㄹ 텐데	推測	～はずなのに、～はずだから
피곤할 텐데 좀 쉬고 하자. 바쁠 텐데 와 줘서 고맙다.	疲れているだろうから少し休んでしよう。 忙しいはずなのに来てくれてありがとう。	
VA-(으)나	①逆接 ②常に ③すべて	～が、～だが、～ても
값은 싸나 품질은 좋지 않다. 엄마는 자나 깨나 동생 걱정만 한다. 무엇을 먹으나 다 마찬가지다. 어디를 가나 물병을 가지고 다닌다.	値段は安いが、品質はよくない。 母は寝ても覚めても弟の心配ばかりしている。 何を食べてもみんな同じだ。 どこに行っても水筒を持ち歩いている。	
V-(으)나 마나	同じ状況・結果	～ても～なくても
너는 보나 마나 합격일 거야. 들으나 마나 한 소리는 하지 마.	君は見るまでもなく合格だろう。 どうでもいい話はするな。	
VA-(으)니	①原因・根拠 ②前置き ③譲歩 ④羅列	～から、～と、～たら、 ～ても、～とか
좀 뜨거우니 식혔다가 먹자. 그가 결혼한다고 하니 놀랍다. 교실에 가 보니 아무도 없었다. 내가 가니 무슨 소용이 있겠어? 싸니 비싸니 하며 투덜거린다.	少し熱いから冷まして食べよう。 彼が結婚するというから驚きだ。 教室に行ってみたら誰もいなかった。 私が行っても何の役にも立たないだろう。 安いの高いのとぶつぶつ言っている。	
VA-(으)니까	原因・理由	～から、～と、～たら
그렇게 많이 먹으니까 배탈이 나지.	そんなにたくさん食べるからお腹をこわす。	

약속을 했으니까 만나야 한다. 그렇게 말해 주니까 고맙다.	約束をしたから会わなければならない。 そのように言ってくれるからありがたい。	
VA-(으)니만큼	原因、理由	~から、~ので、~だけに
학교가 가까우니만큼 늦게 나가도 된다. 선이 애매하니만큼 자기의 위치를 잃기 쉽다.	学校が近いから遅く出ても大丈夫だ。 線が曖昧なので自分の位置を外れやすい。	
V-(으)라고	命令の伝聞	~しろと、~ようにと
밥 먹은 후에 이를 닦으라고 했다. 의사가 담배를 끊으라고 충고했다.	食事をした後は歯を磨くようにと言った。 医者にタバコをやめるようにと忠告された。	
V-(으)려고	①意図　②様態	~ようと
그런 얘기 들으려고 온 건 아니다. 내일은 일찍 일어나려고 한다. 버스가 막 떠나려고 한다.	そんな話を聞こうと来たわけではない。 明日は早く起きようと思う。 バスがちょうど出発しようとしていた。	
V-(으)려고 하다가	①意図の中止、変更 ②様態の変化	~ようとして、~ようとしていたが、~しかけて
여행을 가려고 하다가 그만두었다. 잠깐 쉬려고 하다가 잠이 들었다. 비가 오려고 하다가 말았다.	旅行に行こうとしたが、やめた。 少し休もうとして寝入ってしまった。 雨が降りそうだったが、降らなかった。	
V-(으)려고 해서	理由	~ようとしたので
결석을 하려고 해서 야단을 쳤다. 비가 오려고 해서 빨래를 걷었다. 버스가 출발하려고 해서 서둘러 탔다.	欠席をしようとしたので叱った。 雨が降りそうだったので洗濯物を取り込んだ。 バスが出発しようとしたので急いで乗った。	
V-(으)려는데	前置き・状況の説明	~ようとするところへ
막 나가려는데 손님이 왔다. 음악을 들으려는데 아이가 들어왔다.	ちょうど出かけようとするときにお客さんが来た。 音楽を聞こうとしたら子供が入って来た。	
V-(으)려다가	「-(으)려고 하다가」の縮約	~ようとしていたが
어제 가려다가 일이 생겨서 못 갔다. 정말이냐고 물으려다가 그만두었다. 마당에 나무를 심으려다가 말았다.	昨日行こうとしたが、用事ができて行けなかった。 本当なのかと聞こうとしたがやめた。 庭先に木を植えようとしたがやめた。	
V-(으)려던	予定、様態の変化	~ようとしていた、~つもりだった
내가 읽으려던 책이 없어졌다. 집으로 가려던 발길을 되돌렸다. 희미해지려던 희망이 다시 살아났다.	私が読もうとしていた本が消えた。 家に帰ろうとしたが、引き返した。 消えかかっていた希望がまた甦った。	
V-(으)려면	仮定・条件	~ようとすれば、~するには
성공하려면 노력을 해라. 나중에 고생하지 않으려면 열심히 해. 물이 끓으려면 좀 더 기다려야 한다.	成功しようとすれば努力をしなさい。 後で苦労したくなければがんばって。 湯が沸くにはもう少し待たなければならない。	
N-(으)로 인해(서)/인한	原因	~によって / ~による

나는 돈으로 인해 타락한 적은 없다. 이곳은 홍수로 인한 재난이 많았다. 부주의로 인한 사고	私はお金によって堕落したことはない。 ここは洪水による災難が多かった。 不注意による事故	
VA-(으)면	仮定・条件	～ば、～と、～たら
모르는 것이 있으면 물어 보세요. 약을 먹으면 좋아질 것이다. 상한 음식을 먹으면 배탈이 난다.	分からないことがあれば聞いてください。 薬を飲んだらよくなるだろう。 傷んだ食べ物を食べるとお腹をこわす。	
VA-(으)면서 N-(이)면서	①動作・状態の並行 ②逆接　③同格	～ながら、～と同時に
신문을 보면서 밥을 먹는다. 그녀는 부드러우면서 의연하다. 거래가 늘면서 중고차 값도 올랐다. 모르면서 아는 척한다. 자기는 놀면서 남만 시킨다. 종교 규범이면서 도덕 규범이기도 하다.	新聞を見ながらご飯を食べる。 彼女は温厚でありながら毅然としている。 取引が増えると同時に中古車の価格も上がった。 知らないのに知っている振りをする。 自分は遊びながら人ばかりやらせる。 宗教規範でありながら道徳規範でもある。	
VA-(으)므로 N-(이)므로	理由・根拠	～ので、～から
강물이 깊으므로 배 없이 못 건넌다. 그는 부지런하므로 성공할 것이다. 오늘은 휴일이므로 쉰다.	川が深いので船なしには渡れない。 彼は勤勉だから成功するだろう。 今日は休日なので休む。	
N-(이)나 N-(이)나 할 것 없이	同様	～を問わずすべて
동양이나 서양이나 할 것 없이…. 어른이나 아이나 할 것 없이 다 좋아한다.	東洋や西洋を問わず … 。 大人や子供区別なくみんな喜ぶ。	
아무 N-(이)나	不定、容認	なんの～でも
기회가 있으면 아무 일이나 하겠다. 아무 사람이나 들어가지는 못한다.	機会があればどんな仕事でもする。 誰でも (関係なく) 入ることはできない。	
V-ㄴ/는다 싶어(서) A-다 싶어(서)	判断の理由	～と思って、 ～と思ったので
아이를 너무 꾸짖는다 싶어 말렸다. 먼지가 날린다 싶어 마스크를 썼다. 방이 어둡다 싶어 불을 켰다. 마지막 기회다 싶어 열심히 일했다.	子供を叱りすぎていると思ったのでとめた。 ほこりが飛ぶと思ってマスクをかけた。 部屋が暗いと思って電気をつけた。 最後の機会だと思って一生懸命働いた。	
V-ㄴ/는다거나 A-다거나 N-라거나	事実の羅列、例示	～とか、～だとか、～たり
먹는다거나 마신다거나 할 틈도 없다. 방이 춥다거나 할 경우에는 연락해라.	食べたり飲んだりする暇もない。 部屋が寒かったりする場合は連絡しなさい。	

무서운 사람이라거나 하는 소문이 있다.	恐ろしい人だとかいううわさがある。	
V-ㄴ/는다고 A-다고	①伝聞・引用 ②原因・理由 ③仮定	～と、～といって、 ～からと
민수는 내일 간다고 하던데요. 이번에는 열심히 하겠다고 약속했다. 공부를 안 한다고 엄마한테 혼 났다. 새로운 약품이 효과가 있다고 치자.	ミンスは明日行くと言っていましたよ。 今度は一生懸命すると約束した。 勉強をしないと母に叱られた。 新しい薬品が効果があるとしよう。	
V-ㄴ/는다고 하기에 A-다고 하기에	伝聞の原因・理由	～というので ～というから
잘 낫는다고 하기에 이 온천에 왔다. 학교에 안 온다고 하기에 걱정했다. 춥다고 하기에 옷을 많이 입고 왔다. ※縮約形は「-ㄴ/는다기에」,「-다기에」 밥을 못 먹는다기에 걱정했다. 배가 고프다기에 빵을 사 가지고 갔다.	よく治るというのでこの温泉に来た。 学校に来ないというから心配した。 寒いというので服をたくさん着て来た。 ご飯が食べられないというので心配した。 お腹がすいたというからパンを買って行った。	
V-(ㄴ/는)다길래	伝聞理由	～というから
＊「-(ㄴ/는)다고 하길」の縮約形 = -(ㄴ/는)다기에 여기는 고기가 잘 잡힌다길래 왔어요. 많이 걷는다길래 운동화를 신고 왔어요.	 ここは魚がよく釣れるというので来ました。 たくさん歩くと言うから運動靴を履いて来ました。	
V-ㄴ/는다는데도 A- 다는데도	伝聞や主張の提示、 矛盾、譲歩（不服・意外）	～というのに、 ～といっても
※「-(ㄴ/는)다고 하는데도」の縮約形 많이 먹는다는데도 몸이 날씬하다. 비가 온다는데도 낚시를 하러 갔다. 춥다는데도 장갑도 안 끼고 나갔다. 공부를 하겠다는데도 쉬라고 한다.	 たくさん食べているというのに体型はスリムだ。 雨が降るというのに釣りに出かけた。 寒いというのに手袋もしないで出かけた。 勉強したいと言っても休めという。	
V-(ㄴ/는)다니	①驚きの気持ち ②伝聞理由	～というので / から
※「-는다고 하다니」の縮約形 술을 안 먹는다니까 놀랐어요. 친구들과 같이 있는다니 안심이다.	 お酒を飲まないというから驚きました。 友達と一緒にいるというので安心だ。	
V-(ㄴ/는)다니까	理由、根拠	～というから、～だそうだから
※「-ㄴ/는다고 하니까」の縮約形 손님이 온다니까 청소 좀 하자. 네가 오지 않는다니까 다 좋아하더라.	 お客さんが来るというからちょっと掃除をしよう。 君が来ないと言ったらみんな喜んでいたよ。	
V-(ㄴ/는)다더니	伝聞逆接・理由	～といっていたが
※「-(ㄴ/는)다고 하더니」の縮約形 비가 온다더니 눈이 내리기 시작했다.	 雨が降るといわれたが、雪が降り始めた。	

책을 읽는다더니 잠을 자고 있다.	本を読むといっていたが、寝ている。	
V-(ㄴ/는)다던데	状況説明、前置き	～というが、～と言っていたが
※「-(ㄴ/는)다고 하던데」の縮約形 비가 많이 온다던데 괜찮아요? 밥을 먹는다던데 왜 식당에 없을까?	雨がたくさん降っているそうですが、大丈夫ですか。 ご飯を食べるといっていたが、どうして食堂にいないのだろう。	
V-ㄴ/는다면 A-다면	①仮定　②説明	～というなら、～なら ～といえば
※「-ㄴ/는다고 하면・-다고 하면」の縮約形。 정말 날 믿는다면 내 말을 들어라. 흥미가 없다면 안 와도 된다. 가깝다면 가깝고 멀다면 먼 친척….	本当に私を信じるというなら私の話を聞きなさい。 興味がなければ来なくてもいい。 近いといえば近いし、遠いといえば遠い親戚…。	
V-ㄴ/는다지만 A-다지만	伝聞の相反・対立	～というが、～そうだが
※「-(ㄴ/는) 다고 하지만」の縮約形 눈은 다 녹았다지만 아직 쌀쌀하다. 품질이 좋다지만 비싸서 못 산다. 놀고 먹는다지만 천만의 말씀이다.	雪は全部溶けたというが、まだ肌寒い。 品質が良いというが、高くて買えない。 遊んで暮らすというが、とんでもない話だ。	
V-ㄴ/은 김에 V-는 김에	機会・きっかけ	～ついでに、～機会に
말이 나온 김에 대답을 듣고 싶다. 마음을 먹은 김에 당장 하자. 참는 김에 더 참아 보자.	話が出たついでに返事を聞きたい。 決心がついたからすぐしよう。 我慢のついでにもう少し我慢してみよう。	
VA-ㄴ/은 나머지 V-는 나머지 V-던 나머지	結果	～あげく、～あまり、 ～結果
분한 나머지 한참 말을 잇지 못했다. 너무 기쁜 나머지 눈물을 흘렸다. 그 일로 슬퍼하던 나머지 병이 났다.	悔しさのあまりしばし言葉が出なかった。 嬉しさのあまり涙を流した。 その事で悲しんだあげく病気になった。	
V-ㄴ/은 대신에 V-는 대신에	逆接、代価	～代わりに、～反面、 ～のに
돈이 없는 대신 시간은 많다. 어제 못 간 대신 저녁을 살게. 얼굴이 예쁜 대신 심술궂다.	お金がない反面時間は多い。 昨日行けなかったから夕飯をおごるよ。 顔はきれいなのに意地悪だ。	
VA-ㄴ/은 반면(에) V-는 반면(에)	対立・相反	～反面、～けれど、 ～が、～のに
공부는 못하는 반면에 춤은 잘 춘다. 말은 빠른 반면에 동작은 느리다.	勉強はできないが、踊りは上手だ。 言葉は早いが、動作は遅い。	

V-ㄴ/은 채(로) V-는 채(로)	状態持続	～まま
옷을 입은 채로 물에 들어갔다. 그녀는 고개를 숙인 채 말했다. 아무 소식도 없는 채 십 년이 지났다.	服を着たまま水に入った。 彼女はうつむいたまま話した。 何の消息もないまま十年が過ぎた。	
VA-ㄴ/은 탓에 N-탓에	理由・原因（否定的な事の）	～せいで、～ために
술이 과한 탓에 실수를 했다. 방이 밀폐된 탓에 무덥고 컴컴했다. 아버지 탓에 어머니가 고생을 했다.	酒を飲みすぎたために失敗をした。 部屋が密閉されたせいで蒸し暑く暗かった。 父のせいで母が苦労をした。	
A-ㄴ/은 한편 V-는 한편	同時、一方	～と同時に、～する一方
일을 하는 한편 책도 열심히 읽었다. 아이들을 칭찬하는 한편 야단도 친다. 농사를 짓는 한편 회사에도 다닌다.	仕事をする一方本も熱心に読んだ。 子供たちを誉める一方叱ったりもする。 農業をする一方会社にも通っている。	
VA-ㅁ/음에 따라(서) N-에 따라(서)	①比例 ②根拠・基準・場合	～に従って、～によって
돈이 있고 없음에 따라 대우가 다르다. 건강이 회복됨에 따라 식욕도 왕성해졌다. 학자에 따라 주장이 다르다.	お金があるかないかによって待遇が違う。 健康が回復するに従って食欲も旺盛になった。 学者によって主張が異なる。	
VA-ㅁ/음에도 불구하고 N-에도 불구하고 V-는데도 불구하고 A-(으)ㄴ데도 불구하고	逆接（意外・不満の気持ちの）	～にもかかわらず
비가 옴에도 불구하고 낚시를 갔다. 밤이 늦음에도 불구하고 길을 떠났다. 훌륭한 능력이 있는데도 불구하고…. 심한 감기에도 불구하고 출근했다. 비옥한 땅인데도 불구하고 버려져 있다.	雨が降るにもかかわらず釣りに行った。 夜が遅いにもかかわらず出発した。 立派な能力があるにもかかわらず…。 ひどい風邪にもかかわらず出勤した。 肥沃な土地であるにもかかわらず捨てられている。	
VA-ㅁ/음으로 인해(하여) N-으로 인해 N-으로 인한	理由・原因	～によって、～による
짧은 치마가 유행함으로 인해…. 화재로 인해 모든 것을 잃었다. 이곳은 홍수로 인한 재난이 많았다.	短いスカートが流行ることによって…。 火事によってすべてのものを失った。 ここは洪水による災害が多かった。	
V-거나 말거나	無関係	～ようが～まいが
가거나 말거나 마음대로 해라. 욕을 하거나 말거나 신경 안 쓴다.	行こうが行くまいが勝手にしなさい。 悪口を言おうが言うまいが気にしない。	
VA-거든	仮定・条件	～たら、～ば

비가 그치거든 떠나자. 그분을 만나거든 안부 전해 주세요. 합격하고 싶거든 내 말을 들어라.	雨が止んだら出発しよう。 その方に会ったらよろしくお伝えください。 合格したかったら私の話を聞け。	
V-게 A-게	程度・目標・理由、 結果、使役など	～ように、～く、～ほど
분수에 맞게 살아야 한다. 차가 지나가게 비켜섰다. 목이 터지게 외쳤다. 앞집 때문에 그늘이 지게 되었어. 슬프게도 이러한 우려는 사실이다. 부모를 기쁘게 해 주려고 노력했다. 손님을 응접실에서 기다리게 한다. 그는 한평생을 고독하게 살았다.	分相応に暮さなければならない。 車が通れるようによけた。 のどが破れるほど叫んだ。 前の家のせいで陰になるようになった。 悲しくもこのような憂慮は事実だ。 親を喜ばせてあげようと努力した。 お客さんを応接間で待たせる。 彼は一生を孤独に生きた。	
V-고 나니(까)	終了・完了	～し終えたら、～てしまうと
다 이야기를 하고 나니까 후련하다. 애들이 다 떠나고 나니 쓸쓸해졌다.	すべて話をしたらすっきりした。 子供達がみんな帰ってしまうと寂しくなった。	
V-고 나면	事後の仮定・条件	～と、～たら
모두 떠나고 나면 마음이 허전해진다. 실컷 울고 나면 후련해진다.	みんな去っていくと心が寂しくなる。 思い切り泣いたらさっぱりする。	
V-고 나서	状態・動作の事後	～てから
한참 비가 오고 나서 날이 개었다. 검사를 받고 나서 들어갈 수 있었다.	しばらく雨が降ってから晴れた。 検査を受けてから入ることができた。	
V-고 보니	事後・状況の判断	～てみると、～たら、～ので
시험에 떨어지고 보니 눈 앞이 캄캄했다. 그 말을 듣고 보니 좀 이해가 되었다. 바쁘고 보니 그럴 여유도 없다.	試験に落ちてみると目の前がまっ暗だった。 その話を聞いてみたら少し理解ができた。 忙しいのでそんな余裕もない。	
V-고 보면	行為の結果・判断	～てみると
오래 살고 보면 정이 드는 법이다. 그의 말을 듣고 보면 납득이 간다.	長く暮らしてみるとなじむものだ。 彼の話を聞いてみると納得できる。	
V-고는 V-곤 (縮約形)	前提・条件	～ては
사람은 빵만 가지고는 살 수 없다. 곧 돌아오겠다고 말하곤 가 버렸다. 남에게 지고는 못 배기는 성미였다.	人はパンだけでは生きることができない。 すぐ戻ると言っては行ってしまった。 人に負けたら我慢できない性格だった。	
VA-고도	相反・対立	～て、～ても、～のに
슬프고도 아름다운 이야기. 졸고도 졸지 않은 체하다. 오고도 연락을 안 하다니 섭섭하다.	悲しくて美しい話。 居眠りしたのにしなかった振りをする。 来たのに連絡をしないなんてさびしい。	

V-고자	意図・願望	～ようと
체중을 줄이고자 운동을 시작했다. 그의 이야기를 듣고자 찾아갔다. 이게 그가 말하고자 했던 부분이다.	体重を減らそうと運動を始めた。 彼の話を聞こうと訪ねて行った。 これが彼が言いたかった部分である。	
VA-기 전에	以前	～前に
출발하기 전에 짐을 먼저 부쳤다. 비가 오기 전에 빨래를 걷어라.	出発する前に荷物を先に送った。 雨が降る前に洗濯物を取込みなさい。	
VA-기는 하지만	一部肯定後結果否認、相反	～はあるが、～はするが
밥을 먹기는 하지만 식욕이 없다. 기다리기는 했지만 만나지는 못했다. 화가이기는 하지만 그림을 안그린다.	ご飯を食べるには食べるが食欲がない。 待ってはいたが、会うことはできなかった。 画家ではあるが絵は描かない。	
VA-기는커녕	否定的内容の強調	～どころか、～はおろか
보기는커녕 듣지도 못했다. 돕기는커녕 방해할 생각만 하고 있다.	見るどころか聞きもしなかった。 助けるどころか邪魔することばかり考えている。	
VA-기도 해서	一部の理由・根拠	～こともあって、～たりして
춥기도 해서 일찍 끝내고 돌아왔다. 비가 오기도 해서 손님이 별로 없다.	寒いこともあって早く終わらせて帰って来た。 雨が降ったりして客はあまりいない。	
VA-기 때문에 N-이기 때문에 N-때문에	理由・原因	～ので、～なので、 ～ために
사랑하기 때문에 그를 더 알고 싶다. 방학이기 때문에 한가하다. 빚 때문에 고생을 했다.	愛しているので彼をもっと知りたい。 休みなので暇だ。 借金のために苦労をした。	
VA-기로	①理由・条件　②譲歩	～ので、～ても
타의 모범이 되기로 이에 표창을 함. 아무리 바쁘기로 네 생일을 잊겠니? 아무리 좋기로 그렇게까지 할까?	他人の模範になるのでここに表彰する。 どんなに忙しくても君の誕生日を忘れるはずがない。 いくら好きでもそこまでやるだろうか。	
VA-기만 하면	条件限定	～しさえすれば、～してばかりいては、～たら必ず
보고 있기만 하면 어떡해? 몸이 튼튼하기만 하면 된다. 우유를 먹기만 하면 배탈이 난다.	見てばかりいてどうする？ 体が健康でさえあればいい。 牛乳を飲むと必ずお腹をこわす。	
V-기보다는	比較	～よりは
차를 타기보다는 걷는 것이 좋다. 받기보다는 주는 것이 더 행복하다.	車に乗るよりは歩いた方がいい。 もらうよりはあげるほうがもっと幸せだ。	
VA-기에	原因・理由・根拠	～ので、～から
너무 사랑했기에 헤어질 수 없었다. 아이가 보채기에 야단을 쳤다.	とても愛していたので別れられなかった。 子供がせがむので叱った。	

맛있어 보이기에 사 왔다.	美味しそうに見えたので買って来た。	
V-기에는	判断の基準	～には
되돌아가기에는 너무 멀리 왔다. 내가 먹기에는 음식이 너무 매웠다.	戻るのにはあまりに遠く来すぎた。 私が食べるには食べ物が辛すぎた。	
V-기 위해서	目的	～のために
시험에 합격하기 위해서 열심히 노력하고 있다. 먹기 위해서 사는가, 살기 위해서 먹는가?	試験に合格するために熱心に努力している。 食べるために生きるのか、生きるために食べるのか。	
VA-길래	原因・根拠	～ので、～から、～て
맛있어 보이길래 사 왔다. 아프다고 하길래 걱정이 되어서 왔다.	美味しく見えたので買って来た。 痛いと言うから心配になって来た。	
N-끝에 V-(으)ㄴ 끝에	結果	～した末に、 ～したあげく
그들은 3년간 연애 끝에 결혼하였다. 의논을 거듭한 끝에 낸 결론이다.	彼らは３年間の恋愛ののち結婚した。 議論を重ねた結果出した結論である。	
V-느냐고 A-(으)냐고	疑問の伝聞、質問、 疑問	～のかと
어디 가느냐고 물어 봤어? 어디 아프냐고 물어도 대답이 없다. 어떻게 하면 좋으냐고 의논해 왔다. 무슨 일이냐고 전화가 왔다.	どこに行くのかと聞いてみたの？ どこか具合が悪いかと聞いても返事がない。 どうすれば良いかと相談して来た。 何のことかと電話があった。	
V-느니	①比較選択 ②羅列	～よりは、～の～の、～とか～とか
그냥 앉아 있느니 책이라도 읽자. 그냥 기다리느니 직접 찾아가자. 소풍을 가느니 마느니 말도 많다.	そのまま座っているより本でも読もう。 ただ待つより直接会いに行こう。 遠足に行くの行かないのとうるさい。	
V-느라고	原因・理由（目的）	～ので、～ために
시험 공부하느라고 놀 틈이 없었다. 웃음을 참느라고 딴 데를 보았다.	試験勉強をしていて遊ぶ暇がなかった。 笑いを堪えようとして別のところを見た。	
VA-ㄴ/는 가운데 N-가운데	状態の持続中・範囲の中	～中で、～うちに、 ～ながら
국가가 연주되는 가운데 국기가 게양되었다. 어려운 가운데서도 남을 돕는다. 없는 살림 가운데서도 정성껏 대접했다.	国歌が演奏される中で国旗が掲揚された。 貧しい中でも人を助けている。 貧しい暮しの中でも誠意を込めてもてなした。	
N～는/은 고사하고	否定的な内容の強調	～はおろか、～どころか
이익은 고사하고 현상유지도 안 된다. 잊혀지기는 고사하고 더 괴로워졌다.	利益どころか現状維持にもならない。 忘れるどころかもっと辛くなった。	
V -는 길 V -(으)ㄹ 길	方法・手段	～方法、～手段
그를 설득하는 길	彼を説得する手立て	

<table>
<tr><td colspan="2">그를 찾을 길이 없다.
사실인지 어떤지 확인할 길이 없다.</td><td colspan="2">彼を捜すあてがない。
事実かどうか確認するすべがない。</td></tr>
<tr><td>V-는 길에</td><td colspan="2">移動の途中・機会</td><td>～途中で、ついでに</td></tr>
<tr><td colspan="2">집에 가는 길에 비를 맞았다.
출장 가는 길에 고향에 들렀다.</td><td colspan="2">家に帰る途中雨に降られた。
出張に行く途中に故郷に立ち寄った。</td></tr>
<tr><td>V-는 길로</td><td colspan="2">すぐ、即時</td><td>～するとすぐ、～し次第</td></tr>
<tr><td colspan="2">학교에서 돌아오는 길로 학원에 갔다.
절에 들어가는 길로 머리를 깎았다.</td><td colspan="2">学校から帰って来てすぐ塾に行った。
寺に入ってすぐ髪を刈った。</td></tr>
<tr><td>V-는 까닭에
A-(으)ㄴ 까닭에</td><td colspan="2">事情・理由</td><td>～ために、ゆえに、～ので</td></tr>
<tr><td colspan="2">아들이 없는 까닭에 제사가 걱정이었다.
허약한 까닭에 늘 병이 잦았다.
관리를 소홀히 한 까닭에 기둥이 썩어 버렸다.</td><td colspan="2">息子がいないので祭祀が心配だった。
体が弱かったのでいつも病気がちだった。
管理を疎かにしたせいで柱が腐ってしまった。</td></tr>
<tr><td>V+-는 덕분에</td><td colspan="2">恩恵、力添え</td><td>～おかげで</td></tr>
<tr><td colspan="2">염려해 주시는 덕분에 잘 지내고 있습니다.
비가 오는 덕분에 쉴 수 있게 되었다.
열심히 일한 덕분에 부자가 되었다.</td><td colspan="2">心配してくださるおかげで元気に過ごしています。
雨が降るおかげで休めるようになった。
一生懸命働いたおかげで金持ちになった。</td></tr>
<tr><td>V- 는 둥 마는 둥
V-(으)ㄴ 둥 만 둥
V-(으)ㄹ 둥 말 둥</td><td colspan="2">①十分し終えないさま
②起こりそうで起こらない
状態・行為</td><td>～そこそこに、～適当にすまして、～しそうでしない、～しようかしまいか</td></tr>
<tr><td colspan="2">밥을 먹는 둥 마는 둥 하고 나갔다.
얼굴을 본 둥 만 둥 그냥 지나간다.
이야기를 할 둥 말 둥 하다.</td><td colspan="2">ご飯もそこそこに出て行った。
顔を見たか見なかったかそのまま通り過ぎる。
話をしそうでしない。</td></tr>
<tr><td>V-는 바람에</td><td colspan="2">根拠・原因　～ので、</td><td>～て、はずみに、～拍子に</td></tr>
<tr><td colspan="2">급히 먹는 바람에 체했다.
배탈이 나는 바람에 학교에 못 갔다.
오늘은 늦잠을 자는 바람에 지각을 했다.</td><td colspan="2">急いで食べたせいで胃がもたれた。
お腹をこわしたので学校に行けなかった。
今日は寝坊をしてしまって遅刻した。</td></tr>
<tr><td>V-는 중에
V-던 중에</td><td colspan="2">間、途中</td><td>～中、～途中、～うちに</td></tr>
<tr><td colspan="2">아침을 먹는 중에 그 뉴스를 보았다.
작품을 살펴보던 중에 깨달은 게 있다.</td><td colspan="2">朝食を食べるときにそのニュースを見た。
作品を見ているときに気づいたことがある。</td></tr>
<tr><td>V-는지
A-(으)ㄴ지</td><td colspan="2">①疑問・疑い ②推測
③強調</td><td>～のか、～のやら、～かもしれない、(どれほど) ～か</td></tr>
<tr><td colspan="2">어디에 갔는지 아무도 모른다.
뭘 하고 있는지 물어 봐라.
살았는지 죽었는지 전혀 소식이 없다.
너무 낙관적인지 모르나….
요즘 얼마나 바쁜지 몰라.</td><td colspan="2">どこへ行ったのか誰も知らない。
何をしているのか聞いてみなさい。
生きているのか死んだのか全然消息がない。
あまりに楽観的なのか分からないが…。
最近非常に忙しい。</td></tr>
</table>

V-는 통에 N-통에	状況・原因	～ために、～せいで、 ～はずみに
아이들이 떠드는 통에 뉴스를 못 들었다. 배탈이 나는 통에 회사에 못 갔다. 가족은 전쟁 통에 뿔뿔이 헤어졌다.	子供達が騒ぐせいでニュースを聞いていない。 お腹をこわしたので会社に行けなかった。 家族は戦争で散り散りに別れた。	
V-는 한	条件・状況	～限り
사과하지 않는 한 용서하지 않겠다. 내가 살아있는 한 잊지 못할 것이다.	謝らない限り許さない。 私が生きている限り忘れられないだろう。	
V-는 한이 있더라도	極端な状況・条件	～ことがあっても
비록 사표를 쓰는 한이 있더라도이 명령만은 따를 수 없다. 설령 죽는 한이 있더라도 끝까지 싸우겠다.	たとえ辞表を書くことがあってもこの命令だけは従うことができない。 たとえ死ぬことがあっても最後まで戦うつもりだ。	
V-는/ㄴ다고 A-다고	①伝聞・引用 ②内容 ③理由・原因	～と、～からといって
다음 주에 가겠다고 하더라. 모든 것이 부질없다고 충고했다. 떠들었다고 혼이 났다. 책 읽는다고 텔레비전을 꺼 버렸다.	来週に行くと言っていたよ。 すべてのものが取るに足りないと忠告した。 騒いだと叱られた。 本を読むからとテレビを消してしまった。	
V-는 데다가 A-(으)ㄴ 데다가	状況の追加	～であるうえに、 ～するうえに
머리도 좋은 데다가 참 부지런하다. 싼 데다가 질도 좋아 잘 팔린다. 비가 오는 데다가 어두워서 못 간다.	頭もいい上にとても勤勉だ。 安い上に質も良くてよく売れる。 雨が降っている上に暗くて行けない。	
VA-다 보니(까)	①原因 ②経過	～ので、～しているうちに
살기가 어렵다 보니 어쩔 수 없었다. 이야기하다 보니 갈 시간이 다 됐다. 미묘한 문제이다 보니 그렇게 됐다.	生活が苦しいから仕方なかった。 話しているうちに行く時間になった。 微妙な問題なのでそのようになった。	
V-다 보면	結果・経過	～ていると、～ているうちに
먹다 보면 익숙해지기 마련이다. 망설이다 보면 기회를 놓치기 쉽다. 놀기만 하다 보면 학점을 못 딸 거다.	食べているうちに慣れるものだ。 ためらっていると機会を逃しやすい。 遊んでばかりいると単位が取れないだろう。	
VA-다가	①移行・転換 ②中断 ③原因 ④交互の動作・状態	～しかけて、～途中で、 ～たり、～ていたが
아이는 공부를 하다가 잠이 들었다. 조용하다가 갑자기 시끄러워졌다. 비가 오다가 그쳤다. 못을 박다가 손을 다쳤다.	子供は勉強をしている途中寝てしまった。 静かだっが、急にうるさくなった。 雨が降っていたが、止んだ。 くぎを打ち込んでいる途中手をけがした。	

<table>
<tr><td colspan="2">놀기만 하다가 낙제했다.
날씨가 덥다가 춥다가 한다.
아기가 자다가 깨다가 한다.</td><td colspan="2">遊んでばかりいて落第した。
暑かったり寒かったりする。
赤ちゃんが寝たり起きたりする。</td></tr>
<tr><td>VA-다가는</td><td colspan="2">①移行・転換 ②根拠・原因</td><td>~しかけては、~ては</td></tr>
<tr><td colspan="2">지웠다가는 다시 쓰고 또 지우곤 했다.
공부를 좀 하다가는 잠이 들었다.
그렇게 떠들다가는 혼난다.</td><td colspan="2">消してはまた書き、また消したりした。
勉強をしかけては寝てしまった。
そんなに騒いでは叱られる。</td></tr>
<tr><td>A-다고 해도
V-ㄴ/는다고 해도</td><td colspan="2">仮定・条件</td><td>~と言っても、~ても</td></tr>
<tr><td colspan="2">분하다고 해도 그것은 어쩔 수 없다.
화가 난다고 해도 폭력은 안된다.
맵다고 해도 못 먹을 정도는 아니다.</td><td colspan="2">悔しいと言ってもそれは仕方ない。
腹が立つと言っても暴力はだめだ。
辛くても食べられないほどではない。</td></tr>
<tr><td>A-다기보다는
V-ㄴ/는다기보다는</td><td colspan="2">比較強調、反対の状況</td><td>~というよりは</td></tr>
<tr><td colspan="2">※「-ㄴ다고 하기보다는」の縮約形
밥을 먹는다기보다는 삼키고 있었다.
기쁘다기보다는 착잡한 기분이었다.
젊다기보다는 어리다는 표현이 어울린다.</td><td colspan="2">
ご飯を食べるというよりは飲み込んでいた。
嬉しいというよりは複雑な気分だった。
若いというよりは幼いという表現が似合う。</td></tr>
<tr><td>A-다기에
V-ㄴ/는다기에</td><td colspan="2">原因・理由</td><td>~というから</td></tr>
<tr><td colspan="2">※「-ㄴ/는다고 하기에」の縮約形
여기 오면 병이 잘 낫는다기에 왔다.
몸이 안 좋다기에 들렀다.
비가 올 것 같다기에 소풍을 중지했다.</td><td colspan="2">
ここに来ると病気がよく治るというので来た。
体の具合が悪いと言うから立ち寄った。
雨が降りそうだというので遠足を中止した。</td></tr>
<tr><td>V-다시피</td><td colspan="2">追認、ほぼ同じ状態</td><td>~のとおり、~のように</td></tr>
<tr><td colspan="2">알다시피 이 때가 가장 바쁘다.
시간이 없어서 거의 뛰다시피 걸어갔다.
그는 연구실에서 살다시피 했다.</td><td colspan="2">わかっているようにこの時が一番忙しい。
時間がなくてほとんど走るように歩いて行った。
彼はほとんど研究室で暮していた。</td></tr>
<tr><td>VA-더니</td><td colspan="2">①理由・根拠 ②対立
③前置き・状況説明</td><td>~ので、~から、~ていたが、
~たかと思うと、~たら</td></tr>
<tr><td colspan="2">날이 흐리더니 비가 오기 시작했다.
운동을 했더니 온몸이 쑤신다.
날씨가 무덥더니 비가 온다.</td><td colspan="2">曇ってきて雨が降り始めた。
運動をしたら全身が痛む。
蒸し暑かったと思ったら雨が降る。</td></tr>
<tr><td>VA-더라도</td><td colspan="2">強い譲歩・強調</td><td>~ても、~であっても</td></tr>
<tr><td colspan="2">화나는 일이 있더라도 참아라.
무슨 일이 있더라도 잊지 않겠다.
누가 하더라도 이보다 잘할 수는 없다.</td><td colspan="2">腹が立つ事があっても我慢しなさい。
何があっても忘れまい。
誰がやってもこれよりはよくできない。</td></tr>
</table>

<table>
<tr><td>V−더라면</td><td colspan="2">過去の事実に反する仮定・希望</td><td>〜たならば、〜だったら</td></tr>
<tr><td colspan="2">그 사람을 만났더라면 좋았을 텐데.
좀 더 노력했더라면 성공했을 거다.
네가 안 왔더라면 큰일 날 뻔했다.</td><td colspan="2">その人に会えたなら良かったのに。
もう少し努力したなら成功しただろう。
君が来なかったら大変な事になるところだった。</td></tr>
<tr><td>V−던</td><td colspan="2">①過去回想
②過去持続・反復</td><td>〜だった、〜かった、
〜していた、〜した</td></tr>
<tr><td colspan="2">언니가 결혼하던 날도 눈이 내렸다.
3년간이나 계속하던 펜팔을 그만두었다.
추적추적 내리던 비가 멈췄다.
내가 곧잘 흥얼거리던 노래가 있다.
유치원 때부터 불렀던 노래이다.</td><td colspan="2">姉が結婚した日も雪が降った。
3 年間も続けていた文通をやめた。
しとしと降っていた雨が止んだ。
私がよく口ずさんでいた歌がある。
幼稚園の時から歌っていた歌だ。</td></tr>
<tr><td>VA−던데</td><td colspan="2">①前置き ②逆接</td><td>〜ていたが、〜ていたのに</td></tr>
<tr><td colspan="2">병원에 자주 가던데 무슨 일 있니?
민수가 그러던데 아주 맛있다더라.
다 기다리던데 나는 못 기다리겠다.</td><td colspan="2">病院によく行っていたが何かあるの？
ミンスが言っていたが、とても美味しいそうだよ。
みんな待っていたけど、私は待てない。</td></tr>
<tr><td>V−던지</td><td colspan="2">①疑問・推測 ②原因・根拠</td><td>〜たか、だったか、
〜したので、〜のか</td></tr>
<tr><td colspan="2">그때 누가 있었던지 생각이 안 난다.
보기 안됐던지 자상하게 돌봐 줬다.
어찌나 무서웠던지 말도 할 수없었다.</td><td colspan="2">あの時誰がいたのか思い出せない。
見かねたのか細やかに面倒をみてくれた。
とても怖かったので言葉もでなかった。</td></tr>
<tr><td>아무 N−도</td><td colspan="2">否定</td><td>何の〜も、まったく〜も</td></tr>
<tr><td colspan="2">＊あとに打消しの語を伴う。
말해 봤지만 아무 소용도 없었다.
난 아무 연락도 못 받았다.</td><td colspan="2">
言ってみたが、何の役にも立たなかった。
私は何の連絡も受けていない。</td></tr>
<tr><td>V−도록</td><td colspan="2">①方向・目的
②限界・程度 ③勧奨</td><td>〜ように、〜まで、〜ほど</td></tr>
<tr><td colspan="2">나무가 잘 자라도록 비료를 주었다.
한 달이 넘도록 병원에 누워 있다.
모두 입에 침이 마르도록 칭찬한다.
천천히 조금씩 씹어 먹도록 해.</td><td colspan="2">木がよく育つように肥料を与えた。
一カ月が過ぎるまで病院で横になってる。
みんな口が乾くほど褒めちぎる。
ゆっくり少しずつ噛んで食べなさい。</td></tr>
<tr><td>VA−든지</td><td colspan="2">①選択 ②無関係・全面許容</td><td>〜か、〜ようが、〜ようと、
〜ても、〜でも</td></tr>
<tr><td colspan="2">직접 가든지 전화를 걸든지 해라.
싸우든지 화해를 하든지 맘대로 해라.
어디에 살든지 고향을 잊지는 마라.
※ 縮約形は「−든」
노래를 부르든 춤을 추든 열심히 해.
싫든 좋든 할 수밖에 없다.</td><td colspan="2">直接行くか電話をかけるかしなさい。
喧嘩しようが和解しようが勝手にしろ。
どこに住もうが故郷を忘れるな。

歌おうが踊ろうが一生懸命やりなさい。
嫌いだろうが好きだろうがするしかない。</td></tr>
</table>

<table>
<tr><td>V-든지 말든지</td><td>無関係・無関与</td><td>～しようがしまいが</td></tr>
<tr><td>비가 오든지 말든지(간에) 출발하자.
쳐다보거나 말거나 내 맘대로 하겠다.</td><td colspan="2">雨が降ろうが降るまいが出発しよう。
人が見ようが見まいが私の好きなようにするつもりだ。</td></tr>
<tr><td>VA-듯이
V-는 듯이
A-(으)ㄴ듯이
V-(으)ㄹ 듯이</td><td>①例示・例え ②推測</td><td>～かのように、～のように</td></tr>
<tr><td>사람마다 얼굴이 다르듯이 생각도 다르다.
비를 맞은 듯이 그녀는 젖어 있었다.
그는 뭐든지 아는 듯이 말한다.
곧 비라도 내릴 듯이 하늘이 어둡다.</td><td colspan="2">人ごとに顔が違うように考え方も違う。
雨に降られたように彼女は濡れていた。
彼はなんでも知っているように言う。
すぐ雨でも降りそうに空が暗い。</td></tr>
<tr><td>N-탓에
VA-(으)ㄴ 탓에
V-는 탓에</td><td>否定的な原因・理由</td><td>～ために、～せいで、
～わけで</td></tr>
<tr><td>아버지 탓에 어머니가 고생을 한다.
공급이 모자라는 탓에 물가가 오른다.
방이 밀폐된 탓에 무덥고 컴컴하다.</td><td colspan="2">父のせいで母が苦労をする。
供給が足りないために物価が上がる。
部屋が密閉されたせいで蒸し暑くて暗い。</td></tr>
<tr><td>N-라도</td><td>譲歩</td><td>～でも、であっても</td></tr>
<tr><td>그것이 금덩이라도 나는 필요없다.
친구 사이라도 돈은 빌려 주지 않겠다.</td><td colspan="2">それが金塊であっても私は要らない。
友達の仲でも金は貸さないつもりだ。</td></tr>
<tr><td>V-(으)라지만
N-(이)라지만</td><td>①命令の伝聞・引用逆接
②例示逆接</td><td>～だそうだが、～というが、
～というけれども</td></tr>
<tr><td>※叙述形の「-라고 하지만」の縮約形
약을 쓰라지만 뭐가 좋은지 모르겠다.
당장 가라지만 나는 그럴 수가 없다.
봄이라지만 새벽 공기가 제법 차다.</td><td colspan="2">
薬を使えというが何がいいのか分からない。
今すぐ行けというが私はそうはできない。
春というが、明け方の空気はかなり冷たい。</td></tr>
<tr><td>VA-아/어 가지고</td><td>①状態の持続 ②結果・因果</td><td>～て、～ので、～のに</td></tr>
<tr><td>서점에서 책을 잔뜩 사 가지고 왔다.
너무 더워 가지고 공부를 못하겠다.
대학을 나와 가지고도 취직이 힘들다.</td><td colspan="2">書店で本をいっぱい買って来た。
暑過ぎて勉強ができない。
大学を出ても就職が難しい。</td></tr>
<tr><td>V-아/어 봐도</td><td>譲歩</td><td>～てみても</td></tr>
<tr><td>골라 봐도 마음에 드는 게 없다.
아무리 들어 봐도 이해가 안 된다.</td><td colspan="2">選んでみても気に入るものがない。
いくら聞いてみても理解できない。</td></tr>
<tr><td>VA-아/어 봐야</td><td>仮定・条件の強調</td><td>～ても、～といっても、～てこそ</td></tr>
<tr><td>밑져 봐야 얼마 안 되니까 걱정 마.
고생을 해 봐야 부모 마음을 알 거다.</td><td colspan="2">損しても大したことないから心配するな。
苦労をしてはじめて親心が分かるだろう。</td></tr>
<tr><td>VA-아/어 봤자</td><td>譲歩</td><td>～したところで、～ても</td></tr>
<tr><td>지금 와서 후회해 봤자 늦었다.</td><td colspan="2">いまになって後悔したところで遅い。</td></tr>
</table>

<table>
<tr><td>아무리 노력해 봤자 소용없다.</td><td colspan="2">いくら努力しても無駄だ。</td></tr>
<tr><td>VA−아/어서</td><td>①時間的前後関係・状況・経過 ②理由・根拠 ③手段・方法 ④説明 ⑤目的</td><td>〜て、〜ために</td></tr>
<tr><td>고기를 잡아서 구워 먹었다.
민수가 의자에 앉아서 신문을 읽는다.
이 책을 3개월 동안에 걸쳐서 썼다.
길이 좁아서 차가 못 들어간다.
그들은 걸어서 국경을 넘어갔다.
넓이에 비해서 인구는 많지 않다.
한 평생 명예를 얻기 위해서 살았다.</td><td colspan="2">魚を捕って焼いて食べた。
ミンスが椅子に座って新聞を読んでいる。
この本を３カ月に渡って書いた。
道が狭くて車が入れない。
彼らは歩いて国境を越えた。
広さに比べて人口は多くない。
一生涯名誉を得るために生きた。</td></tr>
<tr><td>VA−아도/어도</td><td>①仮定・譲歩・対立的事実 ②時間の経過 ③例示 ④許可・許容 ⑤反復強調</td><td>〜ても、〜たが、〜たけれども</td></tr>
<tr><td>아무리 이를 닦아도 입 냄새가 난다.
하루쯤은 굶어도 죽지 않는다.
사흘이 지나도 친구는 오지 않았다.
미국을 보아도 알 수 있는 것처럼….
게으름을 피운다면 꾸짖어도 좋다.
걸어도 걸어도 끝이 없는 사막.</td><td colspan="2">いくら歯を磨いても口臭がする。
一日ぐらいは食べなくても死なない。
三日が過ぎても友達は来なかった。
アメリカを見ても分かるように…。
怠けたら叱ってもいい。
歩いても歩いても果てしない砂漠。</td></tr>
<tr><td>VA−아서/어서 그런지</td><td>理由・原因の推測</td><td>〜からなのか、〜せいか</td></tr>
<tr><td>너무 더워서 그런지 밥맛이 없다.
바람이 불어서 그런지 먼지가 많다.</td><td colspan="2">暑過ぎるせいか食欲がない。
風が吹いたからなのかほこりっぽい。</td></tr>
<tr><td>VA−어야/아야</td><td>①強い条件 ②当然 ③仮定・無影響 ④状況</td><td>〜てこそ、〜てはじめて、〜ても、〜ねばならない</td></tr>
<tr><td>사람은 먹어야 산다.
마음이 맞아야 함께 살 수 있다.
교육 목표는 일관성이 있어야 한다.
아무리 졸라 봐야 소용 없다.
이유도 없이 혼나야 했다.</td><td colspan="2">人は食べなければ生きられない。
気が合わなければ一緒に住めない。
教育目標は一貫性がなければならない。
いくらねだっても無駄だ。
理由もなく叱られなければならなかった。</td></tr>
<tr><td>VA−아야만/−어야만</td><td>「−아야/어야」の強調形
①強い条件 ②当為</td><td>〜てこそ、〜てはじめて〜べきだ</td></tr>
<tr><td>그 아픔을 참아야만 어른이 될 수 있다.
모두 이성을 되찾아야만 한다.</td><td colspan="2">その痛みを堪えてはじめて大人になれる。
みんな理性を取り戻さなければならない。</td></tr>
<tr><td>N−에 관해서</td><td>対象</td><td>〜に関して、〜について</td></tr>
<tr><td>*主に「−에 관하여, −에 관한」の形で使われる。
청년 실업 대책에 관해서 쓴 기사
한글에 관해 얼마나 알고 있는가?</td><td colspan="2">
青年失業対策について書いた記事
ハングルに関してどれくらい知っているのか。</td></tr>
</table>

N-에 대해서	対象	～に対して、～について
＊主に「-에 대한, -에 대하여」の形で使われる。 전통문화에 대하여 관심이 많다. 이 문제에 대하여 토론해 보자.	 伝統文化に対して関心が高い。 この問題について討論してみよう。	
N-에 의해서	起因、根拠、手段	～によって
＊主に「-에 의한 , -의하면 , -의해서」の形で使われる。 모든 생각은 언어에 의해서 표현된다. 진리는 실천에 의해서 검증된다.	 すべての考えは言語によって表現される。 真理は実践によって検証される。	
N-을/를 비롯해(서)	主となるもの	～をはじめとして
사장을 비롯해서 평사원까지 전원 출석했다. 할아버지를 비롯하여 가족 모두가 모였다.	社長をはじめ平社員まで全員出席した。 祖父をはじめとして家族みんなが集まった。	
N-을/를 통해(서)	媒介、期間、過程	～を通じて
텔레비전을 통해 전국에 중계되었다. 변호사를 통해 상대방과 교섭했다. 실습을 통해 이론을 익힌다.	テレビを通じて全国に中継された。 弁護士を通じて相手と交渉した。 実習を通じて理論を覚える。	
VA-지	①対比・確認 ②否定・禁止	～であって、～わけで
고생만 했지 남은 것이 없다. 고래는 동물이지 물고기가 아니다. 오늘은 일어나지도 못하고 누워 있다. 쓰레기를 버리지 마시오.	苦労ばかりして残ったものがない。 鯨は動物であって魚ではない。 今日は起きることもできず寝ている。 ごみを捨てないでください。	
VA-자	①継起的にすぐ ②同格 ③譲歩 ④意図	～とすぐ、～するや、 ～と同時に、ようとすると
그가 들어서자 모두 입을 다물었다. 날이 덥자 선풍기가 잘 팔리고 있다. 그는 나의 학교 선배이자 스승이다. 아무리 설득해 봤자 소용없다. 몸을 씻자 하니 물이 안 나온다.	彼が入っていくとみんな口をつぐんだ。 暑くなって扇風機がよく売れている。 彼は私の学校の先輩であると同時に師匠でもある。 いくら説得しても無駄だ。 体を洗おうとしたら水が出ない。	
V-자고	提案・勧誘の伝聞	～しようと、～することを
밥 먹으러 가자고 하더라. 단풍구경을 가자고 하는 연락이 왔다. 내일 바둑을 한 판 두자고 전화했다.	ご飯を食べに行こうと言っていたよ。 紅葉狩りに行こうと言う連絡が来た。 明日囲碁を一局打とうと電話した。	
V-자마자	継起的にすぐ	～やいなや、～てすぐ
음식을 먹자마자 토해 버렸다. 나오자마자 베스트셀러가 되었다.	食べ物を食べるやいなや吐いてしまった。 出版されるとすぐベストセラーになった。	

合格資料 7 よく出る終結語尾・終結表現リスト

※1) 本リストは、空所補充問題と類似表現問題によく出てくる文法事項を既出問題から抽出し、まとめたものである。繰り返し出題されるものが多いのでしっかり覚えておくようにしよう。

※2) リスト中のVは動詞、Aは形容詞、Nは名詞との結合関係を示す。

終結表現	意味／用例	
A-(으)ㄴ가(요)?	疑問	～か、～のか
어디 아픈가? 열매가 얼마나 큰가요? 이래도 좋은가요?	どこか具合が悪いのか。 実はどのくらい大きいですか。 これでもいいですか。	
VA-(으)ㄴ/는걸(요)	反論、説明、詠嘆	～したよ、～だよ、～だなあ
그때는 누구나 다 그렇게 산걸. 그 앤 아직 어린앤걸. 이건 제법 괜찮은 그림인걸!	当時は誰しも皆そのように暮したんだよ。 あの子はまだ子供なんだよ。 これは結構いい絵だなあ。	
A-(으)ㄴ 것이다 V-는 것이다	確信・説明	～のだ、～である
담배는 건강에 해로운 것이다. 질병은 늘 예방과 치료가 필요한 것이다. 좋은 책은 좋은 독자가 만드는 것이다.	タバコは健康に有害なものだ。 疾病は常に予防と治療が必要である。 良い本は良い読者が作るものだ。	
VA-(으)ㄴ 것 같다 VA-(으)ㄹ 것 같다 V-는 것 같다	推測・不確実な断定	～そうだ、～ようだ、 ～みたいだ
비가 온 것 같다. 비가 오는 것 같다. 비가 올 것 같다. 서울은 아주 추운 것 같다. 내일은 아주 추울 것 같다.	雨が降ったようだ。 雨が降っているようだ。 雨が降りそうだ。 ソウルはとても寒いようだ。 明日はとても寒くなりそうだ。	
VA-(으)ㄴ/는데(요)	婉曲、詠嘆	～だが、～だよ～だね、～だなあ
잘 모르겠는데요. 그런 이야기는 못 들었는데. 나무가 정말 큰데. 성적이 많이 올랐는데요.	よく知らないんですが。 そういう話は聞いてないよ。 木が本当に大きいな。 成績がかなり上がりましたね。	
VA-(으)ㄴ 듯하다 VA-(으)ㄹ 듯하다 V-는 듯하다	推測	～ようだ、～そうだ
비가 온 듯하다. 비가 오는 듯하다. 비가 올 듯하다.	雨が降ったようだ。 雨が降っているようだ。 雨が降りそうだ。	

문제가 조금 어려운 듯하다. 약속 시간에 늦은 듯하다.	問題が少し難しいようだ。 約束の時間に遅くれたようだ。	
VA-(으)ㄴ 셈이다	状況・結果	～わけだ
결국 내가 진 셈이다. 그 정도면 잘한 셈이다.	結局私が負けたわけだ。 それぐらいならよくやったわけだ。	
VA-(으)ㄴ 적이 있다/없다 N-적(에)	経験・時	～たことがある / ない ～時、時代
제주도에 가 본 적이 있어요? 개구리가 올챙이 적 생각 못한다. 이것은 엄마가 처녀 적에 입던 옷이다.	済州島に行ったことがありますか。 蛙はおたまじゃくしの時のことを忘れる。 これは母が娘時代に着ていた服だ。	
VA-(으)ㄴ 줄 알았다 V- 는 줄 알았다 VA-(으)ㄹ 줄 알았다	予測・判断・期待のはずれ	～と思っていた
밥을 먹은 줄 알았다. 밥을 먹는 줄 알았다. 밥을 먹을 줄 알았다. ※「-(으)ㄴ 줄 몰랐다/-(으)ㄹ 줄 몰랐다/-는 줄 몰랐다」の形で、そういう事実がある、または起きるとは予想・認識・判断・期 待もしなかったと意を表わす。 네가 유학을 간 줄 몰랐다. 네가 유학을 가는 줄 몰랐다. 네가 유학을 갈 줄 몰랐다.	ご飯を食べたと思った。 ご飯を食べていると思った。 ご飯を食べるだろうと思った。 君が留学に行ったことを知らなかった。 君が留学に行くことを知らなかった。 (まさか) 君が留学に行くとは思わなかった。	
VA-(으)ㄴ 척하다 V-는 척하다	偽りの態度	～ふりをする
배가 아픈 척하고 엎드려 있다. 때로는 모르는 척하는 것도 미덕이다. 화장실에 가는 척하고 술집을 나왔다.	お腹が痛いふりをして伏せている。 時には知らないふりをすることも美徳だ。 トイレに行くふりをして居酒屋を出た。	
VA-(으)ㄴ 편이다 V-는 편이다	同じ部類・状態	～ほうだ
혈압이 높은 편이라 짠 것은 피한다. 아직은 여유가 좀 있는 편이다. 그는 공부를 잘하는 편이다.	血圧が高いほうなので塩辛いものは避ける。 まだちょっと余裕があるほうだ。 彼は勉強ができるほうだ。	
VA-(으)ㄹ 거라고 하다	意志・推測の伝聞	～だろうという、～だという
졸업하면 유학을 갈 거라고 해요. 내일은 비가 내릴 거라고 해요. 그렇게 춥지는 않을 거라고 해요. ※縮約形は「-(으)ㄹ거래요」	卒業すると留学に行くつもりだそうです。 明日は雨が降ると言っています。 そんなに寒くはないだろうと言っています。	

VA-(으)ㄹ 거예요	意志・推測	～つもりです、～でしょう
내일은 뭐 할 거예요? 금년에는 꼭 운전 면허를 딸 거예요. 저 얘기는 아마 열 번도 더 했을 거예요. 이 제품은 틀림없이 인기를 끌 거야. ※「-(으)ㄹ 것이다」 나는 끝까지 싸울 것이다. 내일은 날씨가 좋을 것이다.		明日は何をするつもりですか。 今年は必ず運転免許を取るつもりです。 あの話は多分何十回もしたと思います。 この製品は間違いなく人気を呼ぶだろう。 私は最後まで戦うつもりだ。 明日は天気がいいだろう。
V-(으)ㄹ 걸 그랬다	後悔・反省	～ばよかった、～べきだった
하라고 할 때 할 걸 그랬다. 집에 있을 때 좀 더 잘해 줄 걸 그랬다. 너한테 미리 알려 줄 걸 그랬다.		やれという時にやれば良かった。 家にいる時もう少しよくしてやればよかった。 君に前もって知らせておけばよかった。
V-(으)ㄹ 것까지도 없다	不要	～までもない、～必要もない
그것은 조사할 것까지도 없다. 거기까지 직접 갈 것까지도 없다.		それは調べるまでもない。 そこまで直接行くまでもない。
VA-(으)ㄹ 게 뻔하다	確実・自明	～決まっている、～確かだ
성격이 달라 금방 헤어질 게 뻔하다. 아버지는 그 일에 반대할 게 뻔하다.		性格が違ってすぐ別れるに決まっている。 父はそのことに反対するに決まっている。
VA-(으)ㄹ 리(가) 없다	原因・理由（否定・反問の語を伴って）	～はずがない、 ～わけがない
그 말이 유쾌하게 들릴 리가 없다. 그의 마음도 편할 리가 없다. 그가 올 리가 있나?		その言葉が愉快に聞こえるはずがない。 彼の心も穏やかなわけがない。 彼が来るはずがない。
V-(으)ㄹ 만하다	価値・能力・状態の程度	～に値する、～得る、 ～に適する、～そうだ
거기는 꼭 가 볼 만한 곳이다. 믿을 만한 친구가 별로 없다. 이런 것쯤은 참을 만하다. 잊어버릴 만할 때가 되면 나타난다.		そこは必ず行ってみる価値のあるところだ。 信用できる友達があまりいない。 こんなことぐらいは我慢できる。 忘れられそうな時になると現れる。
VA-(으)ㄹ 모양이다 VA-(으)ㄴ 모양이다 V-는 모양이다	推測	～ようだ、～らしい、 ～そうだ
비가 올 모양이다. 비가 온 모양이다. 비가 오는 모양이다. 민수는 요즘은 아주 바쁜 모양이다.		雨が降りそうだ。 雨が降ったようだ。 雨が降っているようだ。 ミンスは最近とても忙しいようだ。
VA-(으)ㄹ 법하다	可能性	～そうだ、～らしい
하늘을 보니 눈이 내릴 법한 날씨다.		空を見たら雪が降りそうな天気だ。

그 사람이 이미 와 있을 법하다. 네 말도 그럴 법하다는 생각이 든다.		その人はすでに来ていそうだ。 君の話ももっともらしいという気がする。
V-(으)ㄹ 뻔하다	否定的な事が起こる寸前の局面（実際は起きていない）	～ところだった、 ～そうだった
하마터면 차에 치일 뻔했다. 자칫 낭떠러지 아래로 떨어질 뻔했다.		危うく車にひかれるところだった。 間違えば崖の下に落ちるところだった。
V-(으)ㄹ 뿐이다	限定	～だけだ、～のみだ
그 얘기는 소문으로만 들었을 뿐이다. 그는 말 없이 웃고만 있을 뿐이었다. 나는 그저 지시에 따랐을 뿐이다.		その話はうわさだけで聞いただけだ。 彼は黙って笑っているだけだった。 私はただ指示に従っただけだ。
V-(으)ㄹ 수 없다/있다	可能性・能力・技能	～ことができる / できない
이 자전거는 여기서 고칠 수 있다. 인간은 사회를 떠나서는 살 수 없다. 영어뿐 아니라 한국어도 할 수 있다. 그 애가 차를 운전할 수 있을까?		この自転車はここで直すことができる。 人間は社会を離れては生きて行けない。 英語だけではなく韓国語もできる。 あの子が車を運転することができるだろうか。
V-(으)ㄹ 수밖에 없다	特定の選択肢以外の方法・可能性の否定	～よりほかない、 ～しかない
돈이 없으니까 단념할 수밖에 없다. 그의 경제력에 의지할 수밖에 없다. 결국 내가 할 수밖에 없었다.		お金がないから諦めるしかない。 彼の経済力に頼るしかない。 結局私がやるしかなかった。
V-(으)ㄹ 줄 모르다	方法・技能・能力	～できない、 ～すべを知らない
아직 자전거도 탈 줄 모른다. 화투 칠 줄 몰라요. 헤엄칠 줄 몰라서 수영장에 안 가요.		まだ自転車も乗れない。 花札のやり方を知りません。 泳げないのでプールに行きません。
V-(으)ㄹ 지경이다	状況・程度	～ほどだ、～そうだ、～状況だ
정말 구걸이라도 해야 할 지경이다. 에어컨도 없이 더워서 죽을 지경이다. 병세는 이미 손을 쓸 수 없는 지경이다.		本当にもの乞いでもしなければならないほどだ。 エアコンもなく暑くて死にそうだ。 病状はもう手の施しようがない状況だ。
VA-(으)ㄹ 텐데(요)	推測・状況	～はずなのに、～はずですが
기차는 이미 떠났을 텐데요. 언니도 내일 거기에 갈 텐데요. 그녀는 아직 영어를 잘 못할 텐데요.		列車はもう出発したはずですが。 姉も明日そこに行くはずですが。 彼女はまだ英語がうまくないはずですが。
VA-(으)ㄹ걸(요)	推測	～だろう、～でしょう
사랑니를 뽑을 때 아주 아플걸요. 절대로 그 사람을 속일 순 없을걸. 그는 아마 학생일걸.		親知らずを抜く時はとても痛いでしょう。 絶対に彼をだますことはできないだろう。 彼は多分学生だろう。

V-(으)ㄹ게요	約束・意志の表明	～しますからね、～しますよ
내일 오전에 도착하도록 보낼게요. 다음 달에 꼭 갚을게요. 친구 좀 만나고 올게요. 잠깐만 나갔다 올게요.	明日午前中に着くように送ります。 来月に必ず返しますから。 ちょっと友達に会って来ます。 ちょっと出かけて来ます。	
V-(으)ㄹ까 말까 하다	程度・状態、躊躇	～しようかどうしようか ～なるかならないか
열 살이 될까 말까 한 아이가 있었다. 남은 것을 다 먹을까 말까 망설였다. 비가 와서 나갈까 말까 한다.	十歳になるかならないかの子供がいた。 残ったものを全部食べようかどうしようか迷った。 雨が降るので出かけようかどうしようか迷っている。	
V-(으)ㄹ까 하다	意図・意志	～ようかと思う
남은 것은 다 버릴까 한다. 주말에는 낚시를 갈까 한다.	残ったものはすべて捨てようかと思う。 週末には釣りに行こうかと思っている。	
VA-(으)ㄹ까요	①疑問・推測 ②意志の確認・提案	～でしょう、～ましょうか
그런 사람을 부모라 할 수 있을까요? 지금 당장 그 일을 시작할까요? 점심이나 같이 먹을까요?	そんな人を親だと言えるでしょうか。 今すぐその仕事を始めましょうか。 昼食でも一緒に食べましょうか。	
V-(으)ㄹ래요	意志	～ます、～つもりです
여기서 놀다가 엄마하고 같이 갈래요. 나는 여기 있을래요.	ここで遊んでいてママと一緒に帰ります。 私はここにいます。	
V-(으)ㄹ래요?	意志の確認	～ますか
내일 몇 시에 올래요? 부탁이 하나 있는데 들어 줄래요?	明日何時に来ますか。 頼みたいことが一つあるけど、聞いてくれますか?	
-(으)ㄹ지 걱정이다	不安・憂慮	～か心配だ
주말에 날씨가 좋을지 걱정이다. 우리 말을 들어 줄지 걱정이다.	週末に天気が晴れるか心配だ。 我々の話しを聞いてくれるか心配だ。	
-(으)ㄹ지 모르다 -(으)ㄴ지 모르다 -는지 모르다	①推測・疑問 ②強調	～かもしれない、 ～かわからない
그가 왔을지도 모른다. 과연 그가 좋아할지 모르겠다. 어디서 무엇을 하는지 모른다. 시험에 붙어서 얼마나 기쁜지 모른다.	彼が来たかも知れない。 果して彼が喜ぶかわからない。 どこで何をしているのかわからない。 試験に受かってとてもうれしい。	
VA+-(으)니까(요)	理由・原因・根拠	～から、～んだから
나도 알아. 내가 그걸 주었으니까. 그 당시는 어떤 자각도 없었으니까요. 아이들은 그런 사랑을 원하고 있으니까요.	私も知っている。私がそれを渡したんだから。 その頃は何の自覚もなかったからです。 子供達はそういう愛を欲していますから。	

V-(으)라고 하다	命令の伝聞・引用	～しろという、～ようにという
지금 오지 말고 밤에 오라고 한다. 할 일이 있다고 먼저 가라고 한다.	いま来ないで夜に来いという。 やることがあるから先に帰れという。	
V-(으)라는 법은 없다	道理・きまり	～というきまりはない
세상에 굶어 죽으라는 법은 없다. 여자만 설거지를 하라는 법은 없다.	世の中飢え死にしろということはない。 女だけ皿洗いをしろというきまりはない。	
V-(으)려고 하다	①意図・計画 ②実現寸前	～ようとする
방학에는 서울에 가려고 해요. 비가 오려고 하네요. 날이 새려고 한다.	休みにはソウルに行こうと思います。 雨が降りそうですね。 夜が明けようとしている。	
V-(으)려던 참이다	意図の実行の時、場合	～ようとしていたところだ
지금 편의점에 가려던 참이에요. 이제 막 나가려고 하던 참이다.	いまコンビニへ行こうとしていたところです。 ちょうど出かけようとしていたところだ。	
V-(으)면 되다	許容	～ばいい
이 일은 내일까지 하면 된다. 오늘 다 못한 일은 내일 하면 된다. 200원짜리 우표를 붙이면 된다.	この仕事は明日までやればよい。 今日できなかった事は明日すればよい。 200ウォンの切手を貼ればいい。	
VA-(으)면 싶다	希望・願望	～たい、～ばと思う
오늘은 일찍 잤으면 싶다. 혼자서 실컷 울었으면 싶다.	今日は早く寝たい。 一人で思い切り泣きたい。	
VA-(으)면 좋겠다	希望・願望	～たい、～てほしい
주말에는 온천에라도 갔으면 좋겠다. 내일은 날씨가 갰으면 좋겠다. 날씨가 좀 더 따뜻하면 좋겠다.	週末は温泉にでも行きたい。 明日は晴れてほしい。 もう少し暖かければいいなあ。	
VA-(으)면 하다	希望・願望	～たい、～たらと思う
바쁘겠지만 꼭 참석해 주었으면 한다. 일요일에는 하루종일 잤으면 한다. 비행기를 한번 타 봤으면 한다.	忙しいだろうけど、ぜひ出席して欲しい。 日曜日は一日中寝たい。 飛行機に一度乗って見たい。	
V-(ㄴ/는)다	現在の事実の叙述	～する、～ている
네 살짜리 아이가 벌써 책을 읽는다. 아침부터 비가 내린다.	四歳の子供がもう本を読む。 朝から雨が降っている。	
V-ㄴ/는다고 하다 A-다고 하다	伝聞・引用の説明	～そうだ、～という
언니는 지금 김치를 담근다고 한다. 하루에 한 끼밖에 안 먹는다고 한다. 바람이 아직 쌀쌀하다고 한다. 그는 잔소리가 너무 많다고 한다.	姉はいまキムチをつけているという。 一日に一食しか食べないという。 風がまだ肌寒いという。 彼は小言がとても多いという。	

V−ㄴ/는다고 하더라 A−다고 하더라	伝聞回想	〜そうだ、〜と言っていたよ、 〜だって
내일 아침 일찍 출발한다고 하더라. 내일 비가 온다고 하더라. 그곳은 경치가 참 좋다고 하더라. 선생님도 이젠 늙으셨다고 하더라. ※縮約形は「−ㄴ/는다더라. −다더라」	明日朝早く出発すると言っていたよ。 明日雨が降ると言っていたよ。 そこは景色がとてもいいと言っていたよ。 先生ももう年を取ったと言っていたよ。	
V−(ㄴ/는)다니(요)	疑問（驚き、不満）	〜というのか、〜だなんて
＊「−ㄴ다고 하다니」の縮約形 가자고 한 사람이 안 온다니. 지금에 와서 그만둔다니. 공부는 안 하고 만화만 읽는다니.	行こうと言った人が来ないなんて。 今になってやめるなんて。 勉強はしないで漫画ばかり読むなんて。	
V−ㄴ/는다면서(요)? A−다면서(요)?	伝聞の事柄の確認	〜そうだね、〜だって、 〜って
아주 바쁘다면서? 무역 회사에 근무한 적도 있다면서? 영어책을 매일 한 권씩 읽는다면서?	とても忙しいんだって？ 貿易会社に勤めたこともあるそうだね。 英語の本を毎日一冊ずつ読むんだって？	
V−ㄴ/는대(요) A−대(요)	伝聞・引用説明	〜そうだ、〜という、〜だって
※「−ㄴ/는다고 하다, −다고 하다」の縮約 내일은 서리가 내린대요. 한두 달 집에서 푹 쉬면 낫는대요. 바빠서 서울에 오기가 힘들대요. 왜 휴학을 했대요?	明日は霜が降りるそうだ。 1～2カ月家でゆっくり休めば治るそうです。 忙しくてソウルへ来るのが難しいそうです。 どうして休学をしたと言っていますか。	
VA−거든(요)	理由・根拠の説明	〜んだよ、〜だよ
빌려 줄래? −안돼 , 내 거가 아니거든. 복권을 샀어 . 좋은 꿈을 꾸었거든. 수습 기간이 이번 달에 끝나거든요.	貸してくれる？−だめ、私のものじゃないから。 宝くじを買ったよ。いい夢を見たので。 見習い期間が今月には終わるんですよ。	
VA−게 되다	状況・状態の変化・進展	〜ようになる、〜くなる
또 오게 되면 먼저 전화를 하고 와. 앞으로 쓰레기 처리하기가 어렵게 되었다. 비가 와서 내일 떠나기가 힘들게 되었다. 결혼하게 되면서 일을 그만두었다.	次、来るときは先に電話をしてから来て。 これからごみを処理しにくくなった。 雨が降って明日出発するのが難しくなった。 結婚することになって仕事をやめた。	
V−게 하다	使役	〜ようにする、〜させる
추울 때는 환자를 방 안에서 걷게 한다. 학생들에게 매일 신문을 읽게 했다.	寒い時は患者を部屋の中で歩かせる。 学生たちに毎日新聞を読ませるようにした。	
V−고(요)	疑問、肯定、抗議、命令	〜か、〜の、〜とも、〜て
집은 어떻게 하고요?	家はどうします？	

<table>
<tr><td colspan="2">지금 바쁘다면 다음에 또 오고요.
정말이고 말고요.
그런 말에 속을 줄 알고?
그럼 나는 무얼 먹고?
자, 이제 자네는 가고.
서류를 낸 학생들은 이쪽으로 오고.</td><td colspan="2">いま忙しいならあとでまた来ますから。
本当ですとも。
そんな話にだまされると思う？
じゃ、私は何を食べればいいの？
じゃ、きみはもう行って（いいよ）。
書類を出した学生はこっちに来て（ちょうだい）。</td></tr>
<tr><td>V-고 들다</td><td colspan="2">強調、傾向</td><td>～とする</td></tr>
<tr><td colspan="2">그가 갑자기 흥분해서 따지고 들었다.
얘기도 듣기 전에 화부터 내려고 든다.
그는 미인하고만 사귀려고 든다.</td><td colspan="2">彼が急に興奮して問い詰めた。
話も聞かずに怒り出そうとする。
彼は美人とだけ付き合おうとする。</td></tr>
<tr><td>V-고 말겠다</td><td colspan="2">実現意志・誓い</td><td>～てみせる、したい</td></tr>
<tr><td colspan="2">이번에는 내가 꼭 이기고 말겠다.
나의 꿈을 반드시 실현하고 말겠다.
무슨 일이 있어도 꼭 해 내고 말겠다.</td><td colspan="2">今度は私が必ず勝ってみせる。
私の夢を必ず実現したい。
何があっても必ずやり遂げてみせる。</td></tr>
<tr><td>VA-고 말고(요)</td><td colspan="2">強い肯定</td><td>～ですとも</td></tr>
<tr><td colspan="2">그렇고 말고요.
물론이고 말고요.
귀엽고 말고. 갓난아기는 정말 귀엽단다.</td><td colspan="2">そうですとも。
もちろんですとも。
可愛いとも。赤ちゃんは本当に可愛いよ。</td></tr>
<tr><td>VA-고 하다</td><td colspan="2">伝聞・引用</td><td>～という</td></tr>
<tr><td colspan="2">아까는 술을 못 마신다고 했잖아?
낙엽 밟는 소리가 좋으냐고 했다.
아이들이 소풍을 가자고 한다.</td><td colspan="2">さっきは酒が飲めないと言ったじゃない？
落ち葉を踏む音がいいのかと言った。
子供達が遠足に行こうと言う。</td></tr>
<tr><td>VA-곤 하다</td><td colspan="2">反復</td><td>～たりする</td></tr>
<tr><td colspan="2">※「-고는 하다」の縮約形
자기 전에 꼭 기도를 드리곤 하였다.
일요일엔 사진을 찍으러 나가곤 했다.</td><td colspan="2">
寝る前に必ず祈りをささげたりした。
日曜日には写真を撮りに出かけたりした。</td></tr>
<tr><td>A-군(요)
V-는군(요)</td><td colspan="2">①驚き・感嘆
②事実の確認</td><td>～ね、～な</td></tr>
<tr><td colspan="2">전혀 말이 통하지 않는군요.
물이 따스하군요.
그것 참 좋은 소식이군요.
민수가 돌아왔군요.
※「군」は「-구나」の縮約形。
날씨가 참 좋구나/좋군.
눈이 오는구나/오는군.</td><td colspan="2">全然言葉が通じないんですね。
水が温かいですね。
それはとてもいいニュースですね。
ミンスが帰って来ましたね。

本当にいい天気だね。
雪が降っているね。</td></tr>
<tr><td>V-기 나름이다
N-나름이다</td><td colspan="2">程度・種類・事情に
よるとの意</td><td>～次第だ、～による</td></tr>
<tr><td colspan="2">합격하고 못 하고는 네가 하기 나름이다.</td><td colspan="2">合格するかしないかは君のやり方次第だ。</td></tr>
</table>

<table>
<tr><td>농담도 때와 장소 나름이다.
학생도 학생 나름이다.</td><td colspan="2">冗談も時と場合によりけりだ。
学生も学生によりけりだ。</td></tr>
<tr><td>VA−기/게 마련이다</td><td>当然・きまり</td><td>〜するものだ、〜ようになっている、〜と決まっている</td></tr>
<tr><td>봄이 되면 꽃이 피기 마련이다.
아무리 추워도 봄은 오기 마련이다.
물건이란 오래 쓰면 닳게 마련이다.</td><td colspan="2">春になると花が咲くものだ。
いくら寒くても春は来るものだ。
ものは長く使えばすり減るものだ。</td></tr>
<tr><td>VA−기는 하다</td><td>一部肯定</td><td>〜（する）ことは（する）</td></tr>
<tr><td>잘하기는 하지만 프로가 되기엔 아직 멀었다.
돈이 있기는 하다. 하지만 빌려 줄 수 없다.</td><td colspan="2">上手ではあるがプロになるにはまだまだだ。
お金があることはある。しかし、貸せない。</td></tr>
<tr><td>VA−기는요</td><td>否定・反論</td><td>〜だなんて、〜するって</td></tr>
<tr><td>한국어를 잘하는군요. −잘하기는요.
덥기는요. 아직도 담요를 덮고 자는데.
※縮約形は「−긴요」
밥 먹었어? −밥을 먹긴요.
물도 못 마셨는데.</td><td colspan="2">韓国語が上手ですね。 −上手だなんて。
暑いなんて。まだ毛布かぶって寝ています。

ご飯食べた？ −ご飯を食べるなんて。
水も飲めなかったのに。</td></tr>
<tr><td>V−기로 하다</td><td>決定・約束</td><td>〜ことにする・決める</td></tr>
<tr><td>그와 내일 만나기로 했다.
마당에 화초를 심기로 했다.
이번만은 꼭 해 보기로 했다.</td><td colspan="2">彼と明日会うことにした。
庭に花草を植えることにした。
今度だけは必ずやって見ることにした。</td></tr>
<tr><td>V−기 쉽다</td><td>可能性</td><td>〜しやすい、〜しがちだ</td></tr>
<tr><td>인쇄가 잘못 되기 쉽다.
이런 일은 흔히 거꾸로 되기 쉽다.
조언을 안 들으면 일을 망치기 쉽다.</td><td colspan="2">印刷が間違いやすい。
こういうことはよく逆になりがちだ。
助言を聞かないと仕事が駄目になりやすい。</td></tr>
<tr><td>V−기 십상이다</td><td>傾向・結末</td><td>〜がちだ</td></tr>
<tr><td>신념이 없으면 유혹에 빠지기 십상이다.
사람은 자기만 불행한 줄 알기 십상이다.</td><td colspan="2">信念がなければ誘惑に陥るのがおちだ。
人は自分だけ不幸だと思いがちだ。</td></tr>
<tr><td>VA−나(요)?</td><td>疑問、自問</td><td>〜か、〜のか</td></tr>
<tr><td>언제 가나?
좀 도와주겠나?
시킨 일은 다 했나?
혼자서 해낼 수 있겠나?
어떡하나?
내가 왜 이러나?</td><td colspan="2">いつ行くの？
ちょっと手伝ってくれるか？
頼んだことはは全部やったか。
一人でやれるか。
どうしよう。
私どうしているんだろう。</td></tr>
<tr><td>VA−나 보다</td><td>推測</td><td>〜ようだ</td></tr>
<tr><td>밖에는 비가 내리나 보다.
선선한 걸 보니 가을이 되었나 보다.</td><td colspan="2">外は雨が降っているようだ。
涼しいのをみると秋になったようだ。</td></tr>
</table>

<table>
<tr><td>VA−네(요)</td><td>①説明・確認 ②疑問・同意 ③詠嘆</td><td>〜ね、〜か、なあ</td></tr>
<tr><td>어젯밤부터 열이 나고 그러네요.
고향을 떠나온 지 칠팔 년 돼 가네요.
어머, 정말 화가 났네!
도로가 생기면 시끄러워지겠네요?
그럼 그분을 아시겠네요?
집이 참 넓네요.</td><td colspan="2">昨夜から熱が出たりしています。
故郷を離れてから7〜8年になりますね。
あら、本当に怒っているね。
道路ができたらうるさくなるでしょうね。
ではその方がご存知でしょうね。
家が本当に広いですね。</td></tr>
<tr><td>V+−느냐?
A+−(으)냐?
N+−(으)냐?</td><td>疑問</td><td>〜か、〜のか、〜かい</td></tr>
<tr><td colspan="3">※最近は動詞と形容詞、パッチム有無の区別なく「−냐?」が使われる傾向にある。</td></tr>
<tr><td>뭘 하느냐?
어디 아프냐?
집은 넓으냐?
누구 생일이냐?
그게 뭐냐?</td><td colspan="2">何をするか。
どっか具合でも悪いのか。
家は広いのか。
誰の誕生日なのかい?
それは何だ?</td></tr>
<tr><td>V−느냐고 하다/묻다
A−(으)냐고 하다/묻다</td><td>疑問の伝聞・引用</td><td>〜のかという・聞く、
〜かと言われる</td></tr>
<tr><td>내일 어디 가느냐고 물어 봐라.
결혼을 했느냐고 해서 그렇다고 했다.
어디가 아프냐고 해도 대답이 없다.
누가 더 나이가 많으냐고 묻더라.</td><td colspan="2">明日どこに行くのかと聞いてみなさい。
結婚をしたのかと言われてそうだと言った。
どこか具合が悪いのと聞いても返事がない。
誰が年上なのかと聞いていたよ。</td></tr>
<tr><td>V−는 법이다
A−(으)ㄴ 법이다</td><td>道理・当然・きまり</td><td>〜ことだ、〜のが道理だ、
〜ものだ</td></tr>
<tr><td>모든 일에는 인연이 있는 법이다.
기대가 크면 실망도 큰 법이다.
죄를 지으면 벌을 받는 법이다.</td><td colspan="2">すべての事には縁があるものだ。
期待が大きければ失望も大きいものだ。
罪を犯せば罰を受けるものだ。</td></tr>
<tr><td>V−는가 보다
A−(으)ㄴ가 보다</td><td>推測・判断</td><td>〜ようだ、〜らしい</td></tr>
<tr><td>무슨 일이 있었는가 보다.
학교에 가기 싫은가 보다.
아침 저녁으로 꽤 쌀쌀한가 보다.</td><td colspan="2">何かあったようだ。
学校に行きたくないようだ。
朝夕でかなり肌寒いようだ。</td></tr>
<tr><td>V+−니?
A+−(으)니?
N+−(이)니?</td><td>疑問</td><td>〜か、〜の、〜かい</td></tr>
<tr><td>어디 가니?
밥 먹었니?
머리가 짧으니?</td><td colspan="2">どこへ行くのかい?
食事したの?
髪は短いの?</td></tr>
</table>

<table>
<tr><td colspan="2">누구니?
내일이니?</td><td colspan="2">誰なの？
明日なの？</td></tr>
<tr><td>A−다고(요)
V−ㄴ/는다고(요)</td><td colspan="2">確認・強調</td><td>〜ますよ。〜ですよ</td></tr>
<tr><td colspan="2">난 다 알고 있다고요.
바쁘다고요?
그 애가 얼마나 욕심이 많다고요.</td><td colspan="2">私は全部知っていますよ。
忙しいんですって？
あの子はとても欲深いんですよ。</td></tr>
<tr><td>V+−는 데 좋다/나쁘다</td><td colspan="2">場合</td><td>〜のにいい／悪い</td></tr>
<tr><td colspan="2">이 머리핀은 긴 머리를 묶는 데 좋다.
과로는 건강을 유지하는 데 나쁘다.</td><td colspan="2">このヘアピンは長い髪をとめるのによい。
過労は健康を維持するのに悪い。</td></tr>
<tr><td>V+−는 중이다</td><td colspan="2">間、進行中、とき</td><td>〜ところだ、〜途中だ</td></tr>
<tr><td colspan="2">지금 신부감을 고르는 중이다.
얘기를 하는 중에 새로운 사실을 알게 되었다.
고장난 시계를 고치고 있는 중이었다.</td><td colspan="2">いま花嫁候補を探しているところだ。
話しているうちに新しい事実が分かるようになった。
故障した時計を修理しているところだった。</td></tr>
<tr><td>V+−는 수(가/도)있다</td><td colspan="2">可能性、場合</td><td>〜ことがある</td></tr>
<tr><td colspan="2">모험을 하다 보면 죽는 수도 있다.
살다 보면 속임을 당하는 수도 있다.</td><td colspan="2">冒険をしていると死ぬこともある。
生きていると騙されることもある。</td></tr>
<tr><td>VA+−다고 치다</td><td colspan="2">仮定、認定</td><td>〜だとする</td></tr>
<tr><td colspan="2">네가 다 옳다고 치자.
아이가 잘못했다고 치더라도 때리면 안 된다.</td><td colspan="2">きみがすべて正しいとしよう。
子供が間違ったとしても殴ってはいけない。</td></tr>
<tr><td>VA+−더군(요)</td><td colspan="2">過去回想・感想</td><td>〜だったよ、〜ていたよ</td></tr>
<tr><td colspan="2">*「−더구나」の縮約形
많이 말랐더군.
주위에서 오해도 많이 받았더군요.
너희 과장 참 좋은 사람이더군.
오월인데 날이 꽤 덥더군.</td><td colspan="2">
だいぶ痩せていたよ。
周りからだいぶ誤解もされていたよ。
君のところの課長は本当に良い人だったな。
五月なのにかなり暑かったよ。</td></tr>
<tr><td>VA−더라</td><td colspan="2">①回想・感想 ②自問</td><td>〜だったよ、〜たっけ</td></tr>
<tr><td colspan="2">그 사람 노래를 잘 부르더라.
그곳은 경치가 참 좋더라.
저 사람을 어디서 보았더라?</td><td colspan="2">その人歌が上手だったよ。
そこは景色が本当によかったよ。
あの人をどこで見たっけ？</td></tr>
<tr><td>VA−더라고(요)</td><td colspan="2">経験の説明</td><td>〜ていたよ、〜だったよ</td></tr>
<tr><td colspan="2">이상과 현실은 거리가 멀더라고요.
돈이 좀 생기면 꼭 나타나더라고.
※伝聞回想「−다더라고＝−다고 하더라고」
떨어졌지만 다친 데는 없다더라고.
어디로 갔는지 보이지 않는다더라고.</td><td colspan="2">理想と現実は距離が遠かったんですね。
お金が少し入ってくると必ず現れたよ。

落ちたけど、怪我したところはないんだって。
どこに行ったのか見えないんだって。</td></tr>
</table>

<table>
<tr><td>VA-던가(요)?</td><td>体験・過去回想の質問・自問、疑問</td><td>～たのかね、～だったかな</td></tr>
<tr><td colspan="2">밥은 먹던가요?
미혜가 많이 아프던가?
그게 정말이던가?
술에 취했던가?
※伝聞の過去回想の質問・確認：
「-ㄴ다던가/-는다던가」＝「-ㄴ/는다고하던가」の縮約、「-다던가」＝「-다고하던가」の縮約
서울엔 눈이 온다던가요?
같이 식사를 하는 것이 싫다던가요?
여기엔 뭐 하러 왔다던가요?
※命令の伝聞確認・質問：
「-라던가」＝「-라고 하던가」の縮約
거기서 나가라던가요?
비가 오면 그만두라던가?</td><td>ご飯は食べていましたか。
ミヘは大分具合が悪かったの？
それは本当だったのかな。
酒に酔ったのかな？

ソウルは雪が降っているそうですか。
一緒に食事するのが嫌だと言っていますか。
ここには何をしに来たと言っていますか。

そこから出て行けと言われたのですか。
雨が降ったらやめろと言われたのか？</td></tr>
<tr><td>VA-던데(요)</td><td>経験・状況の伝達・説明</td><td>～だったよ、～ていたよ</td></tr>
<tr><td colspan="2">그 칼국수 맛있던데.
그 사람은 집에 있던데요.
이발소는 월요일에 쉬던데.

※その他語尾との結合用例
자기가 직접 간다던데.
나보고 그렇게 좋으냐던데요.
요즘 뭘 하느냐던데요.
나보고는 오지 말라던데.
나보고 하라던데.
내일 거기서 만나자던데요.
이번이 마지막이라던데.</td><td>その手打ちうどん美味しかったよ。
その人は家にいましたよ。
床屋は月曜日に休んでいたよ。

自分が直接行くと言っていたよ。
私にそんなに嬉しいのかと言っていました。
最近何をしているのかと聞いていましたよ。
私には来ないでと言っていたよ。
私にやれと言っていた。
明日そこで会おうと言っていましたよ。
今回が最後だと言っていた。</td></tr>
<tr><td>V-도록 하다</td><td>方向・目標</td><td>～ようにする</td></tr>
<tr><td colspan="2">서두르지 말고 천천히 먹도록 해라.
내일 열두 시에 모이도록 하자.</td><td>急がずゆっくり食べるようにしなさい。
明日 12 時に集まるようにしよう。</td></tr>
<tr><td>N-만 하다/못하다</td><td>程度、比較</td><td>～ぐらいだ / ～に及ばない</td></tr>
<tr><td colspan="2">축구공만 한 토마토가 달렸다.
청팀이 백팀만 못하다.
차라리 오지 않은 것만 못했다.
형만은 못하지만 동생도 공부를 잘한다.</td><td>サッカーボールぐらいのトマトができた。
青チームは白チームより劣る。
かえって来ないほうがよかった。
兄には及ばないが、弟も勉強がよくできる。</td></tr>
<tr><td>V-아/어 나가다</td><td>継続進行</td><td>～ていく</td></tr>
<tr><td colspan="2">한마음으로 이 어려움을 이겨 나가자.</td><td>心を一つにしてこの困難を勝ちぬいてゆこう。</td></tr>
</table>

의미도 알지 못하면서 철학서만을 읽어 나갔다. 붓을 들고 단숨에 글을 써 나가기 시작했다. 열심히 해 나가다 보면 좋은 결과가 나올 것이다.	意味も分からずに哲学書ばかりを読んでいった。 筆を持って一気に字を書き出した。 一生懸命にやっていけばいい結果が出るだろう。

V－아/어 놓다	結果維持	～ておく

더우니 문을 열어 놓아라. 보고서는 이미 작성해 놓았다.	暑いから窓を開けておきなさい。 報告書はすでに作成して置いた。

V－아/어 달라다	要求	～てくれという、～てほしいという

＊「달라고 하다」の縮約形。動詞に付いて「－어 달라」、「－어 다오」の構成で使われる。

일자리를 구해 달라고 부탁했다. 친구에게 와 달라고 전화를 했다. 사진도 한 장 보내 달라고 부탁했다.	働き口を探してほしいと頼んだ。 友達に来てくれと電話をした。 写真も一枚送ってほしいと頼んだ。

V－아/어 대다	反復・強調	～続ける、～まくる、～立てる

시디를 사 달라고 매일 졸라 댄다. 서로 잘못이 없다고 우겨 댔다. 너무 떠들어 대서 잠을 잘 수 없었다.	CDを買ってくれと毎日せがんでいる。 お互い落ち度がないと言い張った。 あまり騒ぎ立てて眠れなかった。

V－아/어라	命令	～しろ、～せよ、～しなさい

내 손을 꼭 잡아라. 그것을 잘 보아라. 천천히 먹어라. 이 가방은 네가 들어라.	私の手をしっかり握りなさい。 それをよく見なさい。 ゆっくり食べなさい。 このかばんは君が持ちなさい。

V－아/어 먹다	強調	～てしまう

늘 약속을 잊어 먹는다. 사장은 종업원을 노예처럼 부려 먹었다. 이 노릇도 이젠 해 먹기 힘들다.	いつも約束を忘れてしまう。 社長は従業員を奴隷のようにこき使った。 この仕事ももうやりにくい。

V－아/어 버리다	完了	～てしまう

동생이 과자를 다 먹어 버렸다. 다 가 버리고 아무도 없었다.	弟（妹）がお菓子をすべて食べてしまった。 ほとんど帰ってしまって誰もいなかった。

V－아/어 보다	試み・経験	～てみる

마음에 드는 게 있으면 골라 봐. 그런 책은 읽어 본 적이 없다.	気に入るのがあったら選んでみなさい。 そんな本は読んだことがない。

V－아/어 보이다	①行動・態度 ②感じ・印象	～みせる、～みえる

손을 흔들어 보이며 비행기에 올랐다. 그는 힘없이 웃음을 지어 보였다. 겉으론 얌전해 보인다.	手を振ってみせながら飛行機に上がった。 彼は元気なく笑みをうかべてみせた。 外見は大人しそうに見える。

<table>
<tr><td colspan="2">생선이 싱싱해 보인다.</td><td colspan="2">魚が新鮮に見える。</td></tr>
<tr><td>V−아/어 있다</td><td colspan="2">状態・状態持続</td><td>〜ている</td></tr>
<tr><td colspan="2">모든 식품은 비닐로 포장되어 있다.
공원에 장미꽃이 피어 있다.</td><td colspan="2">すべての食品はビニールで包装されている。
公園にバラの花が咲いている。</td></tr>
<tr><td>V−아/어 주다</td><td colspan="2">奉仕、強調</td><td>〜てあげる・やる</td></tr>
<tr><td colspan="2">그는 직원들의 등을 두들겨 주었다.
친구의 숙제를 대신 해 주었다.
그의 뒤통수를 갈겨 주고 싶었다.</td><td colspan="2">彼は職員たちの背中を叩いてやった。
友達の宿題を代わりにしてやった。
彼の後頭部をぶんなぐってやりたかった。</td></tr>
<tr><td>A−아/어 죽다</td><td colspan="2">極限（状態、程度）</td><td>〜てたまらない</td></tr>
<tr><td colspan="2">애가 정말 귀여워 죽겠어요.
배고파 죽겠다.
목말라 죽겠다.
우스워 죽겠다.
심심해 죽겠다.
집에만 있으니 갑갑해 죽겠다.</td><td colspan="2">子供が本当に可愛くてたまりません。
お腹がすいてたまらない。
喉が乾いてたまらない。
可笑しくてたまらない。
退屈でたまらない。
家にばかりいるから息苦しくてたまらない。</td></tr>
<tr><td>VA−아/어서요</td><td colspan="2">原因・理由</td><td>〜ますので、〜ですので</td></tr>
<tr><td colspan="2">안 잤어? −별로 졸리지 않아서요.
어디 가? −좀 볼일이 있어서요.</td><td colspan="2">寝なかったの？ −あまり眠くなかったので。
どこに行くの？ —ちょっと用事がありまして。</td></tr>
<tr><td>VA−아/어야 할 텐데(요)</td><td colspan="2">必要・当然の推測・期待</td><td>〜なければならぬはずなのに</td></tr>
<tr><td colspan="2">6시까지 도착해야 할 텐데.
4킬로쯤 걸어야 할 텐데.
겨울답게 날씨가 추워야 할 텐데.</td><td colspan="2">6時までに到着しなければならないが。
4キロほど歩かなければならないはずなのに。
冬らしく寒くなければならないのに。</td></tr>
<tr><td>VA−아/어야 하다</td><td colspan="2">①必要・当然 ②状況</td><td>〜なけれなならない</td></tr>
<tr><td colspan="2">내일은 5시에 일어나야 한다.
실내에서는 구두를 벗어야 한다.
어쩔 수 없이 그를 만나야 했다.</td><td colspan="2">明日は5時に起きなければならない。
室内では靴を脱がなければならない。
仕方なく彼に会わなければならなかった。</td></tr>
<tr><td>VA−아/어야지(요)</td><td colspan="2">①意志 ②勧誘・命令
③質問 ④強調</td><td>〜なくちゃ、〜べきだ、〜て</td></tr>
<tr><td colspan="2">오늘은 학교에 가야지.
취직도 했으니까 결혼을 해야지.
지금 출발해야지요?
그 말을 듣고 참을 수가 있어야지.
※縮約形は「−아야죠」
제가 가야죠.
인사를 드리러 가야죠.</td><td colspan="2">今日は学校へ行かなくちゃ。
就職もしたから結婚をしないとね。
いま出発すべきですよね。
その話を聞いて我慢できなかった。

私が行くべきですよね。
挨拶をしに行かなければなりませんね。</td></tr>
<tr><td>VA−아/어지다</td><td colspan="2">状態の変化</td><td>〜くなる、〜られる</td></tr>
<tr><td colspan="2">며칠만 일하고 나면 괜찮아질 거야.
처지가 바뀌어질 때도 있다.</td><td colspan="2">何日か働けばよくなると思うよ。
立場が変わる場合もある。</td></tr>
</table>

<table>
<tr><td>이번 연구에 큰 도움이 될 것으로 보여진다.
이불이 개어져 한 구석에 쌓여져 있다.
시대에 따라 새로운 말이 만들어진다.
그의 말이 사실인 것처럼 믿어진다.
술을 한 잔 마셨더니 얼굴이 붉어졌다.</td><td colspan="2">今回の研究に大きく役に立つと思われる。
布団が畳まれて片隅に積まれている。
時代によって新しい言葉が作られる。
彼の言葉が事実であるかのように思われる。
酒を一杯飲んだら顔が赤くなった。</td></tr>
<tr><td>VA-았/었/였던 것 같다</td><td>推測（過去回想）</td><td>～だったようだ</td></tr>
<tr><td>그날 무슨 사고가 났었던 것 같다.
그날 밤에는 비가 왔었던 것 같다.
몇 번이나 전화했었던 것 같다.</td><td colspan="2">あの日何か事故が起こっていたようだ。
あの晩は雨が降っていたようだ。
何度も電話をかけていたようだ。</td></tr>
<tr><td>N-(이)래(요)
V-(으)래(요)</td><td>①伝聞確認・質問
②命令の伝聞</td><td>～だと言っている、
～しろと言っている</td></tr>
<tr><td>※「-래(요)」は「-라고 해(요)」の縮約形
시험이 언제래요?
그건 무슨 꽃이래요?
형이 저더러 가래요.</td><td colspan="2">
試験がいつだと言っていますか。
それは何の花だと言っていますか。
兄が私に行けと言っています。</td></tr>
<tr><td>V-자고 하다</td><td>提案・勧誘の伝聞</td><td>～ようと言う</td></tr>
<tr><td>밥 먹으러 가자고 했다.
언젠가는 꼭 밝혀 내자고 했어요.</td><td colspan="2">ご飯食べに行こうと言った。
いつかは必ず究明しようと言いました。</td></tr>
<tr><td>VA-잖아(요)</td><td>当然・確認、反論</td><td>～じゃないか（ですか）</td></tr>
<tr><td>※「-지 않아(요)」の縮約形
여기 있잖아.
이 문제는 쉽잖아.</td><td colspan="2">
ここにあるじゃないか。
この問題は易しいじゃないか。</td></tr>
<tr><td>VA-지요
VA-죠</td><td>①確認・質問・同意
②勧誘・提案</td><td>～ますよ、～でしょう、
～ましょう、～ますか、
～てください</td></tr>
<tr><td>※「죠」は「-지요」縮約形
우리도 그렇지요.
대구에는 언제 가죠?
모두 건강하시겠지요?
더 드시지요.
여기서 좀 쉬었다 가죠.
좋으실 대로 하시죠.</td><td colspan="2">
私たちもそうなんですよ。
テグにはいつ行きますか。
みんなお元気でしょうね。
もっと召し上がってください。
ここでちょっと休んでから行きましょう。
お好きなようにしてください。</td></tr>
</table>

第1章　練習用正答チェックシート

✎ 練習問題を解きながら正答チェック用に使用してください。複数回練習ができるようにコピーをして使用することをお勧めします。

問題番号	正答チェック欄	問題番号	正答チェック欄
1	[1]　[2]　[3]　[4]	21	[1]　[2]　[3]　[4]
2	[1]　[2]　[3]　[4]	22	[1]　[2]　[3]　[4]
3	[1]　[2]　[3]　[4]	23	[1]　[2]　[3]　[4]
4	[1]　[2]　[3]　[4]	24	[1]　[2]　[3]　[4]
5	[1]　[2]　[3]　[4]	25	[1]　[2]　[3]　[4]
6	[1]　[2]　[3]　[4]	26	[1]　[2]　[3]　[4]
7	[1]　[2]　[3]　[4]	27	[1]　[2]　[3]　[4]
8	[1]　[2]　[3]　[4]	28	[1]　[2]　[3]　[4]
9	[1]　[2]　[3]　[4]	29	[1]　[2]　[3]　[4]
10	[1]　[2]　[3]　[4]	30	[1]　[2]　[3]　[4]
11	[1]　[2]　[3]　[4]	31	[1]　[2]　[3]　[4]
12	[1]　[2]　[3]　[4]	32	[1]　[2]　[3]　[4]
13	[1]　[2]　[3]　[4]	33	[1]　[2]　[3]　[4]
14	[1]　[2]　[3]　[4]	34	[1]　[2]　[3]　[4]
15	[1]　[2]　[3]　[4]	35	[1]　[2]　[3]　[4]
16	[1]　[2]　[3]　[4]	36	[1]　[2]　[3]　[4]
17	[1]　[2]　[3]　[4]	37	[1]　[2]　[3]　[4]
18	[1]　[2]　[3]　[4]	38	[1]　[2]　[3]　[4]
19	[1]　[2]　[3]　[4]	39	[1]　[2]　[3]　[4]
20	[1]　[2]　[3]　[4]	40	[1]　[2]　[3]　[4]

練習用正答チェックシート

問題番号	正答チェック欄	問題番号	正答チェック欄
41	[1] [2] [3] [4]	63	[1] [2] [3] [4]
42	[1] [2] [3] [4]	64	[1] [2] [3] [4]
43	[1] [2] [3] [4]	65	[1] [2] [3] [4]
44	[1] [2] [3] [4]	66	[1] [2] [3] [4]
45	[1] [2] [3] [4]	67	[1] [2] [3] [4]
46	[1] [2] [3] [4]	68	[1] [2] [3] [4]
47	[1] [2] [3] [4]	69	[1] [2] [3] [4]
48	[1] [2] [3] [4]	70	[1] [2] [3] [4]
49	[1] [2] [3] [4]	71	[1] [2] [3] [4]
50	[1] [2] [3] [4]	72	[1] [2] [3] [4]
51	[1] [2] [3] [4]	73	[1] [2] [3] [4]
52	[1] [2] [3] [4]	74	[1] [2] [3] [4]
53	[1] [2] [3] [4]	75	[1] [2] [3] [4]
54	[1] [2] [3] [4]	76	[1] [2] [3] [4]
55	[1] [2] [3] [4]	77	[1] [2] [3] [4]
56	[1] [2] [3] [4]	78	[1] [2] [3] [4]
57	[1] [2] [3] [4]	79	[1] [2] [3] [4]
58	[1] [2] [3] [4]	80	[1] [2] [3] [4]
59	[1] [2] [3] [4]	81	[1] [2] [3] [4]
60	[1] [2] [3] [4]	82	[1] [2] [3] [4]
61	[1] [2] [3] [4]	83	[1] [2] [3] [4]
62	[1] [2] [3] [4]	84	[1] [2] [3] [4]

1 短文の空所語句補充問題

▶▶▶本番の試験【1~2】では2問、各2点の配点で出題される。

※(　　　　)에 들어갈 가장 알맞은 것을 고르십시오.
(　　　　)に入る最も適切なものを選びなさい。

1. 준호 씨는 성적이 (　　　　) 장학금을 못 받은 것 같아요.

① 좋은 탓에　　② 좋더니
③ 좋은 바람에　　④ 좋은데도

2. 급한 일을 (　　　　) 영민이한테 아직 전화를 못 했어요.

① 하려는데　　② 할까 봐
③ 하느라고　　④ 하던 중에

3. 어제 창문을 열어 (　　　　) 잤거든요. 그래서 감기에 걸렸어요.

① 놓고도　　② 놓은 채
③ 놓기 때문에　　④ 놓기로

4. 민영이한테 아까 무슨 일이 (　　　　) 물어봐야겠어요.

① 있었는지　　② 있기 때문에
③ 있어야　　④ 있을까 봐

5. 직장에서 맡은 일이 적성에 안 (　　　　) 일을 못 할 것 같아요.

① 맞는 대신에　　② 맞는다고
③ 맞는다면　　④ 맞더라도

➡連結語尾·連結表現の機能と用例の確認は合格資料6（p.35）を参照。

6. 요즘 좀 ( ) 동아리 모임이 있다는 걸 그만 깜박했네요.

① 바쁘다기에 ② 바쁘다 보니

③ 바쁘다지만 ④ 바쁠수록

7. 전화가 계속 ( ) 일을 다 못 끝냈어요.

① 오는 바람에 ② 오더니

③ 올까 봐 ④ 올 테니까

8. 음주 ( ) 교통 사고가 난 것 같아요.

① 운전에 따라 ② 운전 덕분에

③ 운전으로 인해 ④ 운전에 비해

9. 이번 생일에는 선물로 꽃을 ( ) 옷을 사 줬어요.

① 보내든가 ② 보내려다가

③ 보내는 바람에 ④ 보낸 탓에

10. 집들이 선물로는 세제랑 비누를 ( ) 하죠.

① 살까 싶어 ② 사려면

③ 살까 ④ 사도록

11. 집들이 때에 휴지를 선물하는 것은 일이 잘 ( ) 의미예요.

① 풀렸다는 ② 풀리라는

③ 풀린다는 ④ 풀린다기에

▶ 解説は278ページへ

1 短文の空所語句補充問題

12. 그 사람을 만나면 (　　　　　) 더 좋아지는 것 같아요.

① 만나 봐도　　② 만나듯이
③ 만나더니　　④ 만날수록

13. 민수는 (　　　　　) 6개월 만에 여자 친구와 헤어졌대요.

① 사귄 지　　② 사귀든지
③ 사귄 탓에　　④ 사귀다 보면

14. 아침에 늦게 (　　　　　) 서둘러 출근을 했거든요.

① 일어나는 바람에　　② 일어나다가
③ 일어날지　　④ 일어나자마자

15. 옷이 (　　　　　) 좀 비싸네요.

① 예쁠수록　　② 예쁘기는 한데
③ 예쁘다기에　　④ 예쁘길래

16. 기분 전환도 하고 사진도 (　　　　　) 바닷가에 갔다 왔어요.

① 찍으므로　　② 찍은 김에
③ 찍을 겸　　④ 찍고 보니

17. 물가가 생각보다 (　　　　　) 생활하기가 힘들어요.

① 비싸서 그런지　　② 비싼 데다가
③ 비싼 반면　　④ 비싸기는 한데

➡【解説編】はダウンロードして別冊としてご利用できます。リンク先案内は14ページへ

18. 관객들이 다 (　　　　　　) 슬픈 영화였어요.

① 울던데　　② 울 정도로
③ 울까 봐　　④ 울 바에

19. 민수 씨한테 내일 오후에는 모임이 (　　　) 전해 주세요.

① 있다고　　② 있느냐고
③ 있다거나　　④ 있느니

20. 고기를 (　　　　　　) 야채를 넣고 조금 더 볶으세요.

① 볶듯이　　② 볶든지
③ 볶다가　　④ 볶기보다는

21. 이번 주말엔 정신 없어요. 숙제가 (　　　) 시험 공부도 해야 해요.

① 많은 탓에　　② 많은 데다가
③ 많기에　　④ 많으므로

22. 생일인 것을 미리 (　　　　　) 선물을 준비했을 텐데. 정말 미안해요.

① 아는데도　　② 알았더라면
③ 알고 보면　　④ 알고 보니

23. 배가 하도 (　　　　　　) 김밥을 사러 편의점에 다녀왔어요.

① 고픈지　　② 고픈데도
③ 고프다고　　④ 고프길래

▶ 解説は279ページへ

1 短文の空所語句補充問題

24. 서울은 요즘 날씨가 (　　　　　) 눈까지 와서 길이 미끄러워요.

① 추운데도　② 추운지
③ 추운 데다가　④ 춥다 보니까

25. 그림(　　　　　) 많이 아시네요. 혹시 전공이 미술이 아니세요?

① 을 위해　② 에 대해
③ 에 비해　④ 에 의해

26. 오늘은 시간이 없어요. 수업이 (　　　　　) 집에 가야 해요.

① 끝나는 대로　② 끝나는 바람에
③ 끝나야만　④ 끝나니까

27. 알겠습니다. 손님께서 주문서에 (　　　　) 준비해 놓겠습니다.

① 쓰시기 전에　② 쓰신다면
③ 쓰실 텐데　④ 쓰신 대로

28. 아무리 머리가 (　　　　　) 노력하지 않으면 안 되지요.

① 좋은 까닭에　② 좋다 하더라도
③ 좋기보다는　④ 좋으니

29. 음식이 맛있어서 배가 (　　　　　) 많이 먹었어요.

① 터지는 바람에　② 터지더라도
③ 터질 만큼　④ 터질 뿐

▶ 解説は280ページへ

30. 저 두 사람은 매일 같이 (　　　　　　) 연인 사이인가 봐요.

① 있는 걸 보니　② 있는데도
③ 있다 보니　④ 있느라고

31. 이번 경기는 (　　　　　　) 1:0으로 독일이 이길 것 같아요.

① 보다시피　② 본다기에
③ 보나마나　④ 본 대로

32. 이건 작아서 가지고 다니기 좋겠는데 컴퓨터는 (　　　　　　) 비싸네요.

① 작아야　② 작아 봤자
③ 작은 탓에　④ 작을수록

33. 일기 예보 (　　　　　　) 오늘 낮엔 기온이 30도까지 올라간대요.

① 에 관하여　② 에 의하여
③ 에 따르면　④ 에 비하면

34. 명동에 가서 친구를 (　　　　　　) 백화점에도 들를까 해요.

① 만나는 김에　② 만난 채로
③ 만나기에　④ 만나자마자

35. 이 가수는 남자나 여자나 (　　　　　　) 모두에게 인기가 많다.

① 할 뿐만 아니라　② 할지 말지
③ 할 것 없이　④ 하거나 말거나

▶ 解説は280ページへ

1 短文の空所語句補充問題

36. 무엇을 타고 (   ) 교통비가 크게 달라진다.

① 가 봤자 ② 가느냐에 따라

③ 가든지 말든지 ④ 간다고 해도

37. 혼자 사는 것이 (   ) 지금은 많이 익숙해졌어요.

① 힘든 만큼 ② 힘들었다면

③ 힘들수록 ④ 힘들긴 한데

38. 삼십 분만 일찍 (   ) 지각을 하지 않았을 텐데.

① 일어나더니 ② 일어나려면

③ 일어난다고 해도 ④ 일어났더라면

39. 자식은 (   ) 결혼해 버리면 소용이 없어요.

① 키우고자 ② 키우기는커녕

③ 키워 봤자 ④ 키우는 김에

40. 아이들은 과자를 (   ) 누가 온 줄도 모른다.

① 먹느라고 ② 먹던데

③ 먹다가 ④ 먹는 데다가

41. 나(   ) 여기 있는 모든 사람들은 그 의견에 반대합니다.

① 를 통해서 ② 를 비롯해서

③ 에 의해서 ④ 에 대해서

▶ 解説は281ページへ

42. 추석 때는 그냥 집에서 텔레비전(　　　　　) 볼까 해요.

① 에다가　　② 이라야
③ 처럼　　④ 이나

43. 설날에 민수 씨 부모님께 세배를 하고 세뱃돈(　　　　　) 받았어요.

① 까지　　② 밖에
③ 마저　　④ 이라도

44. 삼만 원 빌려 달라고요? 저 지금 만 원(　　　　　) 없는데요.

① 은커녕　　② 밖에
③ 이나　　④ 더러

45. 마리코 씨를 보면 한국 사람이 다 된 것(　　　　　) 보이는데요.

① 이라도　　② 이든지
③ 으로서　　④ 처럼

46. 윗사람 앞에서 술을 마실 때(　　　　　) 고개를 돌리고 마셔요.

① 나마　　② 조차
③ 만　　④ 뿐

47. 준수 씨는 아무거나 잘 먹고 아무 데(　　　　　) 잘 자네요.

① 서나　　② 더러
③ 야말로　　④ 치고

➡助詞の機能と用例の確認は、合格資料5 (p.32) を参照。

▶ 解説は282ページへ

1 短文の空所語句補充問題

48. 취직을 해서 월급은 받지만 저축(　　　　) 생활비도 모자라요.

① 에다가　　② 만큼
③ 은커녕　　④ 대로

49. 어제 한 시간(　　　　) 비를 맞았더니 감기 기운이 좀 있어요.

① 이라도　　② 이나
③ 이든지　　④ 부터

50. 여기는 아무나 못 들어가요. 청소년(　　　　) 들어갈 수 있어요.

① 만큼　　② 조차
③ 이라야　　④ 뿐

51. 화장실 청소(　　　　) 귀찮은 게 없어요.

① 야말로　　② 만
③ 에다　　④ 만큼

52. 지금 하고 있는 일은 계획(　　　　) 잘 진행되고 있어요?

① 조차　　② 으로서
③ 마저　　④ 대로

53. 걱정(　　　　) 하지 말고 지금부터라도 공부 좀 하지 그래.

① 만　　② 밖에
③ 이나마　　④ 뿐만

▶ 解説は282ページへ

54. 오늘은 구름 한 점(　　　　) 없는 맑은 날씨였다.

① 조차　② 밖에
③ 이야말로　④ 이나

55. 올해도 작년(　　　　) 장사가 잘됐으면 좋겠다.

① 만　② 만큼
③ 에다가　④ 뿐만

56. 저렇게 살이 빠진 걸 보니 지난 번 감기 때문에 많이 (　　　　).

① 아팠나 보다　② 아픈 모양이다
③ 아팠다고 한다　④ 아픈 줄 알았다

57. 오늘 만나자고 하길래 바쁘니까 내일 (　　　　).

① 볼 만하다고 했다　② 보도록 했다
③ 보라고 했다　④ 보자고 했다

58. 밤샘을 했더니 너무 졸려서 (　　　　).

① 죽을까 했어요　② 죽을 뻔했어요
③ 죽었거든요　④ 죽곤 했어요

59. 차가 움직이지 않는 걸 보니 길이 많이 (　　　　).

① 막혔나 봐요　② 막히던데요
③ 막히더라고요　④ 막힌 편이에요

➡終結語尾·終結表現の機能と用例の確認は合格資料7(p.53)を参照。▶ 解説は283ページへ

■1 短文の空所語句補充問題

60. 마리코 씨는 내년에 대학원에 (　　　　　　).

① 진학하려던 참이에요　② 진학할래요
③ 진학할 거래요　④ 진학했대요.

61. 저기 새로 생긴 식당은 음식도 맛이 있고 값도 (　　　　　　).

① 싸다고 쳐요　② 쌀 텐데요
③ 싸기는요　④ 싸던데요

62. 경주는 역사적인 유적이 많아서 (　　　　　　). 한번 가 보세요.

① 가 봤겠어요　② 가 볼 뿐이에요
③ 가 보기는요　④ 가 볼 만해요

63. 이번에 이사한 곳은 학교도 (　　　　　　). 그래서 마음에 들어요.

① 가깝고 말고요　② 가깝군요
③ 가깝고요　④ 가깝대요

64. 안 쓰는 물건들을 다 정리했더니 방이 전보다 훨씬 (　　　　　　).

① 넓어야 해요　② 넓은 편이에요
③ 넓어 보여요　④ 넓은 셈이에요

65. 민수가 지갑을 (　　　　　　). 그래서 급하게 뛰어 갔어요.

① 잃어버렸나 봐요　② 잃어버릴 뻔했어요
③ 잃어버렸는지 몰랐어요　④ 잃어버릴지 걱정이에요

▶ 解説は283ページへ

66. 잘 됐네요. 저도 점심 (　　　　　　). 같이 가요.

① 먹을 텐데요　　② 먹을게요
③ 먹으려던 참이에요　　④ 먹자고 했어요

67. 머리를 갈색으로 염색해도 어울릴까요? -그럼요, (　　　　　　).

① 어울리고말고요　　② 어울리잖아요
③ 어울리던데요　　④ 어울리네요

68. 지영 씨가 자기 취미가 요리니까 그냥 와서 (　　　　　　).

① 먹으래요　　② 먹는대요
③ 먹겠대요　　④ 먹더라고요

69. 야근은 몸에 안 좋아요. 일도 좋지만 건강도 (　　　　　　).

① 생각할걸요　　② 생각할 만해요
③ 생각해야지요　　④ 생각하래요

70. 이번에 새로 개봉한 영화, 정말 (　　　　　　).

① 볼 걸 그랬어요　　② 보기는요
③ 볼 모양이에요　　④ 볼 만해요

71. 날씬해졌는데 무슨 운동을 했어요? -매일 30분쯤 산책을 (　　　　　　).

① 했을 뿐이에요　　② 한 셈이에요
③ 했을걸요　　④ 했잖아요

▶ 解説は284ページへ

1 短文の空所語句補充問題

72. 민수 씨한테서 들었는데 요즘 ( )?

① 바쁘다면서요 ② 바쁜 편이에요

③ 바빠 보여요 ④ 바쁠걸

73. 이 배우도 이젠 할머니가 됐네. −사람은 누구나 다 ( ).

① 늙나 봐요 ② 늙을 뿐이죠

③ 늙게 마련이에요 ④ 늙은 척하지요.

74. 어제 축구 경기를 봤다면서요? 두 팀 실력이 ( )?

① 어떻대요 ② 어떨까요

③ 어떻겠어요 ④ 어떻던가요

75. 어제 친구 결혼식에 갔다 왔는데 신랑 신부가 잘 ( ).

① 어울릴 리가 없어 ② 어울리더라

③ 어울리잖아 ④ 어울릴 텐데

76. 좀 기다려도 안 온다고 해서 먼저 ( ).

① 가기 마련이지요 ② 갈 수는 없지요

③ 갈 리가 없지요 ④ 가라는 법은 없지요

77. 맘에 안 드는 것은 아니지만 비슷한 옷이 있으니까 ( ).

① 바꿀까 봐요 ② 바꾸나 봐요

③ 바꾸고 말고요 ④ 바꾸는가 봐요

▶ 解説は284ページへ

78. 어디를 가나 취직을 하려면 영어는 (　　　　　　).

① 필요할 뿐이에요　　② 필요할 리가 없어요
③ 필요할걸요　　④ 필요했네요

79. 맞아요. 컴퓨터가 이렇게 (　　　　　　).

① 편리하더래요　　② 편리하긴요
③ 편리해서요　　④ 편리할 줄 몰랐어요

80. 나는 요새 입맛이 없어서 거의 (　　　　　　).

① 굶은 듯해요　　② 굶다시피 했어요
③ 굶었대요　　④ 굶는가 봐요

81. 시험이 끝난 어제는 계속 (　　　　　　).

① 자기만 했어요　　② 자기 마련이에요
③ 잤으면 해요　　④ 자려던 참이에요

82. 설마요. 그렇게 공부도 안 하는데 1등을 (　　　　　　).

① 하는 수밖에 없어요　　② 했을지도 몰라요
③ 하기 마련이에요　　④ 했을 리가 없어요

83. 아까 계단에서 뛰어 내려오다가 (　　　　　　).

① 넘어질지도 몰라요　　② 넘어질 리가 없어요
③ 넘어질 뻔했어요　　④ 넘어지곤 했어요

▶ 解説は285ページへ

2 類似表現選択問題

▶▶▶本番の試験【3〜4】では2問、各2点の配点で出題される。

※다음 밑줄 친 부분과 의미가 비슷한 것을 고르십시오.
次の下線を引いた部分と意味が似ているものを選びなさい。

1. 준호가 기분이 안 좋은 것 같은데 무슨 일이 있었는지 물어봐야겠다.

① 있었길래　　② 있을래야
③ 있었느냐고　　④ 있었기에

2. 아들에게 일이 바쁘면 오지 말라고 했는데도 오겠다고 한다.

① 안 올 거라고　　② 오지 않겠느냐고
③ 오지 않겠다고　　④ 안 와도 된다고

3. 어제 창문을 열어 놓은 채 자더니 감기에 걸렸나 보다.

① 열어 놓은 끝에　　② 열어 놓느니
③ 열어 놓기 때문에　　④ 열어 놓고 그냥

4. 아까 백화점에 들렀다가 시계가 마음에 들어서 하나 샀다.

① 들렀는데　　② 들르려던 참에
③ 들르는 통에　　④ 들를 겸

5. 설겆이를 하다가 접시를 깨서 새 접시를 하나 사려고 한다.

① 하려는데　　② 하는 도중에
③ 할까 하다가　　④ 하나 마나

➡よく出る類似表現の用例は合格資料1 (p.19) を参照。
▶ 解説は286ページへ

6. 난 외국 여행은커녕 아직 서울에도 못 가 봤다.

① 여행만 아니라　② 여행은 말할 것도 없고
③ 여행인 셈치고　④ 여행은 그만두고

7. 바쁘더라도 잠시만 시간을 내 주시겠어요?

① 바쁘므로　② 바쁘던데
③ 바빴지만　④ 바빠도

8. 난 내일 한국어 시험이 마지막이니까 거의 다 끝난 셈이에요.

① 끝나기 마련이에요　② 끝난 거나 마찬가지예요
③ 끝날 거예요　④ 끝나는 법이에요

9. 괜찮아. 너무 신경 쓰지 마. 원래 그 사람 성격이 그렇잖아?

① 마음 놓지　② 마음 쓰지
③ 마음 아파하지　④ 신경질 내지

10. 이 일이 마무리되는 대로 여기를 떠날 거예요.

① 마무리되면 곧　② 마무리되기만 하면
③ 마무리되더라도　④ 마무리될 테니까

11. 아까 사무실에 가 봤는데 준호는 벌써 퇴근했더라.

① 퇴근한 듯해　② 퇴근할 거래
③ 퇴근하고 없었어　④ 퇴근했대

▶ 解説は286ページへ

2 類似表現選択問題

12. 서울 연수 여행은 다들 기대하고 있을 테니까 모두 참석할 거다.

① 있을 거니까　② 있는 데다가
③ 있을 뿐이니까　④ 있는 대로

13. 지영 씨는 요즘 결혼 준비하느라고 정신이 없던데요.

① 준비하는 김에　② 준비하고자
③ 준비 때문에　④ 준비에 따라

14. 아시다시피 한국도 경기가 안 좋아서 취직하기가 힘들어요.

① 알 듯해서　② 아시는 만큼
③ 아는 셈치고　④ 아시는 바와 같이

15. 아침에 일어나자마자 서둘러서 나와서 스마트폰을 집에 놓고 왔다.

① 일어나고자　② 일어나서 바로
③ 일어나는 탓에　④ 일어나나 마나

16. 길이 막혀서 약속 시간에 늦을까 봐 일찍 출발했다.

① 늦을 뻔해서　② 늦을 것 같아서
③ 늦는 바람에　④ 늦을 때마다

17. 밀린 보고서를 작성하느라고 예습할 시간이 없었다.

① 작성했더라도　② 작성하다 보니
③ 작성하길래　④ 작성한 데다가

▶ 解説は287ページへ

18. 손님이 올 때는 음식이 모자라지 않게 준비해야 한다.

① 모자라지 않을텐데　② 모자랄 뻔해서
③ 모자랄 듯 해도　④ 모자라지 않도록

19. 이번 여름 방학에는 배로 제주도 여행을 가기로 했어요.

① 갈 거예요　② 간대요
③ 갈 텐데요　④ 갈 거래요

20. 취직 시험이 내 인생의 마지막 시험이라고 생각했는데 그게 아니었다.

① 시험인 모양인데　②시험인 줄 알았는데
③ 시험이라고 해서　④시험인 탓에

21. 여기서는 사진을 찍어도 된다고 생각했다.

① 되는 줄 알았다　② 될 모양이다
③ 될 리가 없다　④ 되는 수가 있다

22. 혹시 메일이 안 갔을까 봐 한 번 더 똑같은 메일을 보냈다.

① 갔을지도 몰라서　② 갔을지라도
③ 갔다고 해도　④ 갔다고 치고

23. 준이가 숙제를 다 했다기에 나가서 놀라고 했어요.

① 했다거나　② 하는 바람에
③ 했다던데　④ 했다고 해서

▶ 解説は287ページへ

2 類似表現選択問題

24. 싸고 성능이 좋은 물건은 어느 나라에서나 잘 팔리기 마련이다.

① 팔리는 법이다　　② 팔릴 리가 없다

③ 팔린다고 한다　　④ 팔리는 모양이다

25. 아이들의 웃는 얼굴을 볼 때마다 행복해진다.

① 보도록　　② 보기만 하면

③ 보나 마나　　④ 보기는 하지만

26. 책을 읽어 봤자 실제로 경험해 보지 않으면 모르는 것이 많다.

① 읽어 봐도　　② 읽어야 할 텐데

③ 읽어 보는 김에　　④ 읽는 셈 치고

27. 외국에서 잘 적응하려면 그곳의 언어와 문화를 아는 게 중요하다.

① 적응하기만 하면　　② 적응한다고 해도

③ 적응하기 위해서는　　④ 적응하기는 하지만

28. 이불을 널기만 하면 소나기가 와서 속상하다.

① 널어 봤자　　② 널자마자

③ 널 때마다　　④ 널기가 무섭게

29. 걔는 물어 보나마나 참석한다고 할 거야.

① 물어 봐야지　　② 물어 볼 건지

③ 물어 본다니까　　④ 물어 보지 않아도

▶ 解説は288ページへ

30. 하루 종일 밥은커녕 물도 못 마셨어요.

① 밥 말고　　　② 밥이야말로
③ 밥은 빼고　　　④ 밥은 말할 것도 없고

31. 졸업을 하고 유학을 갈지 말지 고민 중이에요.

① 가거나 말거나　　　② 갈까 말까
③ 가든지 말든지　　　④ 가는 둥 마는 둥

32. 돈 좀 빌려 줘. 서둘러 나오느라고 지갑을 안 가지고 왔어.

① 나오길래　　　② 나온 데다가
③ 나오더라도　　　④ 나온 탓에

33. 한국어 실력을 늘리고자 한국 신문과 방송을 자주 봤다.

① 늘리기 위해서　　　② 늘리기 무섭게　　　〈既出41回〉
③ 늘리는 대신에　　　④ 늘리는 반면에

34. 후배가 한 잘못을 알고 있었지만 미안해할까 봐 모르는 척했다.

① 모르는 체했다　　　② 모르는 듯했다　　　〈既出37回〉
③ 모르는 편이다　　　④ 모르기 마련이다

35. 두 사람은 오랫동안 알고 지냈지만 직장 동료 사이일 뿐이다.

① 사이에 불과하다　　　② 사이라면 좋겠다　　　〈既出35回〉
③ 사이일지도 모른다　　　④ 사이라고 볼 수 없다

▶ 解説は289ページへ

3 情報の主題選択問題

▶▶▶本番の試験【5~8】では4問、各2点の配点で出題される。

※다음은 무엇에 대한 글인지 고르십시오.
次は何についての文なのかを選びなさい。

1.

허리가 아프고 불편하십니까?

- 여러분의 편안한 좌석을 마련하겠습니다.
- 오래 앉아 있어도 허리가 아프지 않습니다.
- 저희 **펴나니**로 하루를 편안하게 지내십시오.

① 책상　② 탁자　③ 침대　④ 의자

2.

세계 각지의 건축을 찾아서

인기 건축가가 들려주는 세계 각지의 건축 이야기
세계 각지의 독특한 건축물의 모습과 역사를 만나 볼 수 있습니다.
민영준 지음. 정가 20,000원

① 여행　② 건축물　③ 책　④ 사진

3.

인간의 신체 공학을 바탕으로 개발된 **'달리미'**
고유가 시대, 환경에도 좋고 통근 통학에도 편리한 **'달리미'**
가볍고 잔고장이 없어서 오래 사용할 수 있습니다.

① 운동화　② 자동차　③ 자전거　④ 운동복

➡この形式の問題によく出る選択肢例は合格資料3·4 (p.27) を参照。

4.

편리하게 찾아보세요!
주차장, 버스정류장, 관광시설을 한눈에 알 수 있습니다!

① 번역기　② 전자사전　③ 지도　④ 이어폰

5.

깨끗하고 촉촉하게!
스트레스에 지친 피부에 활력을!

① 화장품　② 세제　③ 안약　④ 비타민

6.

묵은 때도 얼룩도 말끔하게!
조금만 넣어도 새 옷같이 깨끗해집니다.

① 옷장　② 세탁기　③ 청소기　④ 세제

7.

팔목에서 빛나는 세련된 디자인!
당신의 중요한 일정을 정확하게 지켜 드립니다.

① 컴퓨터　② 전자계산기　③ 시계　④ 노트북

8.

충치 예방! 입 냄새 걱정 끝!
이를 깨끗하고 하얗게!!

① 세제　② 치약　③ 비누　④ 칫솔

▶ 解説は290ページへ

3 情報の主題選択問題

9.

> 최신곡 완비! 청결하고 안락한 분위기!
> 저희 **'불러불러'** 에서 즐거운 시간을 가지세요.

① 노래방　② 미용실　③ 영화관　④ 백화점

10.

> **신선한 재료! 깔끔한 맛!**
> 그릇마다 정성을 담아드립니다.

① 음식점　② 그릇가게　③ 식품점　④ 편의점

11.

> **파마와 염색 손님 환영!**
> 오전 11시 전까지는 10% 할인!

① 옷 가게　② 세탁소　③ 오락실　④ 미용실

12.

> **결혼식, 돌잔치등 각종 기념행사**
> 당신의 소중한 추억을 남겨 드립니다.

① 문구점　② 호텔　③ 사진관　④ 음식점

13.

> 넓고 찾기 쉬운 분야별 매장.
> 국내 **신간 출판물을 모두 갖추고** 여러분을 기다립니다.

① 서점　② 백화점　③ 식품점　④ 편의점

▶ 解説は291ページへ

14.

환상적인 일출과 신선한 해산물!!
동서울터미널 - 정동 - 강릉 - 동서울터미널 (1박2일)
매주 금요일 오후 10시 출발 W95,000

① 공연 안내 ② 영화 소개 ③ 행사 안내 ④ 여행 상품 소개

15.

생활 도자기와 인테리어 소품 만들기

도예교실 '우리' 에서 나만의 것을 만들어 보세요.
- 매주 수요일 10：00~12：00
- 매회 4만원(재료비 포함)

① 전시 안내 ② 수업 안내 ③ 책 소개 ④ 연극 소개

16.

"설악산의 사계절"

사진작가 김정수가 최근 5년 동안 앵글에 담아온
설악산의 사계절의 모습을 보여드립니다.
- 일시 20××. 3. 23~3. 31.
- 장소 중구 문화관 1층

① 작가 소개 ② 전시 안내 ③ 공연 안내 ④ 여행 소개

17.

연말을 맞아 중학 시절 친구들이 한 자리에 모일 기회를 마련했습니다. 바쁘더라도 시간을 내어 여러분의 반가운 모습을 보여 주십시오.
일시：12월 20일 오후 5시
장소：한식당 '고향'
회비：5만 원

① 송년회 안내 ② 식당 개업 안내 ③ 송별회 안내 ④ 행사 일정 안내

▶ 解説は292ページへ

3 情報の主題選択問題

18.

성인들을 위한 축구 클리닉!

축구를 기본기부터 배우고 싶은 분이라면 누구나 환영합니다.

일정 : 4월~11월 매주 토요일 (1회 90분씩)

신청접수 : 3월 5일~15일까지

문의 : 인천축구단 032-123-4567

① 활동 문의　② 직업 소개　③ 시합 안내　④ 회원 모집

19.

연말연시에는 두 시간 단축해서 오후 7시까지 영업합니다.

(단, 식품매장은 연말연시에도 오후 10시까지 정상영업합니다.)

서울슈퍼마켓

① 개업 안내　② 영업 시간　③ 영업 장소　④ 영업 내용

20.

돼지고기 초간단 요리법, 굽지 말고 삶자!

요리에 소질 없는 분이라도 누구나 쉽게 따라 할 수 있는 돼지고기 요리 레시피 〈초간단 돼지고기 요리〉가 곧 출간됩니다. 기대하십시오.

① 요리 소개　② 요리법　③ 책 소개　④ 음식점 안내

21.

1.보관시에는 뚜껑을 잘 닫아 이물질이 들어가지 않도록 한다.

2.개봉후 1개월이상이 지난 것은 사용하지 않는 것이 바람직하다.

① 사용 방법　② 이용 장소　③ 주의 사항　④ 제품 특징

▶ 解説は293ページへ

22.

1. 구입하신 물건과 영수증을 가지고 오십시오.
2. 물건을 산 후 1주일 이내까지 가능합니다.
3. 재고가 없을 경우에는 1~2주 기다리셔야 합니다.

① 교환 방법　② 구입 안내　③ 제품 특징　④ 중고품 판매

23.

1. 칼날이 쉽게 무뎌지지 않아 자주 가는 번거러움이 없습니다.
2. 손목에 무리가 없고, 적은 힘으로 효과적으로 썰 수 있습니다.

① 구입 안내　② 이용 방법　③ 제품의 특징　④ 주의 사항

24.

1. 이물질은 콜드크림을 부드러운 헝겊에 묻혀서 닦아 주십시오.
2. 물에 젖었을 때는 통풍이 잘 되는 그늘에서 말려 주십시오.

① 제품 소개　② 사용 설명　③ 보관 방법　④ 손질 방법

25.

- 외부에 노출된 피부에 충분히 발라 주십시오.
- 2~3시간 간격으로 덧발라 주십시오.

① 사용 방법　② 상품 설명　③ 주의 사항　④ 구입 안내

26.

- 동전이나 지폐를 넣는다.
- 원하는 음식을 선택한 후 버튼을 누른 뒤 식권을 꺼낸다.

① 준비물　② 선택 기준　③ 이용 방법　④ 주의 사항

▶ 解説は293ページへ

4 情報文の内容把握問題

▶▶▶本番の試験【9～12】では4問、各2点の配点で出題される。

※다음 글 또는 그래프의 내용과 같은 것을 고르십시오.
次の文章、またはグラフの内容と一致するものを選びなさい。

1.

뮤지컬 **배고파!**

기간 : 20××년 4월 8일~4월 30일

시간 : 평일(월~금) 오후 5시, 7시

주말(토~일) 2시, 4시, 6시 (쉬는 날 없음)

장소 : 충무로 소극장

(지하철3, 4호선 충무로역 3번 출구에서 도보 4분)

입장료 : 10,000원(예매 9000원) 공연문의 ☎ 02-1234-5678

① 기간 중의 쉬는 날에는 공연이 없다.

② 기간 중에는 하루에 두 번씩 공연을 한다.

③ 극장은 지하철역에서 가까운 곳에 있다.

④ 보름 동안 쉬는 날 없이 공연을 한다.

2.

서도 교실 회원 모집

기간 : 4월~9월 매주 목요일 오후 7시~9시

대상 : 서도에 관심 있는 분 (초보자도 환영)

접수 : 20××년 3월 1일 오전 9시부터. 선착순 20명까지

접수 방법 : 중구문화회관 문화강좌 홈페이지에서 온라인 접수

※서도 교실 회원로서 희망자는 정기 서도 전시회 참가 가능

① 회원 신청은 문화회관에 가서 한다.

② 회원은 초보자 중에서 선착순 20명을 뽑는다.

③ 회원이 되면 서도 전시회에 참가해야 한다.

④ 교실은 4월부터 매주 목요일 밤에 열린다.

▶ 解説は295ページへ

3.

〈나무 그늘〉 서울점

전음료 10% 할인　테이크아웃시 30% 할인

◆기간：3월 1일~3월 31일(기간내 사용에 한해 유효)

◆본 쿠폰은 서울점에 한해 사용 가능

◆다른 쿠폰과 중복 사용 불가

① 서울점 이외에서도 사용할 수 있다.

② 정해진 기간까지만 사용할 수 있다.

③ 할인은 테이크아웃시에만 사용할 수 있다.

④ 쿠폰은 두 장 이상 사용할 수 있다.

4.

「서울사진스튜디오」에서 함께 일할 분을 구합니다.

- 모집분야：촬영, 촬영보조, 편집, 고객담당
- 자격요건：경력 및 성별 제한 없음 (사진 배우면서 일하실 분)
- 급여조건：회사 규정에 따름 (면접후 결정)
- 제출서류：이력서, 자기소개서
- 제출방법：전자우편 (insakua@seoulsajin.com)
- 제출기간：6월 10일~6월 24일까지

※1차 서류 심사후 개별적으로 면접 일정 연락

① 면접을 통해 월급 액수가 결정된다.

② 이력서와 자기소개서는 우편으로 보내야 한다.

③ 남녀 구별 없이 초보자라도 지원할 수 있다.

④ 경력이 없는 사람은 촬영보조로 채용한다.

▶ 解説は295ページへ

5.

직원 모집

⊙분야 및 인원 : 경리 1명
⊙지원 자격 : 대학교 졸업 이상, 해당 경험 3년 이상
⊙제출 서류 : 이력서, 자기 소개서
⊙접수 방법 : 이메일 접수
⊙접수 기간 : 6월 1일(월) ~ 6월 12일(금) 17시까지
⊙전형 방법 : 1차 서류/2차 면접
※ 면접은 1차 서류 합격자에 한함.

우리 출판사

① 출판사 경험이 있으면 지원할 수 있다.
② 서류는 우편으로도 제출할 수 있다.
③ 경리로 일할 사원을 구하고 있다.
④ 면접 때 자기 소개서를 지참해야 한다.

6.

시민회관 체육 시설 이용 안내

●이용 가능 종목 : 배구, 탁구, 배드민턴 (실내 체육관)
축구, 농구, 배드민턴 (야외 운동장)
●이용 가능 시간 : 평일 09:00~18:00, 주말 08:00~20:00
●이용 신청 방법 : 홈페이지에서 이용 신청서 작성
※ 단체 이용은 5일전 전화 예약 필수 (02)123-4567

① 단체로 신청하면 우선적으로 이용할 수 있다.
② 주말에 이용할 때는 미리 전화로 예약을 해야 한다.
③ 배드민턴은 실내와 야외에서 모두 할 수 있다.
④ 시민회관에 가서 신청하면 바로 이용할 수 있다.

▶ 解説は296ページへ

7.

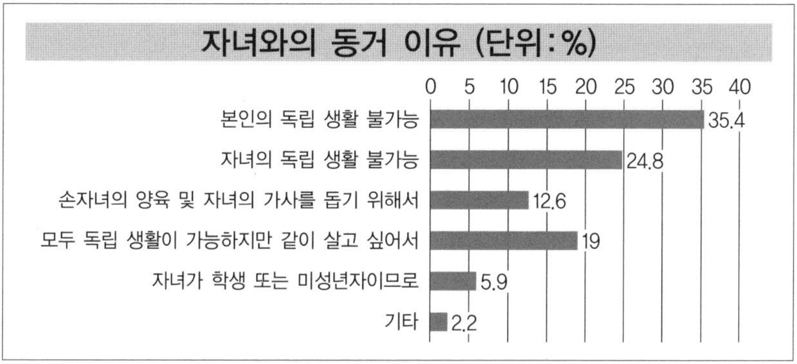

① 자신보다 자식들이 생활 능력이 없어서 동거하는 경우가 많다.
② 손자, 손녀가 미성년자라서 동거하는 경우가 20%에 가깝다.
③ 자식들의 가사를 돕기 위해 동거하는 비율이 높게 나타났다.
④ 부모도 자식도 생활 능력이 없어서 동거하는 경우가 가장 많다.

8.

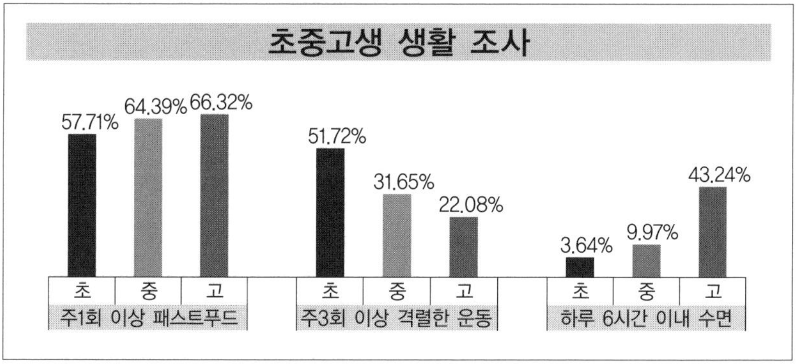

① 학년이 올라갈수록 운동량도 수면 시간도 급감하고 있다.
② 학년이 낮을수록 잘 놀고 패스트푸드도 자주 먹는다.
③ 학년이 낮아질수록 운동을 적게 하고 많이 잔다.
④ 중학생이나 초등학생에 비해 고등학생이 건강한 생활을 한다.

▶ 解説は297ページへ

4 情報文の内容把握問題

9.

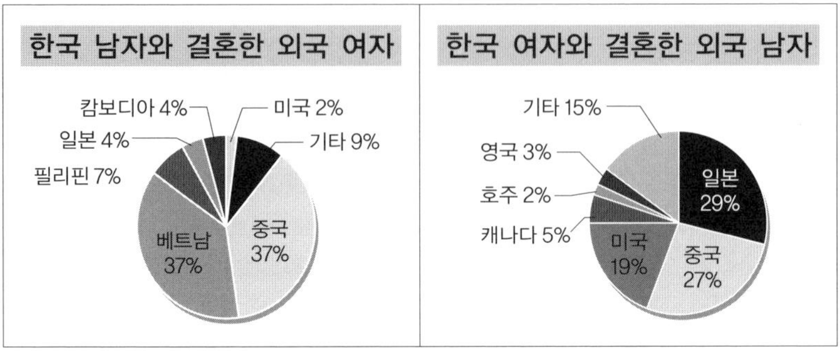

① 한국 남자의 국제결혼 상대자는 압도적으로 동양 사람이 많다.
② 한국 여자가 결혼한 외국인의 절반은 서양 사람이다.
③ 한국 여자가 결혼한 외국 남자는 중국과 일본 순으로 많다.
④ 한국 남자가 결혼한 외국인은 모두 동양 사람이다.

10.

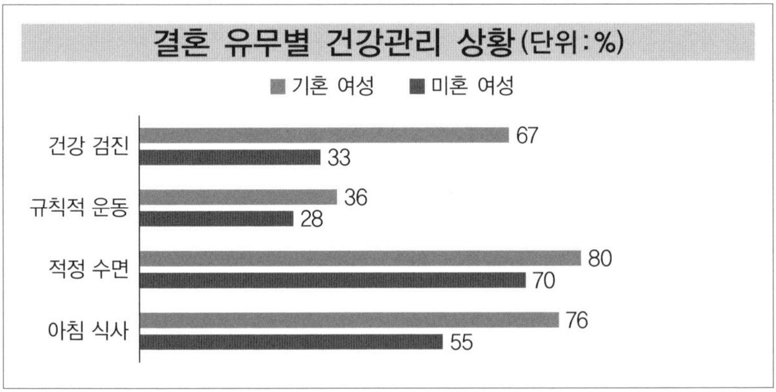

① 미혼 여성은 젊기 때문에 건강 검진을 안 받는 사람이 많다.
② 미혼 여성보다 기혼 여성이 식사와 수면 시간이 길다.
③ 기혼 여성보다 미혼 여성이 운동과 수면 시간이 많다.
④ 미혼 여성에 비해 기혼 여성이 건강에 신경을 쓰고 있다.

▶ 解説は297ページへ

11.

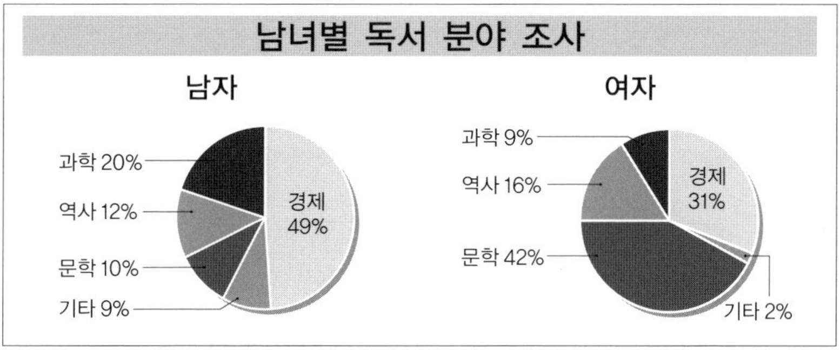

① 남자들은 역사 분야의 책을 가장 적게 읽는다.
② 남자들은 문학보다 과학 분야의 책을 더 많이 읽는다.
③ 여자들은 경제 분야의 책을 가장 많이 읽는다.
④ 여자들은 남자들보다 역사 분야의 책을 더 적게 읽는다.

(既出 60 回)

12.

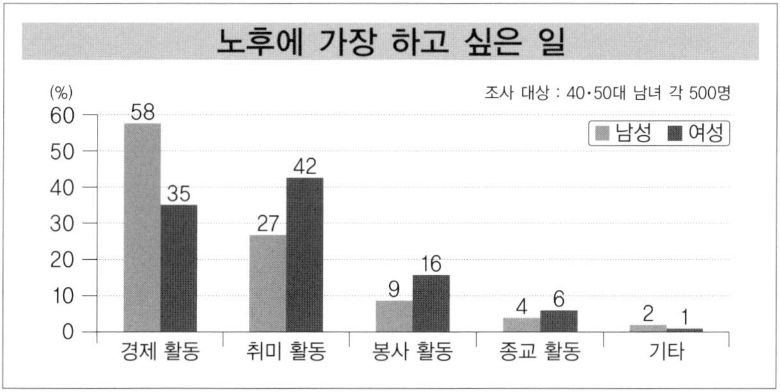

① 종교 활동을 하고 싶어 하는 비율은 남성이 여성보다 높다.
② 여성은 봉사 활동보다 취미 활동을 더 하고 싶어 한다.
③ 남녀 모두 경제 활동을 하고 싶다는 응답이 절반을 넘는다.
④ 경제 활동보다 봉사 활동을 하고 싶어 하는 남성들이 많다.

▶ 解説は298ページへ

4 情報文の内容把握問題

13.

'제3회 감자 캐기 체험 행사'가 오는 16일(토) 학전 마을에서 개최된다. 이번 체험 행사는 오전 10시부터 오후 2시까지 진행되며, 참가비는 6,000원으로 참가자들이 직접 캔 감자 2kg과 감자로 만든 칼국수를 점심으로 제공한다. 참가 희망자는 행사 전날까지 학전마을 사무실에 전화로 신청하면 된다.

① 참가비를 낸 사람은 감자 2kg을 직접 캘 수 있다.
② 15일까지 참가 신청이 가능하다.
③ 감자 캐기 행사는 올해 처음 개최된다.
④ 감자 2kg을 캔 사람에게는 점심이 제공된다.

14.

'제1회 단양 전국 산악자전거(MTB) 대회'가 오는 9월 14일(일) 오전 10시에 단양 대성산 산림욕장에서 열린다. 이번 산악자전거 대회는 10km와 20km 두 부문으로 나뉘어 진행된다. 참가비는 각각 만원, 이만원이다. 참가 신청은 대회 시작1주일 전까지 '단양 전국 산악자전거 대회'사무국 홈페이지에서 할 수 있다.

① 참가비는 참가자가 선택한 코스에 따라 차이가 있다.
② 대회 시작 전에 1주일 동안 참가 신청을 할 수 있다.
③ 참가자들은 대회 당일에 대회 사무국으로 오면 된다.
④ 한 사람이 두 부문에 참가할 수 있다.

15.

22일(목) 오후 2시에 대구백화점 앞에서 에너지 절약 행사가 열린다. 이날 행사에서는 에너지 절약에 대한 시민운동 개시를 선언하고 시민들이 쉽게 실천할 수 있는 에너지 절약 방법을 소개한다. 또한 통행인을 대상으로 에너지 절약을 호소하는 거리캠페인도 실시할 예정이다.

▶ 解説は299ページへ

① 이 행사는 백화점 주최로 열릴 예정이다.
② 에너지 절약을 홍보하기 위해 거리캠페인을 실시한다.
③ 시민운동을 통해 에너지 절약 방법을 모집한다.
④ 통행인들도 쉽게 실천할 수 있는 절약 방법을 소개한다.

16.

> 10월 7일부터 일주일 간 경북 풍기에서 인삼 축제가 열린다. 1년에 한 번씩 열리는 이번 축제에서는 여러 가지 인삼요리나 인삼김치를 맛볼 수 있고 전시된 각종 인삼제품도 할인 가격에 살 수 있다. 그밖에 인삼 아가씨 선발 대회나 인삼 캐기 대회도 열리는 등 다양한 행사가 준비되어 있어 관광객들에게 인기를 끌 것으로 예상된다.

① 풍기 인삼 축제는 해마다 열린다.
② 인삼 캐기 대회는 이번에 처음 열리는 행사이다.
③ 인삼김치 만들기에는 관광객이 직접 참가할 수 있다.
④ 인삼아가씨 선발대회에는 관광객도 참가가 가능하다.

17.

> 우리나라 성인 10명 중 7~8명은 종이신문이나 PC·스마트폰 등 다양한 매체를 통해 신문 기사를 접하는 것으로 나타났다. 이 중 20~30대가 신문 기사를 읽은 비율이 95%로 가장 높았다. 특히 20대들은 지난해 TV로 뉴스를 이용하는 비율은 줄어든 반면, 종이신문을 읽는 비율은 증가한 것으로 나타났다. 언론진흥재단의 조사에 의하면 스마트폰 등 다양한 미디어를 통한 신문 기사 열독률이 성인 평균 78%로 나타났다. 연령별로는 20대가 94.3%, 30대가 95%로 가장 높게 나타났다.

① 성인 중에서는 이삼십 대가 가장 많이 신문기사를 읽는다.
② 성인 중 7할 이상은 종이신문을 읽는다.
③ 9할 이상의 이삼십 대 젊은이들이 종이신문을 읽는다.
④ 이십 대 젊은이들은 TV뉴스를 보지 않는 것으로 나타났다.

▶ 解説は299ページへ

4 情報文の内容把握問題

18.

> 해마다 인터넷 서점의 이용객 수가 크게 늘고 있다. 작년 한 해 동안 인터넷 서점의 이용객은 재작년에 비해 7.3% 늘었다. 이는 일반 서점의 이용객이 7% 줄어든 것과 대비된다. 인터넷 서점이 이렇게 인기를 끌고 있는 이유는 일반 서점에 비해 다양한 서적을 갖추고 있는 데다가 구입시 적용되는 할인율도 높기 때문인 것으로 분석된다.

① 인터넷 서점의 이용객은 작년보다 크게 늘어났다.
② 작년의 일반 서점 이용객은 전 년에 비해 7%나 줄었다.
③ 인터넷 서점에서는 인기 있는 서적을 확실하게 살 수 있다.
④ 일반 서점이 인기가 없는 이유는 할인율이 낮기 때문이다.

19.

> 서울시는 시민들의 문화 시설 이용 확대를 위하여 4월부터 입장료 할인제를 도입해 실시하고 있다. 이 제도는 서울시 문화 시설을 이용한 뒤 14일 안에 또 다른 서울시 문화 시설을 이용하면 요금을 30% 깎아주는 주는 제도이다. 이 제도가 실시된 후, 시립미술관과 서울역사박물관을 찾는 사람들이 늘고 있는 것으로 나타났다.

① 문화 시설을 자주 이용할수록 할인율이 높아진다.
② 이 제도는 전국의 모든 문화 시설에 적용된다.
③ 자주 문화 시설을 이용하는 사람은 입장료 부담이 적어진다.
④ 이 제도로 미술관이나 박물관 같은 문화 시설이 늘었다.

20.

> '꽃보다는 선물을…'. 졸업·입학 시즌을 맞은 학생들의 바람이다. 중고등학교, 대학교 입학 예정자들을 대상으로 입학 선물 선호도를 조사한 결과, 1위는 노트북 컴퓨터, 2위는 스마트폰, 3위는 태블릿PC인 것으로 나타났다. 학생별로 구분해 보면 중고등학생의 경우는 스마트폰을, 대학생은 노트북 컴퓨터나 태블릿PC를 가장 받고 싶은 입학 선물로 꼽은 반면, 문구류, 책, 사전, 시계등 옛날에는 일반적

▶ 解説は300ページへ

이었던 선물을 희망한 학생은 거의 없었다.

① 입학 예정자들이 받은 선물 1위는 컴퓨터였다.
② 대학생들은 스마트폰보다 노트북 컴퓨터를 더 받고 싶어한다.
③ 입학 선물은 옛날부터 시계나 문구류가 일반적이다.
④ 중고등학생이 입학 선물로 가장 많이 받은 것은 스마트폰이다.

21. 강원도에 따르면 강원도의 인구는 현재 150만명으로 전국의 시도별 인구 순으로 열두 번째라고 한다. 이 인구 수치는 강원도의 절반 면적인 충청북도보다도 적은 것으로 매년 조금씩 감소하고 있다. 강원도는 이렇게 인구가 감소하는 원인으로 청년층의 대도시 선호를 들고있다.

① 강원도는 대도시가 없어서 인구가 늘지 않는다.
② 강원도의 면적은 전국에서 열두 번째로 충청북도보다 작다.
③ 강원도에 비해 충청북도의 인구가 더 줄고 있다.
④ 강원도보다 충청북도가 면적은 적지만 인구는 더 많다.

(既出 41 回)

22. 손을 움직이는 것은 뇌와 관련이 있다. 그래서 손을 자주 움직이면 뇌 기능이 좋아질 수 있다. 특히 자주 사용하지 않는 손을 움직일 때 뇌가 더 효과적으로 자극될 수 있다. 평소에 오른손을 많이 쓴다면 왼손을, 왼손을 많이 쓴다면 오른손을 사용하는 것이다. 문을 열고 닫는 일처럼 간단한 일을 그렇게 하는 것만으로도 뇌 기능을 유지하는 데 도움이 된다.

① 뇌 건강과 손을 움직이는 것은 서로 관계가 없다.
② 우리 몸과 달리 뇌는 간단한 일로 자극받지 않는다.
③ 뇌 활동을 위해 익숙한 방법으로 손을 쓰는 것이 더 좋다.
④ 자주 사용하지 않던 손을 사용하면 뇌 움직임이 활발해진다.

▶ 解説は301ページへ

第2章 読解編（2）

中級後半

1 出題類型と内容 ·· 108

2 問題類型別分析と対策 ···································· 109

1. 文整序問題 ·· 138
2. 文の空所補充問題 ································ 142
3. 文の内容把握問題（1） ························· 146
4. 文の内容把握問題（2） ························· 150
5. 文の内容把握問題（3） ························· 156

TOPIKⅡ					
時限	科目	問題数	形式	時間	配点
1	聞き取り	50問	4択式	60分	100点
	作文	4問	記述式	50分	100点
2	読解	50問	4択式	70分	100点
等級別判定		3級	4級	5級	6級
		120点以上	150点以上	190点以上	230点以上

読解（2）問題

① 出題類型と内容

読解問題50問中1番～24番までは中級レベルの問題で構成されている。

この章で取り上げる中級後半の13番～24番までの問題は、

❶ 文を四つ提示し、正しく配列されたものを選ぶ文整序の問題、

❷ 文中の空所に入る語句を選ぶ文の空所補充の問題、

❸ 一つの文を読んで文の空所副詞補充と文の内容一致を選ぶ問題、

❹ 一つの文を読んで文の空所慣用句補充と文の中心的な考えを選ぶ問題、

❺ 文中の筆者の気持ちを表す語句と文の内容一致を選ぶ問題、

の形式で構成されている。この中級後半の問題では、文法と語彙力を問う空所補充問題が12問中5問と特に大きな比重を占めている。

区分	本試験13番～24番までの問題：類型と内容	問題数と配点
1	**文整序問題**　【13～15】 4つの短文を提示し、その短文が論理的、時間的な順序で正しく配列されたものを選ぶ。	3問×2点
2	**文の空所補充問題**　【16～18】 文章を読んで、その文中の空欄に入る語句を選ぶ。	3問×2点
3	**文の内容把握問題（1）**　【19～20】 文章を読んで、①文中の空所に入る副詞を選ぶ、②文と内容が一致するものを選ぶ。	2問×2点
4	**文の内容把握問題（2）**　【21～22】 文章を読んで、①文中の空所に入る慣用句やことわざを選ぶ、②文の中心となる考えを選ぶ。	2問×2点
5	**文の内容把握問題（3）**　【23～24】 文章を読んで、①文中に表れた筆者の気持ちを表す形容詞を選ぶ、②文の内容と一致するものを選ぶ。	2問×2点
※4つの問題類型、問題総数12問、配点は各2点で出題。		

❷ 問題類型別分析と対策

問題類型1 文整序の問題

短文を4つ提示し、論理的、時間的に正しい順序で配列されたものはどれかその配列順を選ぶ文整序の問題【13〜15】が3問出題される。この形式の問題は、次のような点に注意すると正しい順序が見つけやすい。

❶ 順番の最初に来る文は選択肢からヒントが得られる。選択肢の配列では最初の文になるものとして4つの文の中で2つが固定されて提示される。2つの中で最初に来る内容の文が見つかると次の文の配列がわかりやすくなる。

❷ 論理的な順序が求められるものは最初の文が見つかったら次は「なぜ、何を、どのように」に値する次の文を確認する。

❸「그리고, 또, 게다가」や「그러나, 그런데, 그렇지만, 하지만, 반면에」などの接続語があるところは 2 番目や 3 番目の文になる可能性が高い。

❹ 接続語「그래서, 그러므로, 따라서」などのように結論に結びつきやすいことばがあるところは最後の文になる確率が高い。

既出 41回

※다음을 순서대로 맞게 배열한 것을 고르십시오. (각2점)

(가) 이것으로 만든 차는 여름철에 마시면 특히 좋다.
(나) 오미자는 다섯 가지 맛이 난다고 붙여진 이름이다.
(다) 땀이 나지 않게 하고 배탈을 낫게 하는 효과가 있어서이다.
(라) 또한 무더위에 지친 사람에게 입맛이 나게 하는 데도 도움이 된다.

① (가)－(라)－(다)－(나)　② (가)－(다)－(라)－(나)
③ (나)－(가)－(다)－(라)　④ (나)－(다)－(가)－(라)

正解　③

解説　※次を順序通りに正しく配列したものを選びなさい。(各 2 点)

(가) これで作ったお茶は夏場に飲むと特に良い。
(나) 五味子は五つの味を持ち合わせていると言って付けられた名前だ。
(다) 汗が出ないようにし、腹痛をなおしてくれる効果があるからだ。
(라) また夏バテした人の食欲を回復させるのにも役に立つ。

合格資料 8 文整序問題の既出例

※1) 接続語、指示語に注意して文脈を把握するのがポイント。　※2) 解説は302ページへ

既出	問題文
37回	(가) 그런 과정이 반복되면서 자연스럽게 광고가 된다. (나) 온라인에서 새로운 광고 기법이 주목을 받고 있다. (다) 이것은 제품을 직접 소개하지 않고 재미있는 동영상을 이용하는 방법이다. (라) 동영상을 보고 재미있으면 사람들은 친한 사람들에게 그 동영상을 전달한다. ① (나)−(가)−(라)−(다)　② (나)−(다)−(라)−(가) ③ (라)−(가)−(나)−(다)　④ (라)−(나)−(다)−(가)
36回	(가) 네온사인,상가의 불빛 등으로 길거리가 밝기 때문에 불필요하다는 것이다. (나) 그런 일에 비용을 들이기보다 다른 대안은 없는지 모색해 보는 것이 더 낫다. (다) 가로등이 제 역할을 못하고 있으니 없애자는 의견이 나오고 있다. (라) 하지만 이미 설치해 놓은 공공 시설물을 없애는 것만이 최선은 아닐 것이다. ① (가)−(라)−(다)−(나)　② (가)−(다)−(라)−(나) ③ (다)−(가)−(라)−(나)　④ (다)−(나)−(라)−(가)
35回	(가) 그러자 남자는 다른 쪽 신발도 벗어 그 옆으로 떨어뜨렸다. (나) 남자가 신발을 주우려고 했지만 기차가 움직이기 시작했다. (다) 신발의 짝이 맞아야 누군가 신을 수 있다고 생각했기 때문이었다. (라) 남자가 기차에 타려는 순간 신발 한 짝이 벗겨져 아래로 떨어졌다. ① (나)−(다)−(라)−(가)　② (나)−(라)−(다)−(가) ③ (라)−(가)−(나)−(다)　④ (라)−(나)−(가)−(다)
34回	(가) 그래서 형제는 그 로봇을 강에 던져 버렸다. (나) 어느 날 사이좋은 형제가 함께 놀다가 멋진 로봇을 하나 주웠다. (다) 그러다 문득 로봇 때문에 좋았던 사이가 나빠질 것 같다는 생각이 들었다. (라) 처음에는 그 로봇을 가지고 함께 놀던 형제가 점점 자기 혼자 로봇을

	갖고 놀겠다며 싸우기 시작했다. ① (나)-(가)-(라)-(다)　② (나)-(라)-(다)-(가) ③ (라)-(가)-(나)-(다)　④ (라)-(나)-(다)-(가)
33回	(가) 그러자 여자는 물그릇에 나뭇잎을 하나 넣어 남자에게 주었다. (나) 여자의 배려에 반한 남자는 그녀를 아내로 맞아들이기로 결심했다. (다) 이것은 물을 빨리 마시면 체할까 봐 천천히 마시도록 한 배려였다. (라) 옛날에 한 남자가 길을 걷다가 목이 말라 한 여자에게 물을 달라고 부탁했다. ① (나)-(가)-(라)-(다)　② (나)-(다)-(가)-(라) ③ (라)-(가)-(다)-(나)　④ (라)-(다)-(나)-(가)
32回	(가) 그러므로 많이 가졌다는 것이 좋은 것만은 아니다. (나) 하지만 때때로 그 물건 때문에 적잖이 마음이 쓰이기도 한다. (다) 우리들은 필요에 의해서 물건을 갖게 된다. (라) 무엇인가를 갖는다는 것은 그만큼 자유롭지 못하다는 것이다. ① (다)-(라)-(나)-(가)　② (다)-(나)-(라)-(가) ③ (라)-(가)-(나)-(다)　④ (라)-(다)-(가)-(나)
31回	(가) 사람들은 종종 장난으로 무엇인가를 쓰는 낙서를 한다. (나) 그런데 낙서에는 나쁘고 거친 말들도 많이 나타난다. (다) 낙서를 하면 스트레스를 푸는 데에 도움이 된다. (라) 자기만 본다고 생각해서 조심하지 않고 쓰기 때문이다. ① (가)-(다)-(나)-(라)　② (가)-(다)-(라)-(나) ③ (다)-(나)-(가)-(라)　④ (다)-(나)-(라)-(가)
30回	(가) 음식물들이 서로를 차갑게 만들어 주어 잘 안 녹기 때문이다. (나) 보관된 음식의 양에 따라 냉장실과 냉동실의 효율이 달라진다. (다) 그러나 냉동실은 반대로 음식물을 가득 채우는 것이 좋다. (라) 냉장실에 음식을 너무 많이 넣어 두면 차가운 공기가 잘 흐르지 않아 효율이 떨어진다. ① (가)-(다)-(나)-(라)　② (가)-(다)-(라)-(나) ③ (나)-(라)-(다)-(가)　④ (나)-(라)-(가)-(다)

問題類型2 文中の空所に入る語句を選ぶ問題

文章を読んで文中の空所に入る語句を選ぶ空所補充の問題【16〜18】が3問出題される。文全体の論理的な構成と内容を把握できて文脈に合った選択肢が選べられる、語彙力と読解力が求められる問題である。空所の前後の文は文脈上空所に入る語句を選ぶのにヒントになることが多いので特に注意して読まなければならない。

既出 60回

※다음을 읽고 (　　)에 들어갈 내용으로 가장 알맞은 것을 고르십시오. (각2점)

> ‘씨앗 저장고’는 미래의 식량 문제를 대비하기 위해 식물 자원을 영구적으로 보호하는 시설이다. 이곳의 연구원들은 보관 중인 씨앗을 연구하는 일뿐만 아니라 (　　　) 활동도 한다. 이들은 씨앗 하나를 구하기 위해 전국 곳곳을 찾아다닌다. 연구원들이 직접 가서 보지 않으면 보관할 가치가 있는 씨앗인지 알 수 없기 때문이다.

① 자원을 홍보하는　　② 사람을 교육하는
③ 씨앗을 수집하는　　④ 저장고를 관리하는

正解　③

解説

※次を読んで（　　）に入る内容として最も適切なものを選びなさい。（各2点）

> 「種子貯蔵庫」は、未来の食糧問題に備えるために植物資源を永久的に保護する施設だ。この施設の研究員たちは保管中の種子を研究することだけでなく（　　　）活動もする。彼らは種子一つを入手するために全国各地を探し回る。研究員たちが直接行って確認しなければ保管する価値のある種子なのかがわからないからだ。

①資源を広報する　　②人を教育する
③種子を収集する　　④貯蔵庫を管理する

合格資料 9 空所補充問題の既出例

※1) 空所の文の前か後ろの文の内容に特に注意する。　※2) 解説は304ページへ

既出	問題文
34回	은메달은 동메달보다 큰 상이지만 보통 은메달 수상자는 메달을 딴 기쁨보다 금메달을 따지 못한 아쉬움이 크다. 반면 동메달 수상자는 은메달을 못 따서 아쉬워하기보다 동메달이라도 받을 수 있어서 다행이라고 느낀다. 결국 행복은 (　　　　) 따라 달라진다. ① 가진 것이 얼마나 있느냐에　② 언제 성공을 이루었느냐에 ③ 비교 대상을 어디에 두느냐에　④ 지금까지 어떻게 살았느냐에
33回	신체의 각 부분은 (　　　　) 다르다. 보통 50대가 되면 안경 없이 신문 읽기가 어렵다. 하지만 듣는 데는 아무런 문제가 없다. 이것은 눈이 귀보다 빨리 노화가 되기 때문이다. 한편 코처럼 나이가 들어도 기능이 전혀 약해지지 않는 곳도 있다. ① 노화가 되는 속도가　② 구별이 되는 특징이 ③ 모두가 가진 재주가　④ 자기가 맡은 역할이
32回	감기약에는 수면제 성분이 들어 있는 경우가 있다. 그래서 약을 먹은 후에 때때로 졸음이 오거나 반응 속도가 떨어질 수가 있다. 운전을 하거나 (　　　　) 경우에는 감기약을 먹지 않는 것이 좋다. ① 소화가 잘되지 않을　② 불면증으로 고생하는 ③ 집중력이 필요한 일을 할　④ 감기 증상이 심하지 않은
31回	물과 유리잔을 이용하면 연주도 할 수 있다. 물이 많이 담긴 유리잔을 두드리면 공기가 진동하기 어렵기 때문에 낮은 소리가 난다. 반대로 물이 적게 담긴 유리잔을 두드리면 높은 소리가 난다. 즉 (　　　　) 유리잔에서 나는 소리의 높낮이가 달라지는 것이다. ① 음의 높이에 따라　② 잔의 모양에 따라 ③ 진동하는 시간에 따라　④ 담긴 물의 양에 따라
30回	주소 변경 서비스를 이용하면 바뀐 주소를 자신이 가입한 보험사 등에 손쉽게 알릴 수 있다. 신청 한 번이면 새 주소가 여러 회사에 한꺼번에 전달되어 일일이 (　　　　). 또한 변경된 주소를 안내 문구와 함께 주변 사람들에게도 보낼 수 있다.

	① 사용할 일이 없다　　② 연락할 필요가 없다 ③ 예약을 안 해도 된다　　④ 요금을 내지 않아도 된다
29回	해외여행을 가고 싶지만 한꺼번에 많은 돈을 내기 어려울 때는 '후불제 여행' 상품을 이용하면 좋다. 이 상품을 이용하면 여행비의 반을 먼저 내고 나머지 돈은 여행을 다녀온 뒤에 갚아도 된다. 이 상품은 (　　　　) 해외여행을 가지 못했던 사람들의 관심을 끌고 있다. ① 가격이 부담되어　　② 일정이 맞지 않아 ③ 여행 상품이 부족해　　④ 해외 경험이 별로 없어
28回	야구 경기에서는 선수의 (　　　　) 매우 중요하다. 투수는 짧은 시간에 공을 어떻게 던질지 결정해서 타자가 치기 힘든 공을 던져야 한다. 반대로 타자는 빠른 속도로 날아오는 공을 보고 단시간에 칠지 말지를 결정해야 한다. ① 타고난 능력이　　② 강한 정신력이 ③ 순간적 판단이　　④ 충분한 연습이
27回	선인장 꽃은 색깔이 밝고 선명하여 눈에 잘 띈다. 이것은 선인장 꽃이 피는 시기가 일정하지 않고, 피어 있어도 아주 짧은 시간만 피었다가 지는 것과 관련이 있다. 선인장은 (　　　　) 벌이나 나비를 유혹해서 반드시 수정해야 하기 때문이다. ① 꽃이 피지 않으므로　　② 매년 꽃을 피우기 위해 ③ 꽃의 색깔이 화려해　　④ 꽃이 피어 있는 잠깐 동안
26回	큰 물고기들의 먹잇감이 되는 작은 물고기들은 대개 떼를 지어 다닌다. 무리 속의 작은 물고기 몇 마리가 큰 물고기를 발견하고 급하게 방향을 바꾸면, 무리 속의 나머지 물고기도 같은 방향으로 따라 움직여 위험을 피하게 된다. 이런 점에서 작은 물고기 떼는 (　　　　) 것과 마찬가지라고 할 수 있다. ① 춤을 추는　　② 서로 싸우는 ③ 무서운 모습을 한　　④ 수많은 눈을 가진
25回	날씨가 추워지면 옷을 여러 겹 입거나 양말을 여러 개 신는 경우가 많다. 그런데 이때 빼놓아서는 안 되는 것이 바로 모자다. 몸의 열은 주로 옷 밖으로 노출된 목 위쪽으로 빠져나간다. 그렇기 때문에 몸의 열이 쉽게 빠져나가지 않게 하려면 (　　　　) 한다.

	① 몸속에서 열이 나야　　② 두꺼운 양말을 신어야 ③ 머리를 따뜻하게 해야　　④ 땀 배출을 제대로 해야
24回	왼쪽 눈과 오른쪽 눈에 보이는 사물의 모습이 완전히 똑같은 것은 아니다. 두 눈에 비쳐진 사물의 모습에는 조금씩 차이가 있다. 우리의 뇌는 이러한 차이를 바탕으로 두 모습을 합쳐 사물을 실감나게 입체적으로 느끼게 한다. 그래서 사람이 (　　　　) 계단을 오르내리거나 날아오는 공을 잡기가 어려워진다. ① 한 쪽 눈을 가리면　　② 눈을 감았다가 뜨면 ③ 사물을 제대로 보지 않으면　　④ 두 사물을 함께 보지 않으면
23回	마늘과 양파는 맛과 향이 강하다. 그래서 마늘과 양파 먹는 것을 피하는 사람들이 많다. 마늘과 양파의 맛과 향이 강한 것은 알리신이라는 성분이 들어 있기 때문이다. 이 성분은 (　　　　) 익히면 없어진다. 따라서 마늘과 양파를 굽거나 찌면 강한 맛과 향을 싫어하는 사람도 어려움 없이 먹을 수 있다. ① 열에 약해서　　② 물에 잘 녹아서 ③ 서로 붙어 있어서　　④ 빛을 보면 사라져서
22回	적당한 온천욕은 건강에 좋다. 체온이 올라가면 혈액 순환에 도움이 될 뿐만 아니라 몸과 마음을 안정시켜 피로와 스트레스를 풀어 준다. 그렇지만 갑자기 몸의 온도가 올라가는 것은 심장에 좋지 않다. 따라서 (　　　　) 위해서는 온천에 들어갈 때 차가운 물수건으로 얼굴 등을 덮으면 좋다. ① 혈액 순환을 돕기　　② 몸을 안정시켜 주기 ③ 체온이 빨리 오르는 것을 막기　　④ 스트레스가 쌓이지 않도록 하기
21回	옛날부터 내려오는 말 중에 '새가 낮게 날면 비가 온다' 는 말이 있다. 비가 오기 전에는 공기 중에 습도가 높다. 습도가 높으면 벌레들은 비가 올 것을 알고 비를 피하기 위해 나뭇잎 아래로 이동한다. 그래서 벌레를 잡아먹는 새는 (　　　　) 낮게 날아야 하는 것이다. ① 쉴 곳을 찾느라고　　② 벌레가 숨지 못하게 ③ 벌레를 잘 찾기 위해　　④ 습도 때문에 날개가 무거워서

問題類型3 文の内容把握問題(1)(2)(3)

文章を読んで、その内容について確認する問題が問題文1つに2問ずつの組み合わせで6問（問題文は3つ）出題される。中級レベルの読解問題は本試験では1番～24番までの24問構成で出題されているが、この長文の内容把握問題は19番から24番までで出題される。どれも文全体の内容が把握できて文脈に合った語句が選べられる、読解力と語彙力が求められる問題である。問題の組み合わせと質問内容は以下のように構成されている。

1 【19～20】の問題

> 19. (　　　　)에 들어갈 알맞은 것을 고르십시오.
> 　(　　　　)の入るものとして適切なものを選びなさい。
> 20. 이 글의 내용과 같은 것을 고르십시오.
> 　この文の内容と同じものを選びなさい。

➡ 問題文を読んで、❶文中の空所に入るのに適当な副詞を選ぶ問題【19番】が1問、❷問題文と内容が一致するものを選ぶ問題【20番】が1問の組み合わせで構成されている。文全体の内容を正しく理解できる読解力と、文脈に合う副詞が選べられる語彙力が求められる。 ➡ 試験頻出の副詞リストは合格資料10を参考

既出 37回

※다음을 읽고 물음에 답하십시오. (각2점)

> 대부분의 상품은 고유 번호가 있어서 정품을 쉽게 확인할 수 있다. 그러나 미술품은 그렇지 않아서 진품 확인이 힘들다. (　　　　) 미술 작품이 진짜인지를 확인해야 하는 상황이라면 미술품 감정 과정이 필요하다. 미술품을 감정할 때에는 전문가 감정과 과학적 감정이 함께 사용되는데 이때 출처나 예술 기법, 서명 등이 고려된다. 이러한 방법은 고미술품에서 현대 작품에 이르기까지 광범위하게 적용되고 있다.

19. (　　　　)에 들어갈 알맞은 것을 고르십시오.
　① 과연　② 만약　③ 아마　④ 하필

20. 이 글의 내용과 같은 것을 고르십시오.
　① 서명이 있는 작품은 감정이 필요 없다.
　② 미술품 감정 대상은 고미술품에 한정된다.

	③ 고미술품은 작품 고유의 번호를 가지고 있다. ④ 미술품을 감정할 때 과학적인 방법이 사용된다.
正解	19. ② 20. ④
解説	※次を読んで問いに答えなさい。(各2点) ほとんどの商品は固有番号があって正規品を簡単に確認することができる。しかし、美術品はそうは行かないので本物の確認が難しい。(　　　　)美術作品が本物なのかを確認しなければならない状況なら美術品の鑑定の過程が必要になる。美術品を鑑定する時は専門家による鑑定と科学的な鑑定が併用されるが、この時出処や芸術的な技法、署名などが鑑定される。このような方法は古美術品から現代の作品に至るまで幅広く適用されている。 19. (　　　　)に入るのに適切なものを選びなさい。 ① 果たして　② もしも　③ 多分　④ よりによって 20. この文の内容と同じものを選びなさい。 ① 署名のある作品は鑑定が必要ない。 ② 美術品の鑑定対象は古美術品に限定される。 ③ 古美術品は作品固有の番号を持っている。 ④ 美術品を鑑定する時科学的な方法が使われる。

2 【21～22】の問題

21. (　　　　)에 들어갈 알맞은 것을 고르십시오.
(　　　　) の入るものとして適切なものを選びなさい。

22. 이 글의 중심 생각을 고르십시오..
この文の中心となる考えを選びなさい。

➡ 問題文を読んで、❶文中の空所に入るのに適当な慣用句やことわざを選ぶ問題【21番】が1問、❷文の中心となる考えを選ぶ問題【22番】が1問の組み合わせで構成されている。よく使われる韓国語の慣用句やことわざについて理解しているかの語彙力が求められる。「文の中心となる考え」は筆者が話そうとしているポイントは何かを把握しなければならない。また、中心となる考えは文章の最初か最後に現れる場合が多いので特にこの最初の文と最後の文に注意しなければならない。

➡ 既出問題に出てきた慣用句とことわざのリストは合格資料 11,12 を参考

既出 52回

※다음을 읽고 물음에 답하십시오. (각2점)

> 어떤 사람들은 연예인을 열광적으로 좋아하는 청소년들을 부정적으로 본다. 학교 생활에는 소홀하면서 (　　　　) 무조건 연예인만 쫓아다닌다고 생각하기 때문이다. 하지만 청소년들이 연예인을 좋아하는 것을 그렇게 부정적으로만 볼 일은 아니다. 취향이 비슷한 친구들을 사귈 수도 있고 또 공부나 입시로 인한 부담감에서 벗어날 수도 있기 때문이다. 그들을 너무 부정적으로 보지 말고 이해하려는 노력이 필요하다.

21. (　　　　)에 들어갈 알맞은 것을 고르십시오.
　① 앞뒤를 재고　　　　② 발을 빼지 않고
　③ 발걸음을 맞추고　　④ 앞뒤를 가리지 않고

22. 이 글의 중심 생각을 고르십시오.
　① 청소년 시기에 인간관계를 넓히는 것이 좋다.
　② 연예인을 좋아해도 성적에 영향을 주면 안 된다.
　③ 청소년들에게 입시의 부담감을 지나치게 주지 않아야 한다.
　④ 연예인을 좋아하는 청소년에 대해 이해하는 마음을 가져야 한다.

正解　21. ④ 22. ④

解説

※次を読んで問いに答えなさい。(各２点)

> ある人たちは芸能人に熱狂する青少年を否定的に思っている。学校生活は疎かにして (　　　　) 無条件に芸能人ばかり追っかけていると思うからだ。しかし青少年が芸能人に夢中になることをそんなに否定的にだけ捉えるべきではない。趣向が似ている友達と付き合うこともできるし、また勉強や入試によるプレッシャーから逃れることもできるからだ。彼らをあまり否定的に捉えないで理解しようとする努力が必要だ。

21. (　　　　) に入るのに適切なものを選びなさい。
　① 後先をよくわきまえて　② 手を引かないで
　③ 歩調を合わせて　　　　④ 後先見ずに

22. この文の中心となる考えを選びなさい。
　① 青少年の時期に人間関係を広げた方がよい。
　② 芸能人が好きでも成績に影響を与えてはいけない。
　③ 青少年に入試のプレッシャーを過度に与えてはいけない。
　④ 芸能人が好きな青少年に対して理解する気持ちを持たなければならない。

3 【23~24】の問題

23. 밑줄 친 부분에 나타난 나의 심정으로 알맞은 것을 고르십시오.
 下線部に表れた私の気持ちとして適切なものを選びなさい。
24. 이 글의 내용과 같은 것을 고르십시오.
 この文の内容と同じものを選びなさい。

➡ 問題文を読んで、❶文中の下線部に表れた筆者の気持ちや心情はどういうものかを選ぶ問題【23番】が1問、❷問題文の内容と一致するものを選ぶ問題【24番】が1問の組み合わせで構成されている。筆者の心情を把握する問題は文脈の理解はもちろん気持ちや表情、態度などを表す単語や表現に対する理解が求められる。特に選択肢に用いられる感情を表す形容詞に対する的確な理解が求められる。

➡ 既出問題に出てきた感情形容詞のリストは合格資料13を参考

既出 36回

※다음을 읽고 물음에 답하십시오. (각2점)

학창시절 내내 서울 생활을 꿈꿨던 나는 대학에 합격하면서 그토록 바라던 서울에서 살게 되었다. 시간제 아르바이트를 하는 것만으로는 생활하기가 빠듯해서 늘 허덕거려야 했다. 당연히 어머니와의 전화 통화는 주로 돈 이야기가 되어 버렸다.

"아휴, 여기서 대학 다녔으면 그렇게 돈 걱정은 안 해도 됐을걸. 서울까지 가서 마음 편히 공부도 못하고. 엄마가 제대로 도와주지 못해 미안해." 어머니가 고생하는 딸이 안쓰러워서 하는 말에 눈물이 핑 돈 적도 있었다.

전액 장학금을 주겠다는 지방 대학을 포기하고 택한 서울행이었다. 그런데 매번 돈타령이나 하면서 가뜩이나 형편이 어려운 부모님에게 마음의 부담만 더한 꼴이 된 것 같았다.

23. 밑줄 친 부분에 나타난 나의 심정으로 알맞은 것을 고르십시오.
① 곤란하다　　② 속상하다
③ 답답하다　　④ 억울하다

24. 이 글의 내용과 같은 것을 고르십시오.
① 나는 아르바이트를 해서 생활비가 넉넉했다.
② 나는 대학에 합격하기 전부터 서울에 살고 있었다.
③ 부모님은 형편이 어려운데도 많은 돈을 보내 주셨다.
④ 나는 서울 생활의 꿈을 이루기 위해 장학금을 포기했다.

正解 23. ② 24. ④

解説 ※次を読んで問いに答えなさい。（各２点）

> 学生時代にずっとソウルでの生活を夢見ていた私は大学に合格してあれほど望んでいたソウルで暮らすようになった。時間制のアルバイトをするだけでは生活が厳しくていつも苦しんでいた。当然母との電話は主にお金の話になってしまった。「ああ、こちらで大学に通っていたらそんなにお金の心配はしなくても良かったのに。ソウルまで行って気楽に勉強もできなくて。お母さんがちゃんと助けてあげることもできなくてごめんね。」
>
> 母が苦労している娘がかわいそうで言う話にじんと涙がにじんだこともあった。全額奨学金をくれるという地元の大学をあきらめて選んだソウル行だった。ところが毎回お金の話ばかりしてただでさえ生活が苦しい両親に心の負担をさらに与えた結果になったようだった。

23. 下線部に表れた私の心情として適切なものを選びなさい。

① 困る　② 悔しい/悲しい
③ もどかしい　④ 納得しがたい

24. この文の内容と同じものを選びなさい。

① 私はバイトをして生活費は十分だった。
② 私は大学に合格する前からソウルに住んでいた。
③ 両親は生活が苦しいのに多くのお金を送ってくれた。
④ 私はソウル生活の夢をつかむために奨学金をあきらめた。

合格資料 10 よく出る副詞リスト

本リストは、本試験19番の穴埋め問題によく出てくる副詞を既出問題から抽出し、まとめたものである。空所に入る副詞を選ぶには前後の文脈を正しく理解する必要があるが、選択肢として提示される副詞は、毎回ほぼこのリストの中のものから出題されている。

□ 간신히	かろうじて
□ 갈수록	ますます
□ 거의	ほとんど
□ 게다가	それに、その上
□ 겨우	やっと、かろうじて
□ 결국	結局
□ 결코	決して
□ 계속	ずっと
□ 골고루	満遍なく、等しく
□ 과연	果たして、さすが
□ 괜히	訳もなく
□ 그다지	あまり、さほど
□ 그대로	そのまま
□ 그래도	それでも
□ 그러니	だから
□ 그러다가	そうこうしているうちに
□ 그러면	それでは
□ 그러므로	それで、だから
□ 그러자	すると
□ 그리하여	そうして
□ 그만	つい、うっかり
□ 그만큼	それだけ
□ 그저	ただ
□ 깜빡	うっかり
□ 꽤	かなり
□ 꾸준히	着実に、こつこつ
□ 끝내	ついに、とうとう
□ 나중에	あとで、後ほど
□ 날로	日ごとに
□ 너무나	あまりにも
□ 다만	ただ単に、但し
□ 다행히	幸いに、運よく
□ 당분간	当分の間、しばらく
□ 당연히	当然

□ 대개	だいたい、たいてい
□ 대체로	おおよそ
□ 더구나	しかも、その上、さらに
□ 더욱	もっと
□ 도대체	一体、まったく
□ 도리어	むしろ、かえって
□ 도무지	まったく、さっぱり
□ 도저히	とうてい、どうしても
□ 되도록	できるだけ
□ 드디어	とうとう、ついに、いよいよ
□ 따라서	従って
□ 따로	別々に
□ 때때로	時々、時折
□ 때로	時に
□ 또한	また、その上
□ 뜻밖에	思いがけなく
□ 마음껏	思う存分
□ 마치	まるで、あたかも
□ 마침	ちょうど
□ 마침내	ついに、とうとう
□ 막	ちょうど、やたらに
□ 만약	もし、万が一
□ 만일	もしも
□ 말하자면	いわば、言ってみれば
□ 먼저	まず、先に
□ 모처럼	せっかく
□ 몰래	こっそりと
□ 무려	なんと、実に
□ 무조건	無条件に
□ 무척	とても、すごく
□ 물론	もちろん
□ 미리	前もって
□ 바로	①すぐ、②まさに
□ 반드시	必ず

□ 반면에　反面
□ 방금　今、ただ今
□ 벌써　もう、すでに
□ 별로　あまり、さほど、別に
□ 분명히　明確に
□ 비로소　ようやく
□ 비록　たとえ、仮に
□ 빠짐없이　もれなく
□ 살짝　こっそり
□ 상당히　かなり、だいぶ
□ 서로　互いに
□ 설마　まさか、よもや
□ 솔직히　率直に
□ 스스로　みずから
□ 실은　実は
□ 실제로　実際に
□ 심지어　その上、さらに
□ 쓸데없이　いたずらに、無用に
□ 아마　多分
□ 아무래도　どうしても、どうでも
□ 아무리　いくら
□ 아무튼　とにかく
□ 어느새　いつのまにか
□ 어쨌든　とにかく
□ 어쩌다가　たまに、偶然に、たまたま
□ 어쩌면　ひょっとしたら
□ 어쩐지　なんとなく、なんだか
□ 어찌나　あまりに、どんなに
□ 어차피　どうせ、いずれ、どっちみち
□ 억지로　無理に、無理やり
□ 얼른　早く、直ちに
□ 여전히　相変わらず
□ 역시　やっぱり
□ 오로지　もっぱら
□ 오히려　むしろ、かえって
□ 온통　すべて、いちめん
□ 왜냐하면　なぜなら
□ 왠지　何故か、なんとなく
□ 우선　まず、とりあえず
□ 우연히　偶然に
□ 원래　元々
□ 유난히　特に
□ 의외로　意外に
□ 이만　これで
□ 이만큼　これくらい
□ 이미　すでに、もう
□ 이제야　今やっと
□ 이처럼　このように
□ 일단　一応
□ 일부러　わざわざ
□ 자꾸　しきりに
□ 잔뜩　いっぱい、ひどく
□ 저절로　自然に、ひとりでに
□ 적어도　少なくとも
□ 전혀　まったく、全然
□ 절대로　絶対に
□ 점차　だんだん、次第に
□ 정신없이　無我夢中で
□ 제대로　まともに、ろくに
□ 제발　なにとぞ、どうか
□ 제법　案外、割と、なかなか
□ 조금도　少しも、ちっとも
□ 조만간　そのうちに、早晩
□ 좀처럼　なかなか、めったに
□ 종종　たびたび
□ 즉　すなわち
□ 진작　もっと早く、前もって
□ 차라리　むしろ、かえって
□ 차차　だんだん
□ 차츰　だんだん、次第に
□ 통　全然、まったく
□ 특히　特に
□ 틀림없이　間違いなく、確かに
□ 하도　あまりにも
□ 하루빨리　一日でも早く
□ 하마터면　危うく、まかり間違えば
□ 하필　よりによって
□ 할수없이　仕方なく、やむをえず
□ 함부로　むやみに、勝手に
□ 혹시　もしかして、もしも
□ 혹은　あるいは
□ 훨씬　ずっと、はるかに

合格資料 11 既出のことわざリスト

本リストは、本試験21番の穴埋め問題に出てくることわざを既出問題から抽出し、まとめたものである。傾向としては慣用句のほうが多く出題されるが、たまにこのようなことわざも出てくる。よく使われることわざなので知らないものはチェックをして覚えておこう。

ことわざ	意味
□ 가는 날이 장날	行った日が市の日 （予想外のことに偶然でくわすこと）
□ 가는 말이 고와야 오는 말이 곱다	売り言葉に買い言葉
□ 갈수록 태산	一難去ってまた一難
□ 개구리 올챙이 적 생각 못 한다	蛙はオタマジャクシの頃のことを忘れる（成功した後は昔の苦労を忘れて偉ぶる）
□ 계란(달걀)으로 바위 치기	卵で岩を打つ（まったく勝算がない）
□ 고래 싸움에 새우 등 터진다	鯨の喧嘩でえびの背中が裂ける（強いものの争いに弱いものが巻き添えを食らう）
□ 공든 탑이 무너지랴	念を入れてつくり上げた塔が崩れることがあろうか（真面目に真心を込めてやったことが無駄に終わるようなことはない）
□ 그림의 떡	絵に描いた餅
□ 긁어 부스럼 만들기	掻いてできた腫れ物（やぶ蛇）
□ 금강산도 식후경	金剛山も食後の見物（花より団子）
□ 길고 짧은 것은 대어 보아야 안다	長短は比べてみないとわからない（物事の違いは実際に比べてみないとわからない）
□ 꿩대신 닭	雉の代わりに鶏（似たもので代用する）
□ 남의 떡이 더 커 보인다	人の餅が大きく見える（隣の芝生は青い）
□ 놓친 고기가 크다	逃がした魚は大きい
□ 누워서 떡 먹기	寝て餅を食べる（朝飯前、たやすいこと）
□ 누워서 침 뱉기	天を仰いで唾する
□ 눈 가리고 아웅	目を覆ってニャーという（すぐにばれるような手段でごまかそうとする）
□ 도토리 키 재기	どんぐりの背比べ
□ 돌다리도 두들겨 보고 건너라	石橋を叩いて渡る
□ 등잔 밑이 어둡다	灯台下暗し
□ 땅 짚고 헤엄치기	地面に手をついて泳ぐ（非常にたやすい）
□ 뛰는 놈 위에 나는 놈 있다	上には上がある
□ 말 속에 뼈가 있다	話に言外の意味（含み）がある
□ 말 한 마디로 천냥 빚 갚는다	一言の言葉で千両の借金も返す （処世のためには話術が必要だ）
□ 모르는 게 약	知らぬが仏

□ 무소식이 희소식	便りのないのはよい便り
□ 믿는 도끼에 발등 찍힌다	信じる斧に足の甲を切られる（飼い犬に手をかまれる）
□ 밑 빠진 독에 물 붓기	底の抜けた甕に水を注ぐ（焼け石に水）
□ 바늘 가는 데 실 간다	針の行く所に糸が行く（密接な関係）
□ 바늘 도둑이 소 도둑 된다	針泥棒が牛泥棒になる（嘘つきは泥棒の始まり）
□ 발 없는 말이 천 리 간다	足のない言葉が千里を行く（ささやき千里 / ささやき八丁 / こそこそ三里）
□ 배보다 배꼽이 더 크다	腹よりへその方が多きい（本末転倒）
□ 백지장도 맞들면 낫다	紙一枚でも一緒に持てば軽い（簡単なことでも共同ですればもっとたやすい）
□ 보기 좋은 떡이 먹기에도 좋다	見かけの良い餅は食べても美味しい（見かけの良いものは内容も良い）
□ 부모 만 한 자식 없다	親ほどの子供はない（親思う心にまさる親心）
□ 사공이 많으면 배가 산으로 간다	船頭多くして船山に登る
□ 사돈의 팔촌	姻戚の八親等（他人同然の遠い親戚）
□ 사촌이 땅을 사면 배가 아프다	いとこが土地を買うと腹が痛い（他人が自分よりよくなるのを見ると良い気持ちがしない）
□ 산 넘어 산	山また山（一難去ってまた一難）
□ 새 발에 피	鳥の足の血（雀の涙）
□ 설마가 사람 잡는다(죽인다)	まさかが人を殺す（油断してはいけない）
□ 세 살 적 버릇이 여든까지 간다	三つ子の魂百まで
□ 소 잃고 외양간 고치기	牛を盗まれてから牛舎を修繕する（証文の出し遅れ / 泥棒を捕らえて縄をなう）
□ 소문난 잔치에 먹을 것 없다	うわさの立っている宴会に食べられるものはない（世間の評判と実際とは一致しないことが多い）
□ 쇠 귀에 경 읽기	牛に経文（馬の耳に念仏）
□ 수박 겉 핥기	スイカの皮をなめる （胡椒の丸呑み、生かじり）
□ 시간(세월)이 약	時（歳月）が薬（悲しいこと、つらいことも時がたてば自然に消えうせるものだ）
□ 시간은 금이다	時は金なり
□ 시작이 반	始まりが半分だ（物事は始めさえすれば半分は成就したも同様だ）
□ 식은 죽 먹기	冷めた粥を食べるのと同じだ（朝飯前だ、非常にたやすいこと）

□ 실패는 성공의 어머니	失敗は成功の母（失敗は成功のもと）
□ 싼 게 비지떡	安いものはおからの餅（安かろう悪かろう）
□ 아는 것이 병	知るが病（中途半端な知識はむしろ災いのもとになる）
□ 아는 길도 물어 가라	知っている道も尋ねて行け（念には念を入れよ）
□ 아니 땐 굴뚝에 연기 날까	たかない煙突に煙が立つだろうか（火のないところに煙は立たぬ）
□ 앓던 이가 빠진 것 같다	虫歯が抜けたようだ（心配事がなくなってすっきりする）
□ 엎질러진 물	覆水盆に返らず
□ 열 번 찍어 안 넘어가는 나무 없다	10 回も切りつけられて倒れない木はない（繰り返して努力すればついには成功するものだ）
□ 오르지 못할 나무는 쳐다보지도 마라	登れない木は仰ぎ見てもいけない（不可能なことだったら初めから望むな）
□ 옥에 티	玉にきず
□ 우물 안 개구리	井の中の蛙
□ 원숭이도 나무에서 떨어진다	猿も木から落ちる
□ 윗물이 맑아야 아랫물이 맑다	川上の水が澄んでこそ川下の水も澄む（上に立つ者の行いが正しければ下の者の行いも正しくなる）
□ 자식 이기는 부모 없다	子供に勝てる親はいない（自分の子供の可愛さに無理な要求も聞いてやらざるをえない）
□ 제 눈의 안경 / 제 눈에 안경	あばたもえくぼ
□ 천 리 길도 한 걸음부터	千里の道も一歩から（千里の行程も一歩より始まる）
□ 티끌 모아 태산	ちりも積もれば山となる
□ 하나를 보면 열을 안다	一を聞いて十を知る
□ 하나만 알고 둘은 모른다	一だけ知って二は知らない（物事の一面だけ見て全体を見ない）
□ 하늘의 별따기	空の星取り（到底実現できる見込みのなさそうなことのたとえ）
□ 해가 서쪽에서 뜨겠다	太陽が西から昇りそうだ（あり得ないこと、事が裏表になることの例え）
□ 형만 한 아우 없다	兄ほどの弟はない（弟は兄にかなわない）
□ 호랑이도 제 말하면 온다	虎も自分の話をするとやってくる（うわさをすれば影がさす）
□ 호랑이 굴에 가야 호랑이를 잡는다	虎穴に入らずんば虎子を得ず
□ 호랑이 담배 피울 때 이야기	虎がタバコを吸っていた時分（大昔の例え）

合格資料 12 よく出る慣用句リスト

本リストは、本試験21番の穴埋め問題によく出てくる選択肢の慣用句を既出問題から抽出し、まとめたものである。毎回このリストの中のものから出題されているものが多い。慣用句は文章の意味を正しく理解するうえでも重要なのでしっかりと覚えておくようにしよう。

ㄱ	
가슴에 맺히다	(恨みが)心に残る
가슴에 묻다	心にしまい込む
가슴에 박히다	胸に突き刺さる
가슴에 새기다	心に刻む
가슴에 와 닿다	胸に響く、胸を打つ
가슴에 짚이다	心当たりがある
가슴에 파고 들다	胸を打つ
가슴에 품다	胸に抱く
가슴을 불태우다	張り切る、意気込む
가슴을 앓다	胸を痛める
가슴을 울리다	胸を打つ、胸に迫る
가슴을 찌르다	胸を突き刺す
가슴을 태우다	胸を焦がす
가슴을 펴다	胸を張る
가슴이 쓰리다	心が痛む
가슴이 찢어지다	胸が張り裂ける
가슴이 터지다	胸が張り裂ける
가시가 돋치다	とげがある
가지고 놀다	①弄ぶ、②牛耳る
간이 떨어지다	非常に驚く
갈 길이 멀다	やるべきことが多い
갈 데까지 가다	落ちる所まで落ちる
감을 잡다	勘付く
감이 오다	状況が掴める、勘付く
값을 부르다	値をつける
값이 나가다	高価だ、値が張る
강 건너 불 보듯	高みの見物
거기서 거기다	どれもこれも同じだ
거울로 삼다	鑑とする、手本にする
걱정을 사서 하다	余計な心配をする
걸음을 떼다	歩き出す、踏み出す
겁에 질리다	怯える
겁을 내다	怖気づく、怖がる
겁을 먹다	恐れをなす
겁이 많다	臆病だ、怖がりだ
겁이 없다	怖いもの知らずだ
겉과 속이 다르다	表裏がある
게임이 안 되다	太刀打ちできない
고개를 끄떡이다	うなずく、同意する
고개를 돌리다	顔をそむける
고개를 숙이다	うつむく、頭を下げる
고개를 젓다	首を横に振る
고양이 앞의 쥐	蛇ににらまれた蛙
고춧가루를 뿌리다	水を差す
골치가 아프다	頭が痛い
교단에 서다	教職に就く
교단을 떠나다	教職から退く
교문을 나서다	卒業する
교편을 놓다	教員を辞める
교편을 잡다	教鞭を執る
구석에 몰리다	窮地に追い込まれる
국수를 먹다	結婚式を挙げる
굴러 온 호박	棚からぼた餅
궁둥이가 가볍다	尻が据わらない
궁둥이가 무겁다	尻が重い、尻が長い
귀가 가렵다	誰かに噂されている
귀가 먹다	耳が遠くなる
귀가 밝다	耳がいい、耳が早い
귀가 얇다	(話を)信じやすい
귀가 어둡다	耳が遠い、情報に疎い
귀에 거슬리다	耳に障る、耳障りだ
귀에 익다	耳慣れる、聞きなれる
귓등으로 듣다	うわの空で聞く
그 아버지에 그 아들	蛙の子は蛙
그게 그거다	どれもこれも同じだ
그늘이 지다	陰になる、(心が)曇る
그러거나 말거나	そんなの関係なしに
그러게 말이다	本当にそうだ
그러면 그렇지	やっぱりね

그렇고 그렇다	まあそんなものだ
그림의 떡	絵に描いた餅
그림이 안 좋다	様にならない
그림이 좋다	様になる、絵になる
그림자도 없다	影も形もない
그저 그렇다	まあまあだ
그저 그만이다	最高だ、申し分ない
근처에도 못 가다	足元にも及ばない
근처에도 안 가다	関わろうとしない
금이 가다	ひびが入る
급한 불을 끄다	急場をしのぐ
기가 꺾이다	気がくじける
기가 막히다	①呆れる ②最高だ
기가 살다	気勢が上がる
기가 죽다	しょげる、萎縮する
기가 질리다	怖気づく
기가 차다	呆れる、驚くほどだ
기를 꺾다	気をくじく
기를 쓰다	やっきになる
기를 죽이다	やる気をくじく
기를 펴다	羽を伸ばす
길이 바쁘다	道が急がれる
김을 빼다	白けさせる
김이 빠지다	気が抜ける
꼬리가 길다	悪事を長く続ける
꼬리를 감추다	姿をくらます
꼬리를 내리다	尻尾を巻く
꼬리를 물다	相次ぐ、後を絶たない
꼬리를 빼다	逃げ出す
꼬리를 잇다	ひっきりなしに続く
꼬리를 잡히다	尻尾を掴まれる
꼬리를 치다	尻尾を振る
꼬리를 흔들다	尻尾を振る、媚びる
꼼짝 못하다	ものも言えない
꿈나라로 가다	深い眠りに落ちる
꿈도 못 꾸다	夢想だにしない
끝장을 보다	けりをつける

ㄴ

나 몰라라 하다	知らんぷりする
나이는 못 속이다	年は争えない
난리가 나다	大騒ぎになる
날을 잡다	日取りを決める
날이 새다	夜が明ける、失敗する
날이면 날마다	日々、日ごとに
낮이고 밤이고	昼夜を問わず
낯을 가리다	人見知りをする
낯을 붉히다	赤面する、色をなす
낯이 간지럽다	面映い、照れくさい
낯이 뜨겁다	顔から火が出る
낯이 설다	なじみが薄い
낯이 익다	見慣れている
내 마음이다	私の勝手だ
내 정신 좀 봐	(失敗に気づき)私ったら
내가 알 게 뭐야	私の知ったことか
냄새를 맡다	においを嗅ぎつける
냄새를 풍기다	漂わせる、におわせる
넋을 잃다	我を忘れる
넋이 나가다	魂が抜ける
넋이 빠지다	茫然とする
넘어지면 코 닿을 데	目と鼻の先
농담이 심하다	冗談の度が過ぎる
누가 뭐라나?	誰も文句言わないよ
누가 아니래	その通りだ
누구 좋으라고	誰のために
눈 깜짝할 사이	あっという間
눈 밖에 나다	見限られる、憎まれる
눈길을 끌다	人目を引く、目を奪う
눈길이 미치다	目が届く
눈만 깜빡이다	目をぱちくりさせる
눈물을 거두다	涙を抑える、涙を拭う
눈물을 삼키다	涙を呑む
눈물을 짜다	しくしく泣く
눈시울을 붉히다	目頭を熱くさせる
눈앞이 캄캄하다	お先真っ暗だ
눈에 거슬리다	目に障る、目障りだ
눈에 든 가시	目の上のこぶ、目の敵
눈에 불을 켜다	目の色を変える
눈에 불이 나다	激怒する
눈에 익다	見慣れている
눈에 차다	満足する、気に入る
눈에서 벗어나다	見放される、疎まれる

눈을 감아주다	黙って見逃してやる
눈을 끌다	人目を引く
눈을 뜨다	目を覚ます、目覚める
눈을 맞추다	視線を合わせる
눈을 붙이다	ちょっと眠る
눈을 속이다	目を欺く、騙す
눈을 팔다	よそ見をする
눈을 피하다	人目を避ける
눈이 나오다	(高価で)おどろく
눈이 동그래지다	目を丸くする
눈이 많다	人目がうるさい
눈이 멀다	目が見えなくなる
눈이 부시다	眩しい、目覚ましい
눈이 어둡다	(～に)目が眩む
눈치가 빠르다	察しがいい
눈치가 없다	勘が鈍い、察しが悪い
눈치를 채다	気配を察する、気付く
눈코 뜰 사이 없다	目が回るほど忙しい

ㄷ

다리를 놓다	橋渡しをする
다리를 뻗고 자다	枕を高くして寝る
달다 쓰다 말이 없다	無反応だ
닭살이 돋다	鳥肌が立つ
담을 쌓다	壁を作る、関係を断つ
담이 크다	大胆だ、度胸がある
답지 않다	お前らしくない
더도 말고 덜도 말고	過不足なくいつも
더위를 먹다	夏バテする
더위를 타다	暑がる、暑さに弱い
덕을 보다	恩恵を被る
도마 위에 오르다	俎上に上る
도장을 받다	確約をもらう
돈을 만지다	稼ぐ、金を扱う
돈을 물 쓰듯 하다	金を湯水のように使う
돌아서면 남이다	所詮は他人だ
돌을 던지다	非難する
돌파구를 마련하다	突破口を開く
돌파구를 찾다	突破口を探す
되는 게 없다	何一つうまくいかない
두 다리 쭉 뻗다	何の心配もない様子
두 손을 들다	(降参して)手を上げる
두고 보다	(成り行きを)見守る
두고 봐(라)	今に見てろ
두말을 못하다	二の句が継げない
두말을 할 것 없다	とやかく言う必要ない
두말할 필요가 없다	言うまでもない
뒤가 깨끗하다	やましいところがない
뒤를 맡기다	後の事を任せる
뒷맛이 쓰다	後味が悪い
들었다 놨다 하다	牛耳る、手玉に取る
등에 업다	後ろ盾にする
등을 돌리다	背を向ける
등을 밀다	背中を押す
따로 없다	～と変わらない
딱 잘라 말하다	きっぱりと言う
땀이 비 오듯 하다	汗が滝のように流れる
땅에 떨어지다	地に落ちる
때가 묻다	垢がつく、世慣れする
때가 아니다	時期尚早だ
뜻을 세우다	志を立てる、志す
뜻이 맞다	考えが一致する

ㅁ

마음 같아서는	気持ちとしては
마음먹기에 달리다	気持ち次第だ
마음에 두다	気にする、念頭に置く
마음에 없다	気がない
마음에 차다	心に叶う、満足に思う
마음은 굴뚝 같다	(～したいのは)山々だ
마음을 놓다	安心する
마음을 붙이다	心を寄せる、専念する
마음을 비우다	無心になる
마음이 돌아서다	心が変わる
마음이 풀리다	心のしこりが取れる
마침표를 찍다	終止符を打つ
말끝마다	ふたこと目には
말만 앞세우다	口先ばかりだ
말만 잘하면	うまく話しさえすれば
말을 놓다	ため口をきく
말을 돌리다	話をそらす
말을 떼다	口を開く、口を切る

말을 맞추다	口裏を合わせる
말을 받다	(人の)話を継ぐ
말을 붙이다	話しかける
말을 트다	ため口を使う
말이 그렇지	そうは言っても
말이 많다	口数が多い
말이 새다	秘密がもれる
말이 아니다	話にならない
말이야 쉽다	言うのは簡単だ
말할 수 없이	言葉で表せないほど
맛만 보다	少しだけかじる
맛을 들이다	味を占める
맛을 보다	味見をする、味わう
맛이 들다	味がつく、食べごろだ
맞장구를 치다	相づちを打つ
매듭을 짓다	結末をつける
머리 속이 비다	頭が空っぽだ
머리가 돌다	気が狂う、気が触れる
머리가 빠지다	髪が抜ける、腐心する
머리를 긁다	頭を掻く
머리를 들다	頭をもたげる
머리를 맞대다	膝を交える
머리를 숙이다	うつむく、頭を下げる
머리를 스치다	頭をよぎる
머리를 식히다	頭を冷やす
먹고 살다	生きる、生活する
먹여 살리다	養う
멀미가 나다	乗り物に酔う
멀미를 내다	嫌気を起こす
멍이 들다	あざができる
메가폰을 잡다	(映画の)監督をする
몇 날 며칠(을)	何日も
모르긴 몰라도	恐らく、十中八九
모르면 가만히 있다	余計な事を言わない
모양을 내다	おしゃれする
목소리를 내다	声を上げる
목숨을 거두다	息を引き取る
목숨을 바치다	命を捧げる
목을 자르다	解雇する、首にする
목이 날아가다	解雇される、首が飛ぶ
목이 떨어지다	解雇される

목이 메다	感極まる
목이 잘리다	解雇される、首が飛ぶ
목이 잠기다	喉がかれる
목이 찢어지게	声を張り上げて
목이 타다	喉が渇く
목이 타게	切望して
몰라도 한참 모르다	何も分かってない
몰라주다	分かってくれない
몸살을 앓다	体調を崩す、苦しむ
몸살이 나다	①(過労で)体調を崩す ②うずうずする
몸에 배다	身に付く
몸을 버리다	体を壊す
몸을 아끼다	体を借しむ
몸이 굳어지다	(緊張で)固まる
못 말리다	どうしようもない
못 봐주다	見逃せない
못을 박다	釘を刺す、念を押す
못할 말을 하다	ひどいことを言う
못할 짓을 하다	ひどいことをする
무게를 두다	重点を置く
무게를 잡다	格好を付ける
무릎을 맞대다	膝を交える
무슨 말을 못하다	何も言えない
무슨 상관이냐	かまわない、関係ない
문자를 보내다	SMSメールを送る
물 만난 고기	水を得た魚
물 뿌린 듯이	水を打ったように
물 쓰듯 하다	湯水のように使う
물 위의기름	水と油
물불을 가리지 않다	水火も辞さない
물을 흐리다	和を乱す
물이 좋다	活きがいい、新鮮だ
뭐니 뭐니 해도	何だかんだ言っても
뭐라 뭐라 하다	ああだこうだ言う
뭘로 보다	何だと思う
미역국을 먹다	試験に落ちる
미우나 고우나	否でも応でも

ㅂ

바가지를 긁다	(妻が)愚痴をこぼす

바가지를 쓰다	ぼられる
바가지를 씌우다	ふっかける、ぼる
바람 부는 대로	気の向くまま
바람을 맞다	約束をすっぽかされる
바람을 쐬다	気分転換する
바람을 피우다	浮気をする
바람이 자다	風がおさまる
발 벗고 나서다	積極的に乗り出す
발 뻗고 자다	安心して寝る
발걸음을 맞추다	歩調を合わせる
발길에 차이다	ありふれている
발등에 불이 떨어지다	尻に火がつく
발등의 불을 끄다	急場をしのぐ
발로 뛰다	自ら歩き回る
발목을 잡다	邪魔をする
발목을 잡히다	足かせになる
발에 차이다	ありふれている
발을 맞추다	足並みをそろえる
발을 빼다	手を引く
발을 씻다	手を引く、足を洗う
발이 넓다	顔が広い
발이 떨어지지 않다	後ろ髪を引かれる
발이 묶이다	足止めを食らう
밤을 밝히다	夜を明かす、徹夜する
밥 구경을 못하다	飯にありつけない
밥 먹듯 하다	しょっちゅう、平気で
밥맛이 떨어지다	食欲がなくなる
배가 등에 붙다	とても腹が空く
배가 아프다	お腹が痛い、妬ましい
배보다 배꼽이 크다	本末転倒
백 번 천 번	何度も何度も
백기를 들다	降伏する
백날이 가도	いくら骨折っても
백지로 돌리다	白紙に戻す
벼락 맞을 소리	罰当たりな話
벼락을 맞다	雷に打たれる、罰が当たる
벼락이 떨어지다	大目玉を食らう、雷が落ちる
벼락치기	にわか仕事
벽에 부딪치다	壁にぶつかる

벽을 넘다	障害を切り抜ける
벽을 쌓다	関係を絶つ
별것 아니다	何でもない
별로다	いまいちだ
병이 들다	病気にかかる、病む
보란 듯이	これ見よがしに
본때를 보이다	見せしめにする
본을 뜨다	型を取る、真似る
본을 받다	手本とする、見習う
볼 낯이 없다	顔向けができない
볼 일을 보다	用事をすませる
볼 장을 다 보다	万事休す
볼을 적시다	頬を濡らす
분위기를 타다	雰囲気に流される
불을 끄다	目先の急務を処理する
불을 보듯 뻔하다	火を見るよりも明らかだ
불이 나다	火事が起きる
불행 중 다행	不幸中の幸い
붓을 놓다	筆を置く、筆を絶つ
비 오듯 하다	とめどなく流れる
비가 오나 눈이 오나	毎日、年がら年中
비행기를 태우다	おだてる
빛을 보다	日の目を見る
빛이 나다	輝く
뿌리가 뽑히다	根を絶やされる
뿌리를 박다	根を下ろす、根付く
뿌리를 뽑다	根を絶やす、根絶する

人

사고를 치다	しでかす
사람 같지 않다	人の数にも入らない
사람 살려	助けて
사람을 버리다	人を駄目にする
사람의 일은 모르다	一寸先は闇だ
사서 고생을 하다	苦労を買って出る
사흘이 멀다 하고	三日にあげず、頻繁に
산이 떠나갈 듯	(声や音が)非常に大きい様子
살다 살다	長生きしていたら
살로 가다	身になる、滋養になる
살림을 맡다	所帯を受け持つ

살을 붙이다	肉付けする
생각다 못해	思い余って
생각을 돌리다	思い直す
생각을 접다	諦める
서리를 맞다	打撃を受ける
선을 긋다	線引きをする
설마가 사람 잡다	油断大敵だ
성이 나다	腹が立つ、 怒る
성이 차다	十分に満足する
성질을 내다	怒る、腹を立てる
세상 돌아가는 애기	世間話
세상 없어도	何が何でも
세상에 공짜는 없다	ただより高いものはない
세상을 뜨다	世を去る、亡くなる
세상이 돌아가다	世の中が移り変わる
세월이 약이다	時が解決してくれる
소득이 없다	無駄骨を折る
소리 소문도 없이	ひそかに、こっそり
소리를 죽이다	声を殺す
속을 끓이다	気を揉む
속을 썩이다	心配させる、悩ませる
속을 태우다	気を揉む、思い煩う
속을 털어놓다	本音を打ち明ける
속이 검다	腹黒い
속이 끓다	腹わたが煮えくり返る
속이 보이다	見え透いている
속이 상하다	気に障る、頭に来る
속이 시원하다	せいせいする
속이 타다	気が揉める
속이 터지다	怒りが込み上げる
속이 풀리다	気が済む、気が晴れる
손가락을 걸다	指切りをする
손길을 뻗치다	手を差し伸べる
손길이 닿다	手が入る、手を付ける
손꼽아 기다리다	指折り数えて待つ
손끝도 안 대다	手を触れもしない
손때가 묻다	使い慣らされる
손목 발목을 묶다	手足を縛りつける
손바닥을 뒤집듯	手のひらを返すように
손발이 묶이다	身動きが取れない
손뼉을 치다	手を叩く、拍手する
손에 꼽히다	屈指だ
손에 달리다	手腕にかかる
손에 땀을 쥐다	手に汗を握る
손에 익다	手慣れる、熟練する
손에 잡히다	(仕事などが)手につく
손에 쥐다	手にする、物にする
손에 넘어가다	手に渡る、手に落ちる
손을 거치다	手を経る、手を通じる
손을 내밀다	物を要求する
손을 놓다	していたことをやめる
손을 들어주다	賛成する、支持する
손을 떼다	手を引く
손을 벌리다	物を要求する
손을 보다	修正する、懲らしめる
손을 뻗치다	手を伸ばす
손을 젓다	(拒絶の意で)手を振る
손을 털다	手を引く、やめる
손이 가다	手間がかかる
손이 부족하다	人手が足りない
손이 크다	気前がいい
술잔을 나누다	酒を酌み交わす
숨 돌릴 사이도 없다	息つく暇もない
숨도 크게 못 쉬다	畏縮する、すくむ
숨을 거두다	息を引き取る
숨을 돌리다	一息入れる
숨이 가쁘다	息苦しい
숨이 끊어지다	息が絶える、死ぬ
숨이 턱에 닿다	息せき切る、あえぐ
시도 때도 없이	ところかまわず
시치미를 떼다	しらを切る、とぼける
식은 죽 먹기	朝飯前だ
식은 땀이 나다	冷や汗をかく
심심치 않다	めずらしくない
씨름을 하다	取り組む、苦心する

ㅇ

아니 할 말로	こう言ってはなんだが
아니나 다를까	案の定、予想通り
아무 생각 없다	何の欲もない、満足だ
아무렇지 않다	何ともない、平気だ
아쉬운 대로	もの足りないままに

아쉬운 소리	人に頼みごとをする
아시다시피	ご存じの通り
안 하던 짓들 하다	柄にもないことをする
안 할 말로	言葉は悪いが
안경을 쓰다	先入観を持つ
안방 드나들 듯하다	頻繁に出入りする
안색을 살피다	顔色をうかがう
안색이 굳어지다	顔がこわばる
앉으나 서나	いつも
알 만한 사람	分別のありそうな人
알게 모르게	知らず知らず
알다가도 모를 일	不可解なこと
알아서 기다	自ら進んでする
앓는 소리	大げさな苦しいふり
앞뒤가 꽉 막히다	融通が利かない
앞뒤를 가리지 않다	後先を考えない
앞뒤를 재다	後先を考える
애가 타다	やきもきする
애가 터지다	苛立たしい
애교를 부리다	愛嬌をふりまく
애를 먹다	苦労する
애를 먹이다	心配をかける
애를 쓰다	非常に努力する
애를 태우다	心配をかける
야단을 맞다	叱られる
야단을 치다	叱る
야단이 나다	騒ぎが起こる
어깨가 올라가다	得意そうにする
어느 세월에	いつになったら
어디 두고 보자	今に見ていろ
언제 그랬나?	そんなことあったっけ?
얼굴을 고치다	化粧のくずれを直す
얼굴을 내밀다	顔を出す、顔を見せる
얼굴을 비치다	顔を出す
얼굴을 살리다	顔を立てる
얼굴을 쳐다보다	顔色を伺う
얼굴이 두껍다	図々しい
업어 가도 모르다	熟睡している
없어 보이다	貧乏に見える、貧相だ
엉덩이가 무겁다	尻が長い、尻が重い
엎어지면 코 닿을 데	目と鼻の先
엎질러진 물	覆水盆に返らず
여간이 아니다	並大抵ではない
열매를 맺다	実を結ぶ、努力が実る
열을 올리다	興奮する
옆길로 새다	脇道にそれる
옆으로 빠지다	横へそれる
옛날 옛적에	昔々
옛말이 되다	過去の話になる
오늘 내일 하다	すぐにも~する
오도 가도 못하다	立ち往生する
오라 가라 하다	勝手に指図する
온다 간다 말없이	何も言わないで
온데간데없다	影も形もない
올 것이 오다	来るべきものが来る
옷을 벗다	(ある職業を)辞める
욕심이 많다	欲張りだ、欲が深い
욕을 먹다	悪口を言われる
우레와 같은 박수	割れるような拍手
우습지도 않다	ばかげていてあきれる
울며 불며	泣く泣く、泣き泣き
울음을 삼키다	泣くのをこらえる
웃기는 이야기다	とんでもない話だ
웃기지도 않다	とんでもない
웃음을 사다	笑われる
웬 떡이냐	思いがけない幸運
위아래가 없다	上下の秩序が乱れる
이 핑계 저 핑계	あれやこれやの言い訳
이가 빠지다	歯が抜ける、緑が欠ける
이래라 저래라	ああしろこうしろと
이를 갈다	歯ぎしりする
이를 깨물다	歯を食いしばる
이름을 날리다	名を馳せる
이름이 나다	名が知れる
이름이 없다	知られてない、無名だ
이마를 맞대다	膝を交える
이만 저만이 아니다	並大抵ではない
인상을 쓰다	険悪な表情をする
일 년을 십 년같이	待ちこがれる様子
일손을 놓다	仕事の手を休める
일손이 잡히다	仕事が手につく
일을 내다	事故を起こす

입 밖에 내다	口に出す、口外する
입 안이 쓰다	苦々しい
입만 벌렸다 하면	ふたこと目には
입만 살다	口先ばかりだ
입만 아프다	言うだけ無駄だ
입맛대로 하다	好き勝手にする
입맛이 당기다	興味がわく
입맛을 들이다	味を占める
입술을 깨물다	唇をかむ
입에 달고 살다	しょっちゅう口にする
입에 담지 못하다	口にできない
입에 발린 소리	心にもないお世辞
입을 내밀다	ムッとする
입을 다물다	口を閉ざす、黙り込む
입을 떼다	話を切り出す
입을 막다	口止めをする
입을 맞추다	口裏を合わせる
입을 싹 닦다	口を拭う
입이 무섭다	噂になるのが怖い

ㅈ

자나 깨나	寝ても覚めても
자리가 나다	席が空く
자리가 잡히다	定着する、落ち着く
자리를 잡다	席を取る、定着する
자존심이 허락 않다	プライドが許さない
자취를 감추다	行方をくらます
잔을 기울이다	杯を傾ける
잔을 비우다	杯を空ける
잠에 떨어지다	眠りに落ちる
장마가 지다	長雨になる
재를 뿌리다	邪魔をする、水を差す
재미를 붙이다	味を占める
재주를 부리다	技を見せる、策を弄する
점수를 따다	良いところを見せる
정도껏 하다	ほどほどにする
정신을 잃다	気を失う
정신을 차리다	気を取り戻す
정신을 팔다	他の事に気を取られる
정신이 빠지다	気が抜ける
정신이 없다	気が気でない
정을 붙이다	愛情を注ぐ、落ち着く
정을 쏟다	愛情を注ぐ
제 정신이 아니다	正気でない
제 코도 못 닦다	自分の尻も拭けない
제집 드나들듯 하다	頻繁に出入りする
조용할 날이 없다	心の休まる日がない
종이 한 장 차이	紙一重の差
좋다가 말다	がっかりする
주머니가 가볍다	懐が寒い、懐が寂しい
주머니가 넉넉하다	懐が暖かい
주머니를 털다	財布をはたく
죽기 살기로	死に物狂いで、必死に
죽어라(하고)	死に物狂いで
죽었다 깨어도	いくら頑張っても
죽으나 사나	仕方なく、何が何でも
죽을 고생을 하다	死ぬほど苦労する
줄을 서다	並ぶ、列をなす
중심을 잡다	重心を取る
쥐 잡듯이	一つも残さず徹底的に
쥐 죽은 듯이	水を打ったように
쥐가 나다	こむら返りを起こす
쥐고 흔들다	牛耳る、手玉に取る
쥐도 새도 모르게	こっそり、密かに
지고는 못 살다	負けず嫌いだ
짐을 벗다	重荷を下ろす
짐을 싸다	荷造りをする
짐을 지다	責任を負う
집을 빼다	家を明け渡す
짚고 넘어가다	はっきりさせる

ㅊ

첫눈에 들다	一目で気に入る
첫단추를 잘못 끼우다	ボタンの掛け違いだ
첫발을 떼다	第一歩を踏み出す
추위를 타다	寒がる、寒さに弱い
치고 받다	殴り合う
침이 마르도록	口がすっぱくなるほど

ㅋ

칼을 쥐다	主導権を握る
코가 땅에 닿다	深々とお辞儀する

코가 비뚤어지게	へべれけになるまで
코를 맞대다	鼻を突き合わせる
코를 찌르다	鼻を突く
코웃음을 치다	鼻先で笑う
콧대가 높다	鼻が高い、気位が高い
콧대가 세다	鼻っ柱が強い
콧대를 꺾다	鼻っ柱を折る
콧대를 세우다	鼻を高くする
큰 맘을 먹다	一大決心をする
큰소리가 나다	言い争う声がする
큰일을 내다	大きな事件を起こす

ㅌ

탈을 벗다	仮面を脱ぐ
탈을 쓰다	仮面を被る
터무니가 없다	でたらめだ、法外だ
트집을 잡다	ケチをつける
틀에 갇히다	枠にはまる
틀에 맞추다	型にはめる
틀에 박히다	型にはまる、型通りだ
틀을 잡다	枠組みを整える
틀이 잡히다	板につく
틈을 내다	時間を割く
틈이 벌어지다	不和になる

ㅍ

파리를 날리다	閑古鳥が鳴く
판에 박은 것 같다	判で押したようだ
판을 깨다	場の雰囲気を壊す
판을 치다	幅を利かせる
판이 깨지다	場の雰囲気が白ける
펄쩍 뛰다	強く否定する
펄펄 뛰다	猛反発する
품을 팔다	手間仕事をする
품이 들다	手間がかかる
피가 끓다	血が沸く
피는 못 속이다	血は争えない
피도 눈물도 없다	血も涙もない
피땀을 흘리다	汗水流す
피를 나누다	血を分ける
피부에 와닿다	実感できる
피와 살이 되다	血となり肉となる
필름이 끊기다	記憶をなくす

ㅎ

하늘 높은 줄 모르다	天井知らずだ
하늘을 찌르다	天を衝く
하늘이 부끄럽다	天に恥じる
하늘처럼 믿다	頼り切る、信じきる
하루 아침에	一朝一夕に
하루 이틀도 아니고	一両日ならともかく
하루가 다르다	日一日変化が早い
하루가 멀다고	ほぼ毎日のように
하루가 새롭다	日一日変化していく
하루에도 열두 번	頻繁に
하품만 하고 있다	何もすることがない
한 귀로 흘리다	聞き過ごす、聞き流す
한 발 물러나다	一歩下がる
한 발 앞서다	一歩リードする
한 배를 타다	運命を共にする
한도 끝도 없다	きりがない
한마음 한뜻	心を一つにして
한몫 끼다	一口乗る、一枚かむ
한숨을 돌리다	一安心する、一息つく
한술 더 뜨다	さらにひどくなる
한시가 급하다	一刻を争う
한턱을 내다	おごる、ご馳走する
해가 서쪽에서 뜨다	あり得ない事が起きる
해도 해도 너무 한다	ひどすぎる、やりすぎだ
허리를 펴다	腰を伸ばす、楽になる
허풍을 치다	ほらを吹く
허풍이 세다	ひどいほら吹きだ
혀가 짧다	舌足らずだ
혀를 깨물다	歯を食いしばる
혀를 차다	舌打ちをする
호흡이 맞다	呼吸が合う、息が合う
홍수를 이루다	溢れかえる
회를 치다	刺身を作る
흑백을 가리다	白黒をつける
힘에 겹다	手に余る
힘이 닿다	力が及ぶ

合格資料 13 よく出る心情を表す語彙リスト

本リストは、本試験23番の「筆者の心情・気持ち」を問う問題によく出てくる選択肢の語彙を既出問題から抽出し、まとめたものである。毎回ほぼこのリストの中のものから出題されている。感情を表す語彙は使われる状況によって対応する訳語も変わるものが多い。1語に一つだけの訳語を覚えるのではなく、辞書の用例を参考にどういう状況で使われるものなのかを理解しておく必要がある。

- □ 걱정스럽다　心配だ、気がかりだ
- □ 고민스럽다　悩ましい
- □ 곤란하다　困る、苦しい
- □ 감격스럽다　感激的だ
- □ 감사하다　感謝する、有難い
- □ 고맙다　有難い
- □ 고생스럽다　苦しい、辛い
- □ 고통스럽다　苦痛だ、苦しい
- □ 궁금하다　気になる、知りたい
- □ 귀찮다　面倒だ
- □ 귀찮아하다　面倒がる
- □ 그리워하다　懐かしがる
- □ 그립다　懐かしい、恋しい
- □ 기쁘다　うれしい
- □ 긴장되다　緊張する
- □ 놀랍다　驚きだ、見事だ
- □ 답답하다　じれったい、歯がゆい、もどかしい、息苦しい
- □ 당황스럽다　当惑する、戸惑う、慌てる
- □ 당황하다　慌てる、うろたえる
- □ 두렵다　怖い
- □ 미안하다　すまない、申し訳ない
- □ 민망하다　きまり悪い、心苦しい
- □ 반갑다　うれしい、喜ばしい
- □ 번거롭다　煩わしい、煩雑だ
- □ 부끄럽다　恥ずかしい
- □ 부담스럽다　気が重い、負担に感じる
- □ 부럽다　うらやましい
- □ 불만스럽다　不満だ、不満気だ
- □ 불안하다　不安だ
- □ 서운하다　残念だ、寂しい
- □ 섭섭하다　名残惜しい、残念だ、寂しい
- □ 속상하다　気に障る、腹が立つ、悔しい
- □ 슬프다　悲しい
- □ 실망스럽다　がっかりだ、失望する
- □ 아쉽다　物足りない、名残惜しい
- □ 안심되다　安心する
- □ 안타깝다　もどかしい、切ない、じれったい
- □ 억울하다　納得しがたい、悔しい、やりきれない
- □ 자랑스럽다　誇らしい、自慢げだ
- □ 재미있다　面白い
- □ 죄송스럽다　申し訳ない
- □ 죄송하다　申し訳ない
- □ 짜증스럽다　いらいらする、苛立つ
- □ 행복하다　幸せだ
- □ 허전하다　寂しい、うつろな感じだ
- □ 후련하다　せいせいする、すっきりする
- □ 후회스럽다　悔やまれる
- □ 후회하다　後悔する

第2章　練習用正答チェックシート

✎ 練習問題を解きながら正答チェック用に使用してください。複数回練習ができるようにコピーをして使用することをお勧めします。

問題番号	正答チェック欄	問題番号	正答チェック欄
1	文整序問題	10	[1]　[2]　[3]　[4]
1	[1]　[2]　[3]　[4]	11	[1]　[2]　[3]　[4]
2	[1]　[2]　[3]　[4]	12	[1]　[2]　[3]　[4]
3	[1]　[2]　[3]　[4]	3	文の内容把握問題 (1)
4	[1]　[2]　[3]　[4]	**[1]**	
5	[1]　[2]　[3]　[4]	1	[1]　[2]　[3]　[4]
6	[1]　[2]　[3]　[4]	2	[1]　[2]　[3]　[4]
7	[1]　[2]　[3]　[4]	**[2]**	
8	[1]　[2]　[3]　[4]	1	[1]　[2]　[3]　[4]
9	[1]　[2]　[3]　[4]	2	[1]　[2]　[3]　[4]
10	[1]　[2]　[3]　[4]	**[3]**	
11	[1]　[2]　[3]　[4]	1	[1]　[2]　[3]　[4]
2	文の空所補充問題	2	[1]　[2]　[3]　[4]
1	[1]　[2]　[3]　[4]	**[4]**	
2	[1]　[2]　[3]　[4]	1	[1]　[2]　[3]　[4]
3	[1]　[2]　[3]　[4]	2	[1]　[2]　[3]　[4]
4	[1]　[2]　[3]　[4]	**[5]**	
5	[1]　[2]　[3]　[4]	1	[1]　[2]　[3]　[4]
6	[1]　[2]　[3]　[4]	2	[1]　[2]　[3]　[4]
7	[1]　[2]　[3]　[4]	**[6]**	
8	[1]　[2]　[3]　[4]	1	[1]　[2]　[3]　[4]
9	[1]　[2]　[3]　[4]	2	[1]　[2]　[3]　[4]

練習用正答チェックシート

問題番号	正答チェック欄	問題番号	正答チェック欄
4	文の内容把握問題（2）	[8]	
[1]		1	[1]　[2]　[3]　[4]
1	[1]　[2]　[3]　[4]	2	[1]　[2]　[3]　[4]
2	[1]　[2]　[3]　[4]	[9]	
[2]		1	[1]　[2]　[3]　[4]
1	[1]　[2]　[3]　[4]	2	[1]　[2]　[3]　[4]
2	[1]　[2]　[3]　[4]	5	文の内容把握問題（3）
[3]		[1]	
1	[1]　[2]　[3]　[4]	1	[1]　[2]　[3]　[4]
2	[1]　[2]　[3]　[4]	2	[1]　[2]　[3]　[4]
[4]		[2]	
1	[1]　[2]　[3]　[4]	1	[1]　[2]　[3]　[4]
2	[1]　[2]　[3]　[4]	2	[1]　[2]　[3]　[4]
[5]		[3]	
1	[1]　[2]　[3]　[4]	1	[1]　[2]　[3]　[4]
2	[1]　[2]　[3]　[4]	2	[1]　[2]　[3]　[4]
[6]		[4]	
1	[1]　[2]　[3]　[4]	1	[1]　[2]　[3]　[4]
2	[1]　[2]　[3]　[4]	2	[1]　[2]　[3]　[4]
[7]			
1	[1]　[2]　[3]　[4]		
2	[1]　[2]　[3]　[4]		

1 文整序問題

▶▶▶本番の試験【13～15】では3問、各2点の配点で出題される。

※다음을 순서대로 맞게 배열한 것을 고르십시오.
次を順序通りに正しく配列したものを選びなさい。

1.

(가) 이것은 아마 아침을 안 먹는 사람들이 많아졌기 때문인 것 같다.
(나) 그래서 쌀 소비량이 많이 준 것이라고 생각된다.
(다) 2005년에 비해 2015년에는 1인당 쌀 소비량이 약 10kg 줄었다.
(라) 그리고 요즘 젊은 사람들은 빵을 좋아하는 사람이 많다.

① (가) – (나) – (라) – (다)　② (가) – (라) – (나) – (다)
③ (다) – (가) – (나) – (라)　④ (다) – (가) – (라) – (나)

2.

(가) 즉 만남 그 자체가 사회적인 삶의 원인과 결과가 되는 것이다.
(나) 우리는 항상 누구 혹은 무엇과 만난다.
(다) 이처럼 우리의 인생은 끊임없는 만남 속에 존재하고 있다.
(라) 그러므로 우리는 이 만남을 떠나서는 살아기가 어렵다.

① (라) – (나) – (다) – (가)　② (나) – (다) – (가) – (라)
③ (나) – (라) – (다) – (가)　④ (라) – (가) – (나) – (다)

3.

(가) 인터넷으로 면 셔츠를 샀는데 색이 인터넷에서 본 것과 달랐다.
(나) 고객센터에서는 상표를 떼지 않았기 때문에 환불이 된다고 했다.
(다) 그래서 환불을 하려고 고객센터에 전화를 걸었다.
(라) 그리고 택배 기사에게 반품할 옷을 주라고 했다.

① (가) – (다) – (나) – (라)　② (나) – (다) – (가) – (라)
③ (나) – (가) – (다) – (라)　④ (가) – (나) – (다) – (라)

➡【解説編】はダウンロードして別冊としてご利用できます。リンク先案内は14ページへ

4.

(가) 종이에 쓴 글은 사라지거나 없어지기 쉽지만 컴퓨터는 그렇지 않다.
(나) 먼저 컴퓨터로 글을 쓰면 자기의 생각을 오래도록 남길 수 있다.
(다) 또한 컴퓨터는 쉽게 편집도 가능하기 때문에 편리하다.
(라) 원고지보다 컴퓨터로 글을 쓰면 여러 가지로 효율적이다.

① (가) – (다) – (나) – (라)　　② (라) – (나) – (다) – (가)
③ (라) – (나) – (가) – (다)　　④ (가) – (나) – (라) – (다)

5.

(가) 안경을 잘못 쓰면 눈이 더 나빠질 수도 있다.
(나) 따라서 눈 건강을 위해서는 올바른 안경의 선택과 쓰는 법을 잘 알아 두는 것이 중요하다.
(다) 안경을 많이 사용하는 만큼 잘못된 안경 사용법도 많다.
(라) 우리나라 국민의 약 45%는 안경을 착용한다고 한다.

① (라) – (나) – (가) – (다)　　② (가) – (나) – (라) – (다)
③ (가) – (라) – (다) – (나)　　④ (라) – (다) – (가) – (나)

6.

(가) 직장인들은 일요일에 잠을 많이 자는데, 이는 잘못된 습관이다.
(나) 적당하게 일곱시간에서 여덟 시간동안 자는 것이 제일 좋다.
(다) 왜냐 하면 잠을 많이 자는 것도 건강에 해롭기 때문이다.
(라) 아홉 시간 이상 자는 것과 여섯 시간 미만 수면을 취하는 것은 둘 다 인지력 테스트에서 문제가 있었다.

① (가) – (다) – (라) – (나)　　② (가) – (나) – (다) – (라)
③ (나) – (라) – (가) – (다)　　④ (나) – (다) – (가) – (라)

▶ 解説は307ページへ

1 文整序問題

7.

(가) 그러므로 현대인들에게 고전을 읽게 하려면 새로운 번역이 필요하다.
(나) 요즘 사람들이 고전을 읽지 않는 이유는 고전에 어려운 문장이 많기 때문이다.
(다) 그러나 현대인들은 고전을 읽지 않는 듯하다.
(라) 고전이란 오랜 동안 많은 사람 들에게 감동을 준 책이므로 읽는 이에게 유익하다.

① (라) − (다) − (나) − (가)　② (나) − (가) − (다) − (라)
③ (나) − (가) − (라) − (다)　④ (라) − (가) − (나) − (다)

8.

(가) 통계청 자료에 의하면 해마다 국제결혼이 증가한 것으로 나타났다.
(나) 자료를 보면 2005년에 비해 2015년에는 세 배 이상 증가했다.
(다) 국제결혼에 대한 한국 사람들의 생각이 달라지고 있는 것 같다.
(라) 이러한 국제결혼의 급증은 한국 사람들의 결혼에 대한 인식이 달라지고 있음을 보여주는 예이다.

① (가) − (나) − (다) − (라)　② (다) − (가) − (나) − (라)
③ (다) − (나) − (가) − (라)　④ (가) − (라) − (나) − (다)

9.

(가) 물론 뉴스의 속성인 신속성과 이것과는 모순적이기는 하다.
(나) 잘못된 보도는 간접적인 말을 직접 들은 듯 옮기기 때문이다.
(다) 그렇다고 해도 언론은 주어진 제약 안에서 최대의 노력을 기울여야 할 것이다.
(라) 뉴스의 정확성을 위해 확인하는 절차를 게을리하면 안된다.

▶ 解説は308ページへ

① (나) – (가) – (다) – (라)　　② (라) – (가) – (다) – (나)
③ (라) – (나) – (가) – (다)　　④ (나) – (라) – 가) – (다)

(既出 41 回)

10.

(가) 이런 행복을 느낄 때도 있지만 가끔 힘들고 어려울 때도 있다.
(나) 하지만 나는 그들을 가르칠 때마다 내가 국가대표라고 생각한다.
(다) 한국어로 다른 문화권의 학생들과 교류하는 것은 참 행복한 일이다.
(라) 나는 그들을 통해 세상을 보고 그들은 나를 통해 한국을 보기 때문이다.

① (다) – (가) – (나) – (라)　　② (다) – (나) – (가) – (라)
③ (라) – (가) – (다) – (나)　　④ (라) – (다) – (가) – (나)

(既出 37 回)

11.

(가) 새로운 생각은 그동안 쌓은 폭넓은 지식으로부터 나온다.
(나) 하지만 그저 멍하니 있다고 기발한 생각이 나오는 것은 아니다.
(다) 다양한 지식들이 서로 연결되어서 창의적인 생각이 되는 것이다.
(라) 휴식을 취할 때 창의적인 생각이 떠오른다고 주장하는 사람들이 많다.

① (가) – (나) – (라) – (다)　　② (가) – (다) – (라) – (나)
③ (라) – (나) – (가) – (다)　　④ (라) – (가) – (다) – (나)

▶ 解説は308ページへ

2 文の空所補充問題

▶▶▶本番の試験【16～18】では3問、各2点の配点で出題される。

※ 다음을 읽고 (　　　)에 들어갈 내용으로 가장 알맞은 것을 고르십시오. 次を読んで（　　　）に入る内容として最も適切なものを選びなさい。

1.

겨울철에 집에서 난방을 계속하면서 창문을 열어 환기를 시키지 않으면 집안에 먼지와 오염 물질이 쌓이게 된다. (　　　　) 나쁜 물질은 호흡을 통해 몸 속에 들어와 피부병이나 호흡기 질환을 일으킨다. 깨끗한 실내 공기를 위해서는 가끔씩 환기를 시키는 것이 필요하다.

① 환기가 안 되면　② 이렇게 쌓인
③ 이런 불필요한　④ 점차 먼지에 오염된

2.

가을은 우리에게 기쁨을 준다. 가을은 연인들에게는 걸으면서 데이트할 수 있는 좋은 날씨를 주고 농부에게는 곡식을 걷도록 허락한다. 하지만 가을은 환절기라서 감기에 가장 많이 걸리는 계절이기도 하다. 따라서 (　　　　) 않도록 주의해야 한다.

① 감기에 걸리지　② 무리하게 일하지
③ 병이 심해지지　④ 예방주사를 맞지

3.

쓰레기를 버리는데 드는 돈도 주부들에게는 부담이 될 수 있다. 그런데 이런 것들을 재활용 센터나 녹색가게에 무료로 주거나 팔 수도 있고 인터넷에 올려서 판매하는 방법도 있다. 또 주변 사람들에게 알려서 필요한 사람들이 (　　　　) 하는 것도 좋다.

① 모여서 추첨할 수 있도록　② 선착순으로 사용할 수 있도록
③ 서로 교환해 쓸 수 있도록　④ 공동으로 고칠 수 있도록

▶ 解説は309ページへ

4.

내 여동생은 키가 크고 날씬한데다가 얼굴도 작고 예뻐서 마치 영화배우 같다. 게다가 목소리도 얼마나 좋은지 모른다. 그런데 나는 그런 동생과는 너무 다르게 생겨서 친구들에게 (　　　　) 말을 많이 듣는다. 그 말을 들을 때마다 못생겼다는 말을 간접적으로 듣는 것 같아 기분이 나쁘다.

① 얼굴이 두껍다는　　　② 친자매가 맞는냐는
③ 제 정신이 아니라는　　④ 그녀가 누구냐는

5.

우리는 환경을 보호하기 위해 일회용품의 사용을 줄여야 한다. 비닐봉지나 컵라면 용기와 같은 것은 (　　　　) 뿐만 아니라, 소각할 경우에는 인체에 치명적인 영향을 주는 물질이 배출된다고 한다. 매스컴등에서 보도되고 있는 독성물질인 다이옥신도 이 때 나온다.

① 위험에 노출될　　② 대단히 해를 줄
③ 엄청난 비용이 들　　④ 영원히 썩지 않을

6.

나는 요즘 조금만 걸어도 힘들고, 조금만 추워도 감기에 걸린다. 왜 이렇게 건강이 나빠졌을까? 건강해지려면 어떻게 해야 할까? 생각한 끝에 나는 술과 담배를 끊기로 결심했다. 이 결심을 잘 지킬 수 있을까? (　　　　) 나는 꼭 이 결심을 지킬 것이다.

① 세상에 공짜는 없지만　　② 정말 힘들기 때문에
③ 조금 걱정이 되지만　　④ 설령 끊지 못해도

▶ 解説は309ページへ

2 文の空所補充問題

7.

인생을 살면서 한 번도 실수를 하지 않고 자신의 목표를 이루는 것이 얼마나 어려운지 누구나 알고 있다. 목표를 이루는 과정에서 노력만큼 중요한 것은 (　　　　　) 것이다. 왜냐하면 실수가 계속되면 자신감을 잃게 되어 성공하기가 점점 어려워지기 때문이다.

① 운이 있어야 하는　　② 실패를 되풀이 해야 하는
③ 성공을 체험하는　　④ 실수를 반복하지 않는

8.

아이들의 정리 정돈하는 습관을 위해서는 시간과 공간에 대한 구분을 해 주어야 한다. 시간적으로는 아이가 장난감을 마음껏 가지고 놀게 하고, 하루에 한 번 시간을 정해 정리하게 한다. 그리고 공간적으로는 놀이공간을 (　　　　), 거기서 편안하게 놀 수 있게 해야 한다.

① 깨끗하게 치워 주고　　② 정리 정돈해 주고
③ 따로 마련해 주고　　④ 누구나 이용하게 하여

9.

사람들은 흔히 불평하는 것을 좋지 않은 행동이라고 생각한다. 그러나 어떤 것에 대해서 비판하는 시각 없이 무조건 수용한다면 개인이나 사회에 더 이상의 발전은 없을 것이다. 항상 지금의 자리에 안주하지 않고 더 나은 방향으로의 (　　　　　) 긍정적인 불평은 개인이나 사회 발전에 기여할 수 있다.

① 문제점을 비난하는　　② 비판을 모색하는
③ 개선점을 찾는　　④ 발전을 거부하는

▶ 解説は310ページへ

10.

보통 남자들은 잘 울지 못한다. 남자답지 못하다는 이유 때문이다. 그러나 이제부터 남자도 슬픈 일이 있으면 울자. 우는 행위가 남자답지 못한 것이 아니다. (　　　　　　)것은 건강에 해가 된다. 실컷 울면 마음이 깨끗해져 정신 건강에도 좋다.

① 눈물을 참는　　② 오히려 남자다운
③ 큰 소리로 우는　　④ 너무 눈이 건조한

11.

지난해에는 전체 식중독 환자의 절반 이상이 4월에서 6월에 일어난 것으로 나타났다. 봄철에 식중독이 특별히 (　　　　) 것은 야외 활동이 늘어나고 일교차가 커서 식중독균이 쉽게 생기고 퍼지기 때문이다. 따라서 외출 후에는 반드시 손과 발을 씻고 음식은 조리한 후 빠른 시간 안에 먹어야 한다. 또 물은 꼭 끓여서 마셔야 한다.

① 많이 발견되는　　② 문제가 되는
③ 천천히 움직이　　④ 많이 발생하는

12.

제시카는 한국 드라마를 즐겨 본다. 처음에는 슬픈 장면이 너무 많은 것이 싫었데 이제는 제시카도 드라마를 보면서 눈물을 흘린다. 어젯밤에도 주인공이 죽는 장면을 보고 펑펑 울었다. 아침에 일어나 보니 (　　　　).

① 눈시울을 붉혔다　　② 눈이 퉁퉁 부어 있었다
③ 눈앞이 캄캄했다　　④ 얼굴이 두꺼운 것 같았다

▶ 解説は310ページへ

3 文の内容把握問題(1)

▶▶▶本番の試験【19~20】では2問、各2点の配点で出題される。

[1] 다음을 읽고 물음에 답하십시오. 次を読んで問いに答えなさい。

텔레비전은 우리들에게 없어서는 안 될 생활 필수품이다. 그러나 텔레비전 시청이 좋은 취미가 될 수도 있지만 우리 생활에 나쁜 영향을 주기도 한다. 텔레비전에서는 청소년들에게 좋지 않은 내용도 방영할 때가 있는데, 청소년들이 그것을 보고 생각 없이 나쁜 말과 행동까지 따라하기 쉽다. (　　　　) 텔레비전만 보면 사람들과 대화할 시간도 적어지며, 생각하는 힘도 약해진다. 텔레비전을 잘 보면 약이 되지만, 잘못 보면 독이 된다.

1. (　　　　)에 들어갈 알맞은 것을 고르십시오.
(　　　　)に入る適切なものを選びなさい。

① 도리어　② 하도　③ 어쩌면　④ 또한

2. 이 글의 내용과 같은 것을 고르십시오.
この文の内容と同じものを選びなさい。

① 청소년들에게 있어서의 텔레비전 시청은 백해무익하다.
② 텔레비전의 부정적인 영향을 고려해서 시청을 제한해야 한다.
③ 청소년들의 대화 부족과 사고력의 저하는 텔레비전에 그 원인이 있다.
④ 텔레비전이 초래하는 부정적인 면도 잘 이해하고 시청할 필요가 있다.

[2] 다음을 읽고 물음에 답하십시오.

한 설문조사 결과에 따르면, 최근 연애와 결혼에 대한 젊은 세대들의 시각이 예전과 많이 달라졌다고 한다. 먼저, '연애하고 싶은 사람과 결혼하고 싶은 사람이 같은가?' 라는 질문에 대해 70% 가 넘는 미혼 남녀가 '그렇지 않다' 라는 응답을 했다고 한다. (　　　　), 예전에는 연애를 하면 꼭 결혼을 해야 한다고 생각했던 것과 달리 지금 신세대들은 연애와 결

➡ 1. の穴埋め問題によく出る副詞のリストは合格資料10 (p.121) を参照。

혼 을 완전히 서로 다른 것으로 본다는 의미인 것이다.

1. (　　　)에 들어갈 알맞은 것을 고르십시오.

① 통　② 즉　③ 비록　④ 더구나

2. 이 글의 내용과 같은 것을 고르십시오.

① 신세대들은 연애 상대자와 결혼하려는 경우가 대부분이다.
② 젊은이들은 연애와 결혼 상대자는 별개로 보는 경우가 많다.
③ 부모들은 자식의 연애와 결혼을 동일시하는 경우가 많다.
④ 젊은이들은 결혼은 반드시 해야 한다고는 생각하지 않는다.

[3] 다음을 읽고 물음에 답하십시오.

다른 사람들에게 자기가 실수했다고 솔직하게 이야기하는 것이 쉽지 않다. 그러나 (　　　) 자신의 실수를 있는 그대로 받아들이는 행동이 실수 때문에 생긴 문제를 풀 수 있는 가장 좋은 방법이다. 뿐만 아니라, 자신의 실수를 인정하고 그 실수를 통해 새로운 것을 배우고자 노력하는 것은 당신 실수에 대한 다른 사람들의 나쁜 생각을 가장 빨리 '잠재울 수 있는' 방법이기도 하다.

1. (　　　)에 들어갈 알맞은 것을 고르십시오.

① 비로소　② 골고루　③ 오히려　④ 일부러

2. 이 글의 내용과 같은 것을 고르십시오.

① 실수를 통해 얻는 것이 많을수록 실수를 인정하기 쉽다.
② 자신의 실수를 부정하고 싶어하는 것은 당연하다.
③ 실수를 인정하는 것이 그로 인한 문제를 해결하는 첫걸음이 된다.
④ 실수를 했을 때는 반성하는 모습을 보여주는 것이 필요하다.

▶ 解説は311～312ページへ

3 文の内容把握問題 (1)

[4] 다음을 읽고 물음에 답하십시오.

중요한 일과 급한 일이 있을 때 무엇을 먼저 하겠느냐고 질문을 하면 사람들은 대부분 급한 일을 먼저 처리하겠다고 대답한다. 그러나 활동 반경이 넓고 할 일이 많은 현대 사회에서는 급한 일만 쫓다 보면 정말 중요한 일을 할 수 없게 되는 경우가 많다. (   ) 급한 일보다는 중요한 일을 먼저 처리하는 것이 바람직하다.

1. (   )에 들어갈 알맞은 것을 고르십시오.
   ① 따라서　② 심지어　③ 어차피　④ 여전히

2. 이 글의 내용과 같은 것을 고르십시오.
   ① 사회 생활에서는 매일의 급한 일을 처리하기에도 벅차다.
   ② 일을 처리해야 할 때는 중요한 일을 우선하는 것이 좋다.
   ③ 일을 할 때는 급한 일과 중요한 일의 선후 관계를 파악해야 한다.
   ④ 급한 일을 먼저 해 놓아야 중요한 일도 여유있게 처리할 수 있다.

[5] 다음을 읽고 물음에 답하십시오.

드디어 기업에도 직원의 아이들을 돌봐 주는 직장 내 놀이방이 등장하기 시작했다. (   ) 어린아이 때문에 직장을 그만두어야 했던 여성들은 이 시설 덕분에 직장 생활을 계속할 수 있게 되었다. 이곳에서는 아이들이 정서적인 불안감을 느끼지 않도록 특별히 신경을 쓴다고 한다. 직장 내 놀이방이야말로 일하는 여성이 증가하고 있는 현대 사회에 없어서는 안 될 중요한 시설이다.

1. (   )에 들어갈 알맞은 것을 고르십시오.
   ① 마침내　② 모처럼　③ 간신히　④ 특히

▶ 解説は312ページへ

2. 이 글의 내용과 같은 것을 고르십시오.
① 직장 내 놀이방의 등장으로 일하는 여성이 증가하고 있다.
② 직장 내 놀이방에서는 직원들이 아이들을 돌봐 준다.
③ 직장 내 놀이방은 아이들에게 정서적인 안정감을 준다.
④ 직장 내 놀이방 덕분에 육아를 하면서도 일을 계속할 수 있다.

[6] 다음을 읽고 물음에 답하십시오.

모든 나라에는 그 나라만의 문화가 있다. 그래서 사람들은 알게 모르게 자기 문화가 가장 좋은 것이라고 생각하고 그것을 기준으로 다른 나라의 문화를 평가하는 경우가 많다. (　　　　) 문화라는 것은 고유의 가치를 가진 것이므로 좋고 나쁨을 따질 수 없다. 다른 문화를 좋거나 나쁘다고 평가하기보다는 다르다는 것을 인정하고 존중하는 자세가 필요하지 않을 까?

1. (　　　　)에 들어갈 알맞은 것을 고르십시오.
① 어차피　② 워낙　③ 하지만　④ 그만큼

2. 이 글의 내용과 같은 것을 고르십시오.
① 다른 문화에 대해서는 다름을 인정하고 존중해야 한다.
② 문화의 우열을 따지기 보다 자기 문화를 바로 인식해야 한다.
③ 나라마다 문화적으로 평가하기 어려운 고유의 가치가 많다.
④ 자기 나라 문화가 최고라는 생각은 버려야 한다.

▶ 解説は313ページへ

4 文の内容把握問題（2）

▶▶▶本番の試験【21～22】では2問、各2点の配点で出題される。

[1] 다음을 읽고 물음에 답하십시오. 次を読んで問いに答えなさい。

연예인들 중에서도 여러 가지 일을 하는 사람들이 많아지고 있다. 원래 직업이 가수일지라도 영화나 드라마에 출연하기도 한다. 그렇게 해서 더 많은 인기를 얻고 오랫동안 활동한다. 사람은 누구나 자신이 발견하지 못한 능력이 있을 것이다. '(　　　)' 는 말이 있기는 하지만 자신의 새로운 능력을 발견하기 위해서는 다양한 일에도 도전해 볼 필요가 있다고 본다.

1. (　　　)에 들어갈 알맞은 것을 고르십시오.
(　　　)に入る適切なものを選びなさい。
① 배보다 배꼽이 더 크다　　② 등잔 밑이 어둡다
③ 우물을 파도 한 우물만 파라　　④ 아니 땐 굴뚝에 연기 날까

2. 이 글의 중심 생각을 고르십시오.
この文の中心となる考えを選びなさい。
① 가수가 인기를 얻으려면 영화 배우처럼 연기도 잘해야 한다.
② 다양한 일에 도전하여 자신의 가능성을 찾아보는 것도 좋다.
③ 지금은 무슨 일이든 한 가지만 해서는 성공할 수 없다.
④ 자신의 능력이 최대한 발휘될 수 있는 일을 발견해야 한다.

[2] 다음을 읽고 물음에 답하십시오.

나는 부지런하고 성실하다는 말을 많이 듣는다. 학교를 결석한 적이 한 번도 없고, 한 번 해야 한다고 결심한 일은 끝까지 하고 책임감이 강한 편이다. 하지만 마음이 약한 편이서 사람과 잘 사귀지 못하고 혼자 사는 일에도 익숙하지 않은 편이다. 그래서 이런 단점도 고치고 (　　　)가 되지 않도록 유학을 가기로 결심했다.

➡ 1. の穴埋め問題によく出る慣用句、ことわざは合格資料11・12（pp.123～134）を参照。

1. (　　　　)에 들어갈 알맞은 것을 고르십시오.

① 시작이 반이다　　② 우물 안의 개구리

③ 도토리 키재기　　④ 겉 다르고 속 다르다

2. 이 글의 중심 생각을 고르십시오.

① 성실함과 책임감도 중요하지만 적극성과 자립심도 길러야 한다.

② 마음 먹은 일은 책임감을 가지고 끝내야 한다.

③ 넓은 세상을 보면서 적극적이고 자립적인 생활을 하고 싶다.

④ 개인의 단점을 극복하기 위해서는 유학이 좋다.

[3] 다음을 읽고 물음에 답하십시오.

산업이 발달함에 따라 강과 호수, 바다가 더러워지고 공기가 나빠지며 쓰레기가 갈수록 많아지는 등 환경 오염이 심각해지고 있다. 아울러 지구의 온도도 높아지고 오존층이 파괴되며 숲이 파괴되는 등 환경 문제는 (　　　　). 사회와 기업이 힘을 모아 갈수록 심각해지는 환경문제를 해결해야 할 때이다.

1. (　　　　)에 들어갈 알맞은 것을 고르십시오.

① 걱정도 팔자다　　② 갈수록 태산이다

③ 불난 집에 부채질한다　　④ 병 주고 약 준다

2. 이 글의 중심 생각을 고르십시오.

① 산업이 발달하면 환경오염이 심해지기 마련이다.

② 환경 문제의 해결을 위해 기업과 사회가 협력해야 한다.

③ 지구 온난화 문제는 시급히 해결되어야 할 과제이다.

④ 기업과 사회는 환경 오염 문제를 보다 심각히 다뤄야 한다.

▶ 解説は314ページへ

4 文の内容把握問題（2）

[4] 다음을 읽고 물음에 답하십시오.

건조한 날씨 때문에 요즘 산불이 많이 나는 것 같다. 어제도 등산객이 피우다 버린 담배 꽁초 때문에 산불이 났다고 한다. 한번 타 버린 산에 나무가 다시 자라려면 오랜 세월이 걸린다. (　　　　) 전에 항상 미리 주의를 해야 할 것이다. 불조심은 아무리 강조해도 지나치지 않는다.

1. (　　　　)에 들어갈 알맞은 것을 고르십시오.

① 하늘의 별 따기　　② 식은 죽 먹기

③ 울며 겨자 먹기　　④ 소 잃고 외양간 고치기

2. 이 글의 중심 생각을 고르십시오.

① 산불 방지를 위해 산에서의 금연을 철저히 실시해야 한다.

② 등산객에게 산불 피해의 중대함을 주지시켜야 한다.

③ 등산객들이 담뱃불에 주의하도록 홍보해야 한다.

④ 건조할 때는 산불이 나지 않도록 최대한의 주의를 해야 한다.

[5] 다음을 읽고 물음에 답하십시오.

나는 채소를 정말 싫어하는데 아침마다 어머니가 채소 주스를 만들어 주신다. 억지로 마시기는 하는데 맛도 써서 너무 힘들다. 아버지도 (　　　　)고 하시면서 건강에 좋으니까 참고 마시다 보면 괜찮을 거라고 하시지만 여전히 마시기가 고통스럽다.

1. (　　　　)에 들어갈 알맞은 것을 고르십시오.

① 달면 삼키고 쓰면 뱉는다　　② 입에 쓴 약이 몸에 좋다

③ 벼룩의 간을 내어 먹는다　　④ 작은 고추가 맵다

▶ 解説は315ページへ

2. 이 글의 중심 생각을 고르십시오.
① 싫어하는 것을 억지로 권하는 것은 바람직하지 않다.
② 주스는 맛이 쓰고 마시기 힘든 것이 몸에 좋은 법이다.
③ 아버지도 채소 주스를 참고 마신 결과 건강해졌다.
④ 싫은 것은 참고 마신다고 해서 익숙해지지는 않는 것 같다.

[6] 다음을 읽고 물음에 답하십시오.

건강에 대한 관심이 높아지면서 남녀노소 할 것 없이 살 빼기에 대한 관심이 높다. 그러나 높은 관심만큼 잘못된 정보나 믿음도 많은 것 같다. 운동은 밤에 해야 살이 빠진다고 믿는 사람들이 많지만 이는 사실과 다르다. 담배를 끊으면 살이 찐다는 것도 잘못된 상식이다. 이런 잘못된 말만 믿고 다이어트를 하면 오히려 (　　　) 있으므로 주의해야 한다.

1. (　　　)에 들어갈 알맞은 것을 고르십시오.
① 몸에 밸 수도　　② 몸이 날 수도
③ 몸이 굳어질 수도　　④ 몸을 버릴 수도

2. 이 글의 중심 생각을 고르십시오.
① 다이어트에 대한 올바른 지식이 요구된다.
② 살빼기를 통해 건강에 대한 관심을 높여야 한다.
③ 살빼기는 건강을 해치므로 조심해야 한다.
④ 건강에 대한 잘못된 정보를 바르게 정정해야 한다.

▶ 解説は316ページへ

4 文の内容把握問題 (2)

[7] 다음을 읽고 물음에 답하십시오.

휴대 전화는 언제 어디서나 사용할 수 있어 편리하다. 그러나 휴대전화는 근본적인 단점이 있다. 전화가 오든 안 오든 항상 (   )는 것이다. 전화가 오면 통화를 해야 해서 힘들고, 전화가 오지 않으면 왜 안 오는지를 걱정해야 한다. 가끔씩 휴대전화를 꺼두고 지내야 정신 건강에 좋을 듯하다.

1. (   )에 들어갈 알맞은 것을 고르십시오.

① 속을 태워야 한다　　② 신경을 써야 한다

③ 마음을 풀어야 한다　　④ 성질을 내야 한다

2. 이 글의 중심 생각을 고르십시오.

① 정신 건강에 해로우므로 휴대전화 사용은 피해야 한다.

② 긴장을 초래하는 휴대전화로부터 가끔 자유로워질 필요가 있다.

③ 휴대전화의 장단점을 이해하고 주의해서 사용해야 한다.

④ 불편하더라도 휴대전화 사용을 멀리하는 것이 좋다.

[8] 다음을 읽고 물음에 답하십시오.

우리는 살아가는 동안 다른 사람의 힘을 빌려야 할 때가있다. 누구든지 부탁을 한번도 해 본 일이 없다고 한다면 그것은 거짓말일 것이다. 그러나 부탁은 하기도 어렵고 거절하기도 어렵다. 무리한 부탁을 하면 남을 곤란하게 하고 거절을 잘못하면 오해를 살 수 있기 때문이다. 어쨌든 (   ) 부탁을 할 수 있는 사람이 있다는 것은 행복한 일이다.

▶ 解説は316ページへ

1. (   )에 들어갈 알맞은 것을 고르십시오.

① 머리를 굽히고　② 말을 트고

③ 마음 놓고　④ 마음을 비우고

2. 이 글의 중심 생각을 고르십시오.

① 어려운 문제가 있으면 주저 말고 다른 사람의 힘을 빌려야 한다.

② 부탁을 거절할 때는 오해를 받지 않도록 조심해야 한다.

③ 무리한 부탁으로 남을 곤란하게 해서는 안 된다.

④ 만약의 경우 편하게 의지할 수 있는 인간관계 형성이 필요하다.

[9] 다음을 읽고 물음에 답하십시오.　(既出 37 回)

운동선수가 실수에 대한 부담감을 가지게 되면 경기에서 좋은 성적을 거두기가 어렵다. 그렇기 때문에 감독은 선수를 지도할 때 실수를 떠올리게 하는 직접적인 말을 (   ) 않아야 한다. 예를 들어 스케이트 선수들은 넘어지면 안 된다는 부담감이 크다. 그러므로 감독은 선수에게 넘어지지 말라는 말 대신에 중심을 잡고 스케이트를 타라고 주의를 주는 것이 좋다.

1. (   )에 들어갈 알맞은 것을 고르십시오.

① 입 밖에 내지　② 눈 감아 주지

③ 한 술 더 뜨지　④ 귓등으로 듣지

2. 이 글의 중심 생각을 고르십시오.

① 감독은 선수가 실수를 반복하지 않도록 지도해야 한다.

② 감독은 선수를 지도할 때 언어를 신중하게 선택해야 한다.

③ 선수는 넘어져도 몇 번이고 다시 일어나려는 의지가 있어야 한다.

④ 선수는 긍정적인 생각을 해서 경기에 대한 부담감을 없애야 한다.

▶ 解説は317ページへ

5 文の内容把握問題（3）

▶▶▶本番の試験【23～24】では2問、各2点の配点で出題される。

[1] 다음을 읽고 물음에 답하십시오. 次を読んで問いに答えなさい。

아내를 만난 것은 지금으로부터 10년 전에 아마존 지역 원주민을 대상으로 환경 다큐멘터리를 제작할 때였다. 아마존에서의 촬영이 끝날 무렵 현지의 통역사가 우리를 자신의 큰딸 졸업 파티에 초대했다. 귀를 찢을 것 같은 라틴음악과 현란한 춤이 가득한 파티였다. 시선 둘 데를 몰라 허둥대는데, 굉장한 미인이 눈에 띄였다. 호리한 몸매에 큰 눈, 상냥한 미소. 그녀도 나를 보고 있었다. 옆에 있던 볼리비아 친구가 달라진 내 눈빛을 눈치챘는지 춤이나 청하라고 나를 부추겼다. 다행히 그녀는 내 청을 거절하지 않았다. 하지만 말이 통하지 않았던지라 이름이 '레일라' 라는 것만 겨우 알 수 있었다. 그 날을 계기로 몇 번 더 그녀를 만났다. 그리고 얼마 후 아쉬움을 가득 남긴 채 나는 한국으로 돌아왔다. 한국에 와서도 그녀에 대한 생각이 머릿속에서 떠나지 않았다.

1. 밑줄 친 부분에 나타난 나의 심정으로 알맞은 것을 고르십시오.
下線部に表れた私の心情として適切なものを選びなさい。

① 시끄럽다　　② 어지럽다
③ 창피하다　　④ 당황스럽다

2. 이 글의 내용과 같은 것을 고르십시오.
この文の内容と同じものを選びなさい。

① 아내 될 사람은 통역사의 큰딸로 원주민 출신 여성이었다.
② 아내 될 사람은 그녀의 졸업파티 취재 때 처음 만났다.
③ 아내 될 사람을 처음 만났을 때는 서로 말이 통하지 않았다.
④ 아내 될 사람은 볼리비아 친구의 소개로 만났다.

➡1. の問題によく出る心情を表す語彙のリストは合格資料13（p.135）を参照。

[2] 다음을 읽고 물음에 답하십시오.

군대에서 근무지에 처음 배속되었을 때 내가 가장 우려했던 것은 좋아하는 기타를 칠 수 있느냐 없느냐였다. 그래서 실내에 들어서자마자 나는 기타가 있는지부터 먼저 둘러보았다. 그러나 눈 씻고 봐도 기타가 보이지 않았다. 앞으로 살아갈 일이 막막하게 느껴졌다. 취미가 뭐냐는 질문에 "기타 치는 것을 좋아합니다"라고 대답하자, 누군가 한 사람을 데려왔다. 그의 손에는 기타가 들려 있었다. 그는 제대를 몇 달 앞둔 사람이었다. 그는 나에게 아무거나 연주해 보고 싶은 곡을 쳐 보라고 권했다. 나는 딱히 생각나는 곡이 없어서 평이한 블루스 곡을 쳤다. 그 곡이 마음에 들었는지, 그는 그 날 이후 시간이 날 때면 나를 불러 기타 연주를 할 수 있게 해 주었다. 우리는 음악에 관해 이야기하고 함께 연주하는 시간까지 가졌다.

1. 밑줄 친 부분에 나타난 나의 심정으로 알맞은 것을 고르십시오.

① 허전하다　　② 우울하다
③ 시시하다　　④ 안타깝다

2. 이 글의 내용과 같은 것을 고르십시오.

① 근무지에서 기타를 칠 수 없을까 봐 걱정을 많이 했었다.
② 군대에 기타를 가져갈 수 없어서 절망적인 기분이 되었다.
③ 나는 평이한 블루스 곡을 연주하는 것을 좋아한다.
④ 제대를 앞둔 사람에게 기타를 빌려 달라고 부탁했다.

▶ 解説は318ページへ

5 文の内容把握問題 (3)

[3] 다음을 읽고 물음에 답하십시오.

"다음 주 월요일에 시험을 볼 거니까, 공부 열심히 하세요." 개강한 지 3주 만에 시험을 본다니 다들 한숨을 내쉰다. 그와 동시에 학생들의 얼굴에는 어떻게 시험을 준비해야 하는지 난감해 하는 표정이 나타난다. 그도 그럴 것이 2학년이 되어서 처음으로 한국인 선생님으로부터 시험을 보게 되니 그들 나름대로 궁금한 것들이 많을 것이다. 학생들은 할 수 있는 모든 한국어를 동원해 질문해 댄다. 궁금해하는 것들에 차근히 대답을 해 주고, 다시 한번 공부 열심히 하라고 당부를 한다. 학생들은 '두려움 반, 기대 반'의 표정으로 교실을 떠난다. 이런 느낌은 학생들뿐만이 아니다. 가르치는 나로서도 학생들이 '잘 알아 들었겠지' 하는 기대감과 혹시나 '시험 점수가 너무 낮게 나오면 어쩌지?' 하는 두려움에 싸이게 된다. 그러니 '기대 반, 두려움 반' 이란 말은 나에게도 해당하는 말이 된다.

1. 밑줄 친 부분에 나타난 나의 심정으로 알맞은 것을 고르십시오.
   ① 부럽다　　② 당황스럽다
   ③ 속상하다　　④ 불안하다

2. 이 글의 내용과 같은 것을 고르십시오.
   ① 학생들은 시험에 대해 한국말로 유창하게 질문을 했다.
   ② 학생들은 개강한 지 얼마 안 돼 시험을 본다고 불평을 한다.
   ③ 학생들이나 선생님이나 시험에 대해 불안하기는 마찬가지다.
   ④ 처음으로 수업을 받는 선생님의 시험은 긴장하게 마련이다.

▶ 解説は319ページへ

[4] 다음을 읽고 물음에 답하십시오. (既出 35 回)

내가 운영하는 회사의 사정이 점점 더 어려워졌다. 공장에 불이 나서 피해를 입은 데다가 매출까지 크게 감소한 것이다. 어쩔 수 없이 직원 수를 줄여야 했다. 나는 직원들을 한자리에 불러 모아 놓고도 한참을 아무 말도 할 수 없었다. 눈을 지그시 감고 겨우 입을 떼려는 순간 "사장님!" 한 직원이 나를 불렀다. 그 직원은 흰 봉투를 내 앞으로 내밀면서 말했다.

"그동안 어려운 회사 살림 때문에 고생 많으셨습니다. 어려워진 회사에 도움이 될까 싶어서 저희들이 월급의 10퍼센트씩을 모았습니다. 적은 돈이지만 회사 운영에 도움이 되었으면 합니다."

순간 나는 마치 천하를 얻은 듯 마음이 든든해졌다.

1. 밑줄 친 부분에 나타난 나의 심정으로 알맞은 것을 고르십시오.

① 곤란하다　② 섭섭하다

③ 부끄럽다　④ 당황하다

2. 이 글의 내용과 같은 것을 고르십시오.

① 화재가 발생한 후 회사의 사정이 좋아졌다.

② 나는 회사에서 일할 새로운 직원들을 뽑았다.

③ 직원들이 월급의 일부를 걷어 회사를 도왔다.

④ 흰 봉투 안에는 직원들이 쓴 편지가 들어 있었다.

▶ 解説は319ページへ

第3章
読解編（3）
上級前半

1 出題類型と内容 …… 162

2 問題類型別分析と対策 …… 163

1. 新聞見出しの意味把握問題 …… 172
2. 文の空所補充問題 …… 176
3. 文の内容一致問題 …… 180
4. 文の主題把握問題 …… 184
5. 脱落文挿入問題 …… 188

TOPIKⅡ					
時限	科目	問題数	形式	時間	配点
1	聞き取り	50問	4択式	60分	100点
	作文	4問	記述式	50分	100点
2	読解	50問	4択式	70分	100点
等級別判定		3級	4級	5級	6級
		120点以上	150点以上	190点以上	230点以上

読解（3）問題

❶ 出題類型と内容

読解問題５０問中２５番～５０番までは上級レベルの問題で構成されている。

この章で取り上げる上級前半の25番～41番までの問題は、

❶ 新聞の見出しを読んでその意味を的確に説明したものを選ぶ問題、

❷ 文章を読んで文中の空所に入る語句を選ぶ問題、

❸ 文章を読んでその内容と一致するものを選ぶ問題、

❹ 文章を読んでその主題を選ぶ問題、

❺ 文章を読んで脱落文の挿入場所を選ぶ問題、

の形式で構成されている。この上級前半の問題では、空所補充と脱落文挿入が7問、内容一致と主題把握の問題が7問と特に大きな比重を占めている。

区分	本試験25番～41番までの問題：類型と内容	問題数と配点
1	新聞見出しの意味把握問題【25~27】 新聞の見出しを読んでその意味を的確に説明したものを選ぶ。	3問×２点
2	文の空所補充問題【28~31】 文章を読んでその文中の空所に入る語句を選ぶ。	4問×２点
3	文の内容一致問題【32~34】 文章を読んでその文の内容と一致するものを選ぶ。	3問×２点
4	文の主題把握問題【35~38】 文章を読んでその文の主題として適切なものを選ぶ。	4問×２点
5	脱落文挿入問題【39~41】 文章を読んで脱落文を挿入する場所として適する空所を選ぶ。	3問×２点
※5つの問題類型、問題総数17問、配点は各2点で出題。		

② 問題類型別分析と対策

問題類型1 新聞見出しの意味把握問題

新聞見出しを問題文として提示し、その見出しから読み取れる内容として適切に説明されているものはどれかを選ぶ問題【25～27】が3問出題される。新聞の見出しは特性上短く要約された構造になっているので、含み持っている記事の内容をキーワードになる単語から類推しなければならない。キーワードになる単語の意味と選択肢に出ている説明の異同を比較しながら正答を選べば良い。

読解問題全般に言えることだが、長い文章の意味と文脈を素早く理解するためには普段から新聞記事などの多様な文章を読む訓練を通してさまざまな語彙と表現に慣れておく必要がある。

既出 60回	※다음 신문 기사의 제목을 가장 잘 설명한 것을 고르십시오. (각2점) 출산율 또 하락, 정부 대책 효과 없어 ① 정부가 대책을 세워 노력했으나 출산율은 다시 떨어졌다. ② 정부는 출산율이 낮아지지 않도록 효과적인 정책을 마련하였다. ③ 정부의 정책 중 시급히 개선되어야 할 부분이 출산 관련 정책이다. ④ 출산과 관련한 정부의 지원이 축소되자 출산율이 급격히 낮아졌다.
正解	①
解説	※次の新聞記事のタイトルを最もよく説明したものを選びなさい。(各2点) 出生率また下落、政府の対策効果なく ① 政府が対策を立てて努力したが、出生率は再び落ちた。 ② 政府は出生率が低くならないように効果的な政策を用意した。 ③ 政府の政策の中で至急改善しなければならない部分が出産関連の政策だ。 ④ 出産と関連した政府の支援が縮小すると出生率が急激に低くなった。

合格資料 14 新聞見出しの意味把握問題の既出例

※1）幅広い語彙力が求められる。既出例を丹念に読んでみよう。　※2）解説は320ページへ

既出	問題文
37回	【問】중부 지방 비 오락가락, 내일까지 이어져 【答】중부 지방은 내일까지 비가 내렸다 그쳤다를 반복할 것이다.
	【問】영화 '사랑', 기대감 속에 개봉 첫날 관객 수 오만 넘어 【答】영화 '사랑' 에 대한 기대감이 높아 오만 명이 관람하였다.
	【問】대형 마트 불황, 재래시장 매출은 나 홀로 '쑥쑥' 【答】대형 마트는 매출에 어려움이 있지만 재래시장은 매출이 올랐다.
36回	【問】뮤지컬로 만나는 드라마, 볼거리 많아져 【答】드라마가 뮤지컬로 만들어져 즐길 수 있는 것이 많아졌다.
	【問】배구팀 '젊은 옷' 갈아입고 훨훨 날다 【答】배구팀이 젊은 선수로 바뀐 후 경기 결과가 좋아졌다.
	【問】새 부동산 정책, 효과 놓고 의견 엇갈려 【答】새 부동산 정책의 효과에 대해 사람들의 의견이 나뉘었다.
35回	【問】한쪽으로 메는 가방, 허리 건강 '빨간 불' 【答】가방을 계속 같은 방향으로 메면 허리 건강에 좋지 않다.
	【問】독특한 모양의 간판, 지나가는 사람들의 시선 끌어 【答】색다른 모양의 간판이 사람들의 눈길을 사로잡고 있다.
	【問】취업률 석 달째 제자리걸음, 정부의 현실적인 대책 필요해 【答】취업률을 높일 수 있는 정부의 실현 가능한 대책이 요구된다.
34回	【問】얼어붙은 봄, 환자들 병원에 북적대 【答】쌀쌀한 봄 날씨에 병원을 찾는 환자들이 많아지고 있다.
	【問】농번기 농촌 일손 부족, 도시민 발 벗고 나서 【答】도시민이 적극적으로 나서서 농촌의 부족한 일손을 돕고 있다.
33回	【問】도보 여행 열풍, 휴일 여행객 늘어 【答】걷기 여행이 인기를 끌면서 휴일 여행객이 증가하고 있다.
	【問】톡톡 튀는 상품명, 소비자 사로잡아 【答】개성적인 이름을 가진 상품이 소비자들에게 선택을 받는다.
32回	【問】우윳값 인상, 유제품 가격에 줄줄이 영향 【答】우윳값이 올라 유제품의 가격도 잇따라 오르고 있다.
	【問】산업 폐기물, 재활용 가구로 다시 태어나 【答】산업 폐기물이 가구로 만들어져 활용되고 있다.

31回	【問】신선한 소재로 드라마 시청률 껑충 【答】새로운 소재 덕분에 드라마를 보는 사람들이 크게 늘었다. 【問】여행 성수기, 비행기 표 구입 '하늘의 별 따기' 【答】사람들이 여행을 많이 가는 시기여서 비행기 표를 구하기가 매우 힘들다.
30回	【問】오랜만의 단비, 농민들 걱정 끝 【答】기다리던 비가 내려서 농민들의 걱정이 없어졌다. 【問】배추 출하량 감소, 배춧값 크게 올라 【答】시장에 공급되는 배추 양이 줄어서 배추 가격이 큰 폭으로 올랐다.
29回	【問】황금연휴, 세계 박람회 관람객 넘쳐 【答】연휴가 계속되면서 세계 박람회를 찾는 사람들이 많았다. 【問】아빠의 입김으로 완구 시장 변화 【答】장난감 시장의 변화에 아빠들의 의견이 큰 영향을 주고 있다.
28回	【問】축구 대표팀 휴가 반납, 훈련에 몰두 【答】축구 대표팀 선수들은 휴가도 포기한 채 훈련에만 전념하고 있다. 【問】올해 설악산 단풍 축제 53만 명 다녀가, 역대 최고 인파 【答】설악산 단풍 축제가 생긴 이래 올해 가장 많은 인원인 53만 명이 몰려들었다.
27回	【問】불우 이웃 돕기 성금, 눈 깜짝할 새 1억 원 돌파 【答】불우 이웃을 돕기 위한 성금이 순식간에 1억 원을 넘어섰다. 【問】딱딱한 졸업식은 이제 그만, 이색 행사 만발 【答】형식적이던 졸업식이 여러 가지 특별한 행사들로 다채로워지고 있다.
26回	【問】예년보다 포근한 날씨, 봄꽃 개화 당겨 【答】평년에 비해 기온이 높아서 봄꽃이 피는 시기가 빨라졌다. 【問】유가 급등, 물가 관리 '빨간 불' 【答】기름 값이 급격히 올라서 물가 관리에 어려움을 겪을 것으로 예상된다.
25回	【問】한국 영화 줄줄이 흥행, 극장가 북적 【答】한국 영화가 잇따라 흥행에 성공하여 극장가가 붐비고 있다. 【問】정부의 보험료 인하 요구에 보험업계 울상 【答】정부로부터 보험료를 낮추라는 요구를 받고 보험업계가 매우 곤란해하고 있다.
24回	【問】때 이른 더위, 여름 상품 매출은 연일 상승 곡선 【答】더위가 일찍 시작됨에 따라 여름 상품의 판매량이 나날이 늘고 있다. 【問】건설사 아파트 할인 분양, 수요자 반응 썰렁 【答】건설사들이 아파트를 싸게 내놓았으나 수요자들은 외면했다.

問題類型2　文の空所に入るものを選ぶ問題

文章を読んで文中の空所に入る内容として適切なものを選ぶ問題【28~31】が4問出題される。文脈を的確に理解しているかが問われる問題で文の論理的な流れをしっかり把握しなければならない。空所の内容に関係する理由、原因、対比、結論、説明などは空所の前後に出てくる場合が多い。

空所の前後の内容と選択肢を比較して文脈関係が正しいかを確認するようにしよう。

既出 52回

※다음을 읽고 (　　)에 들어갈 내용으로 가장 알맞은 것을 고르십시오. (각 2점)

> 최근 일부 대기업을 중심으로 '기업 쪼개기'가 이루어지고 있다. 이는 (　　) 의도에서 비롯된 것이다. 그동안 대기업들은 큰 몸집 탓에 복잡한 결재 절차를 거쳐야 했다. 그런데 최근 시장 환경이 급변하면서 의사 결정 속도가 곧 기업의 경쟁력인 시대가 되었다.이에 기업들은 계열사를 독립적인 회사로 분리하고 각 회사에 최종 결정 권한을 넘김으로써 시장 변화에 신속히 대처하고 있다.

① 회사의 이미지를 바꾸려는　② 시장의 흐름을 변화시키려는
③ 기업 간에 정보를 공유하려는　④ 의사 결정 단계를 단순화하려는

正解　④

解説

※次を読んで（　　）に入る内容として最も適切なものを選びなさい。（各2点）

> 最近一部の大企業を中心に「企業分割」が行われている。これは（　　）意図から始まったのである。これまで大企業は規模が大きいせいで複雑な決裁の手続きを経なければならなかった。ところが最近市場環境が急変するにつれて意思決定のスピードがすなわち企業の競争力である時代になった。これによって企業は系列会社を独立的な会社に分離し、各会社に最終決定の権限を渡すことで市場の変化に迅速に対処している。

① 会社のイメージを変えようとする
② 市場の流れを変化させようとする
③ 企業の間で情報を共有しようとする
④ 意思決定の段階を単純化しようとする

問題類型3 文の内容と一致するものを選ぶ問題

文章を読んで文の内容と一致する選択肢を選ぶ問題【32～34】が3問出題される。文全体の内容に対する理解が求められる問題である。先に選択肢に出てくる語彙の異同を確認してから問題文の内容と比較していくと、内容が一致しているかどうかがチェックしやすい。

既出37回

※다음을 읽고 내용이 같은 것을 고르십시오. (각 2점)

> 한 회사가 사내 커피숍을 장애인 단체에 위탁하여 운영하도록 하고 있다.커피숍의 모든 직원들은 장애인 단체에서 마련한 직업 교육 프로그램에 참여한 사람들이다. 이들은 커피숍에서 주문을 받거나 빵을 만드는 일을 담당하고 있다. 이러한 사업 방식은 장애인들에게 일할 수 있는 기회를 제공한다는 점에서 긍정적으로 평가된다. 회사는 앞으로 이 사업을 확대해 장애인들의 자립을 도울 예정이다.

① 위탁 사업에 대해 걱정하는 사람들이 많다.
② 커피숍에서 일하는 사람들은 회사의 직원들이다.
③ 회사는 더 많은 장애인 단체에 일을 맡길 계획이다.
④ 커피숍의 직원들은 회사가 제공하는 직업 교육을 받았다.

正解 ③

解説

※次を読んで内容が同じものを選びなさい。(各2点)

> ある会社は社内のコーヒーショップを障害者団体に委託して運営するようにしている。コーヒーショップのすべての職員は障害者団体で設けた職業教育プログラムに参加した人たちだ。彼らはコーヒーショップで注文を受けたりパンを作ったりする仕事を担当している。このような事業方式は障害者たちに働ける機会を提供するという点で肯定的に評価される。会社はこれからこの事業を拡大して障害者たちの自立を助ける予定だ。

① 委託事業について心配する人たちが多い。
② コーヒーショップで働く人たちは会社の職員たちだ。
③ 会社はもっと多くの障害者団体に仕事を任せる計画だ。
④ コーヒーショップの職員たちは会社が提供する職業教育を受けた。

問題類型4 文の主題を把握する問題

文章を読んで文の主題を表す選択肢を選ぶ問題【35～38】が4問出題される。この問題を効率よく答えるには、❶先に選択肢に重複して出てくる語彙をチェックして文の内容を推測し、❷文の主題が集約されやすい問題文の最初と最後の数行を読むことで文全体を精読することなく主題を把握することができる。最初と最後の文章を読んでも主題が把握しにくい場合は各段落順に読み進めながら不正解の選択肢を排除していくようにする。

既出36回

※다음 글의 주제로 가장 알맞은 것을 고르십시오. (각 2점)

> 단순히 신맛을 내는 조미료 정도로만 여겨졌던 식초가 피로 회복이나 혈압 조절,피부 미용 등에 효능이 있다는 것이 입증되면서 판매량이 늘고 있다. 이에 힘입어 식초업계에서는 맛과 향을 다양화해 선택의 폭을 넓히고 식초 음료를 개발하는 등 식초의 대중화를 위해 노력하고 있다. 그 결과 식초의 시장 점유율은 꾸준히 상승하고 있다. 건강이나 미용 외에 청소나 세척 등 일상생활에서의 활용도가 높아진 것도 판매량 증가에 일조했다.

① 식초의 맛과 향의 종류가 많아졌다.
② 식초 시장의 규모가 성장하고 있다.
③ 식초의 다양한 효능이 입증되고 있다.
④ 식초가 건강식품으로 주목 받고 있다.

正解 ②

解説 ※次の文の主題として最も適切なものを選びなさい。(各2点)

> 単純に酸味を出す調味料程度として思われた食酢が疲労回復や血圧の調節,皮膚の美容などに効能があるというのが立証されてから販売量が増えている。これを弾みとして食酢業界では味と香を多様化して選択の幅を広げ、食酢飲料を開発するなど食酢の大衆化のために努力している。その結果、食酢のマーケットーシェアはコンスタントに上昇している。健康や美容のほかに掃除や洗浄など日常生活での活用度が高くなったことも販売量増加の一助となった。

① 食酢の味と香の種類が多くなった。
② 食酢市場の規模が成長している。
③ 食酢の多様な効能が立証されている。
④ 食酢が健康食品として注目されている。

問題類型5 脱落文を挿入する問題

文章を読んで脱落文の挿入場所として適切な空所を選ぶ問題【39～41】が3問出題される。問題を解くには、❶先に〈보기〉の脱落文を読んでキーワードになる語彙は何か、具体例か一般論か、逆接か順接か、問題を提起しているか結論付けているかを確認し、❷文中の空所に〈보기〉の文を入れて論理的な流れに符合するかを確認する。この時〈보기〉や空所の前後の文に指示語や接続詞があれば特に注意して論理的な流れを確かめなければならない。

既出 60回

※다음 글에서 〈보기〉의 문장이 들어가기에 가장 알맞은 곳을 고르십시오. (각 2점)

> 도시의 거리는 온통 상점으로 가득 차 있다. (㉠) 하지만 상점은 거리에 활력을 불어넣어 걷고 싶은 거리를 만드는 데 중요한 역할을 한다. (㉡) 상점은 단순히 물건을 파는 공간이 아니라 보행자들에게 볼거리와 잔재미를 끊임없이 제공하는 거대한 미술관이 되어 준다. (㉢) 또 밤거리를 밝히는 가로등이며 보안등이자 거리의 청결함과 쾌적함을 지켜 주는 파수꾼이 되기도 한다. (㉣)

〈보기〉

> 상업적 공간으로 채워진 거리를 보며 눈살을 찌푸리는 이들도 많다.

① ㉠　② ㉡　③ ㉢　④ ㉣

正解

①

解説

※次の文で〈보기〉の文章が入るのに最も適切なところを選びなさい。(各2点)

> 都会の街はすべて商店で埋め尽くされている。(㉠)しかし商店は街に活力を吹き込んで歩きたい街を作るのに重要な役割をする。(㉡)商店は単純に商品を売る空間ではなく、歩行者に見どころと楽しみを絶えず提供する巨大な美術館になってくれる。(㉢)また夜の街を明るく照らす街灯であり、防犯灯、または町の清潔さと快適さを守ってくれる見張り番でもあったりする。(㉣)

〈보기〉

> 商業的な空間で埋め尽くされた街を見て眉をひそめる人も多い。

① ㉠　② ㉡　③ ㉢　④ ㉣

第3章　練習用正答チェックシート

✎ 練習問題を解きながら正答チェック用に使用してください。複数回練習ができるようにコピーをして使用することをお勧めします。

問題番号	正答チェック欄	問題番号	正答チェック欄
1	新聞見出しの意味把握問題	7	[1]　[2]　[3]　[4]
1	[1]　[2]　[3]　[4]	8	[1]　[2]　[3]　[4]
2	[1]　[2]　[3]　[4]	9	[1]　[2]　[3]　[4]
3	[1]　[2]　[3]　[4]	3	文の内容一致問題
4	[1]　[2]　[3]　[4]	1	[1]　[2]　[3]　[4]
5	[1]　[2]　[3]　[4]	2	[1]　[2]　[3]　[4]
6	[1]　[2]　[3]　[4]	3	[1]　[2]　[3]　[4]
7	[1]　[2]　[3]　[4]	4	[1]　[2]　[3]　[4]
8	[1]　[2]　[3]　[4]	5	[1]　[2]　[3]　[4]
9	[1]　[2]　[3]　[4]	6	[1]　[2]　[3]　[4]
10	[1]　[2]　[3]　[4]	7	[1]　[2]　[3]　[4]
11	[1]　[2]　[3]　[4]	8	[1]　[2]　[3]　[4]
12	[1]　[2]　[3]　[4]	9	[1]　[2]　[3]　[4]
13	[1]　[2]　[3]　[4]	4	文の主題把握問題
14	[1]　[2]　[3]　[4]	1	[1]　[2]　[3]　[4]
2	文の空所補充問題	2	[1]　[2]　[3]　[4]
1	[1]　[2]　[3]　[4]	3	[1]　[2]　[3]　[4]
2	[1]　[2]　[3]　[4]	4	[1]　[2]　[3]　[4]
3	[1]　[2]　[3]　[4]	5	[1]　[2]　[3]　[4]
4	[1]　[2]　[3]　[4]	6	[1]　[2]　[3]　[4]
5	[1]　[2]　[3]　[4]	7	[1]　[2]　[3]　[4]
6	[1]　[2]　[3]　[4]	8	[1]　[2]　[3]　[4]

練習用正答チェックシート

問題番号	正答チェック欄	問題番号	正答チェック欄
9	[1]　[2]　[3]　[4]		
5	脱落文挿入問題		
1	[1]　[2]　[3]　[4]		
2	[1]　[2]　[3]　[4]		
3	[1]　[2]　[3]　[4]		
4	[1]　[2]　[3]　[4]		
5	[1]　[2]　[3]　[4]		
6	[1]　[2]　[3]　[4]		
7	[1]　[2]　[3]　[4]		
8	[1]　[2]　[3]　[4]		

1 新聞見出しの意味把握問題

▶▶▶本番の試験【25～27】では3問、各2点の配点で出題される。

※ 다음 신문 기사의 제목을 가장 잘 설명한 것을 고르십시오.
次の新聞記事のタイトルを最も的確に説明したものを選びなさい。

1.

더위 여전한 임시공휴일… 전국 소나기 소식도

① 더위로 말미암아 임시 휴일이 설정된 가운데 소나기가 내릴 전망이다.
② 임시 공휴일인 오늘 전국에서 소나기 소식이 들리지만 더위는 변함 없다.
③ 임시 휴일인 오늘은 더위의 영향으로 전국적으로 소나기가 오겠다.
④ 임시 공휴일인 오늘 더위가 심한 탓에 전국적으로 소나기가 오고 있다.

2.

'꽁꽁' 얼어붙은 소비심리… 숙박·음식점 휘청

① 계속된 추위로 소비자들이 여행이나 외식을 억제하고 있다.
② 소비자들의 소비가 위축되어 호텔이나 음식점들의 도산이 늘고 있다.
③ 소비 심리가 위축돼 숙박업소나 음식점들이 큰 어려움을 겪고 있다.
④ 한파의 영향으로 소비가 축소돼 호텔이나 음식점 경기가 좋지 않다.

3.

오피스텔 치솟는 인기… 시세는 뚝뚝

① 오피스텔의 인기가 상승함에 따라 시세도 크게 오르고 있다.
② 오피스텔이 고층화 될수록 인기가 높아지고 가격도 비싸진다.
③ 오피스텔의 인기가 치솟고 있지만 가격은 특별히 변동이 없다.
④ 오피스텔의 인기에 반해서 시세는 크게 떨어지고 있다.

➡【解説編】はダウンロードして別冊としてご利用できます。リンク先案内は14ページへ

4.

잘 팔리고 더 오르고… 소형아파트 인기 여전

① 소형아파트의 인기에 편승해서 팔 때마다 가격을 올리고 있다.
② 소형 아파트의 인기가 높아져 매매가 증가하고 가격이 상승하고 있다.
③ 잘 팔리는 탓에 값이 비싸져 소형아파트의 인기에 그늘이 지고 있다.
④ 매매도 잘 되고 값도 오르는 등 소형 아파트의 인기가 계속되고 있다.

5.

“고객님, 떠나지 마오” 은행들, 파격혜택 상품

① 고객들을 붙잡아 두려고 은행들이 조건이 좋은 금융상품을 마련했다.
② 은행들은 고객들이 떠나지 않도록 고급스런 경품을 제공하고 있다.
③ 고객들의 이탈을 막기 위해 은행들이 파격적인 이율을 제시하고 있다.
④ 은행들의 파격적인 대우에도 불구하고 고객들의 이탈이 이어지고 있다.

6.

매매는 폭발, 집값은 잠잠… 부동산 왜 이러죠?

① 폭발적인 매매로 인해 집값이 급등해 부동산 경기가 악화되었다.
② 부동산이 매매는 잘 되나 시세는 오르지 않는 묘한 상황에 있다.
③ 활발한 매매에도 불구하고 값이 안 올라 부동산 시장이 침체돼 있다.
④ 부동산 수요가 늘고 시세가 폭등하는 의외의 현상이 일어나고 있다.

▶ 解説は322ページへ

1 新聞見出しの意味把握問題

7.

택시, 버스·승용차 추돌… 전신주 쓰러져 정전

① 택시, 버스, 승용차가 전봇대에 부딪쳐서 정전이 됐다.
② 자동차 충돌 사고로 전신주가 부러지고 정전이 발생했다.
③ 전신주가 쓰러져 정전이 되는 바람에 택시가 앞 차를 추돌했다.
④ 택시가 버스와 승용차를 들이받는 바람에 전주가 쓰러져 정전이 됐다.

8.

5월 전국 월세 제자리걸음… 6개월 연속 보합

① 5월도 전국적으로 월세가 하락하여 6개월간 하락세가 지속되고 있다.
② 5월부터 연속 6개월간 집값이 오르지 않고 하락하고 있다.
③ 5월까지 6개월간 계속해서 월세가 크게 변동이 없는 상태다.
④ 5월까지 6개월 동안 전국적으로 월세의 연체가 늘고 있다.

9.

'수포자' 막기… 초등생 복잡한 계산 교과서에서 뺀다

① 수학에 흥미가 없는 초등생에게 복잡한 계산문제를 강요하면 안 된다.
② 수학 포기자를 없애기 위해 초등학교 교과서를 개정한다.
③ 수학을 싫어하는 초등학생에게는 복잡한 계산 문제를 면제해야 한다.
④ 초등생이 수학에 흥미를 붙일 수 있도록 교과서를 만들어야 한다.

10.

주택 경기 살아났다지만…이사 업계 '울상' 여전

① 주택 경기와는 상관없이 이사 업계의 경영에는 문제가 많다.
② 주택 경기가 좋아질수록 이사 업계는 어려움이 많다고 한다.
③ 주택 경기는 좋아졌지만 이사 업계는 여전히 경영이 어렵다.
④ 주택 경기가 활성화돼도 이사 업계는 여전히 비효율적이다.

▶ 解説は323ページへ

11.

서울 첫 폭염경보… 전국 대부분서 폭염 맹위

① 전국에서 처음으로 서울이 폭염에 대한 경보를 발령했다.
② 서울을 비롯한 전국에서 더위가 맹위를 떨치고 있다.
③ 서울에서 경보가 발령됨에 따라 전국이 본격적인 여름철에 들어섰다.
④ 불볕 더위로 인해 서울을 비롯한 전국에 폭염 경보가 발령됐다.

12.

약값 깎기만 하면 신약개발은 누가 하나

① 약값을 깎아야 더 싼 신약을 개발할 수 있다.
② 약값을 줄일 수 있도록 값싼 신약을 개발해야 한다.
③ 신약을 개발하기 전까지는 약값을 깎아서는 안 된다.
④ 신약 개발을 위해서는 적정한 약값을 유지할 필요가 있다.

13.

폭염보다 더 짜증나는… 아파트 실외기 소음

① 불볕 더위도 싫지만 실외기 소음도 듣기 피곤하다.
② 아파트 실외기에서 나는 소음 때문에 여름이 고통스럽다.
③ 더위도 더위지만 실외기 소음이 무엇보다 더 짜증 난다.
④ 더위에 지쳤을 때는 실외기 같은 사소한 소음이라도 짜증스럽다.

(既出 41 回)

14.

마을 어르신들이 '지킴이' 역할 톡톡히, 주민 얼굴에 웃음 가득

① 노인들은 마을 주민들의 도움에 만족해하고 있다.
② 노인들은 마을 주민들의 도움으로 즐겁게 일하고 있다.
③ 주민들은 안전을 위해 애쓰는 마을 노인들 덕에 기분이 좋다.
④ 주민들은 일을 잘하려고 노력하는 노인들에게 감사해하고 있다.

▶ 解説は324ページへ

2 文の空所補充問題

▶▶▶本番の試験【28～31】では4問、各2点の配点で出題される。

※ 다음을 읽고 (　　)에 들어갈 내용으로 가장 알맞은 것을 고르십시오. 次を読んで(　　)に入る内容として最も適切なものを選びなさい。

1.

몸에서 일어나는 변화는 마음의 능력도 저하시킬 수 있다. 대표적인 사례는 뇌 안에서 (　　　　) 현상이다. 물이 충분하지 못하면 뇌세포가 오그라들면서 뇌 조직이 수축되어 정보를 제대로 처리할 수 없게 된다. 젊은이는 기억이나 집중력이 손상되지만 나이 든 사람은 건망증이나 언어 장애가 나타난다. 10살 안팎 어린이의 경우 시험 보기 전에 물을 한 잔만 마셔도 시험 성적이 더 좋게 나온다는 실험 결과가 발표되었다.

① 뇌세포가 점차 수축되는　　② 정보 처리가 잘 안 되는
③ 물이 부족할 때 발생하는　　④ 뇌 조직의 손상이 진행되는

2.

숲은 새와 야생동물들이 편히 살 수 있는 보금자리와 먹이를 제공하고 도시의 사람들에게는 맑은 공기와 편안한 쉼터를 만들어 준다. 숲의 나무는 집이나 가구 등을 만들 때 사용하는 목재의 원료가 될 뿐만 아니라 종이를 만드는 펄프의 원료가 되기도 한다. 뿐만 아니라 숲은 (　　　　) 가뭄에도 땅이 마르지 않게 하는 역할을 하고 비가 한꺼번에 내려도 산에서 흙이 흘러내려가는 것을 막아서 산사태를 방지한다.

① 안개를 통해 끊임없이 수분을 축적하므로
② 나뭇잎과 뿌리에 빗물을 저장하여
③ 햇빛을 차단해 물이 증발하지 않으므로
④ 빗물을 머금었다가 천천히 흘려보내서

▶ 解説は325ページへ

3.

해수 담수화 기술의 원리는 의외로 간단하다. 바닷물에서 염분과 불순물을 제거하기 위해 먼저 바닷물을 끓인다. 이때 나오는 (　　　　) 담수가 된다. 추운 날 자동차 유리창에 이슬이 맺히는 것과 같은 원리이다. 이러한 방식에 필요한 증발기는 커다란 덩치를 자랑하는데, 대략 축구장 하나 정도 크기가 된다.

① 염분을 빼고 수분만 남기면　② 불순물과 염분을 분리하면
③ 증기로 불순물을 걸러내면　④ 수증기를 다시 응축시키면

4.

인공강우는 인위적인 방법을 이용해서 비를 만드는 것이지만, 아무 때나 가능한 것은 아니다. 구름 한 점 없이 바짝 마른 날에는 인공강우가 절대 불가능하다. (　　　　) 갑자기 만들어 낼 수는 없기 때문이다. 인공강우는 구름 속 수분을 얼음 조각이나 빗방울로 변환시키는 것이므로 인공강우를 위해서는 충분한 양의 수분을 머금고 있는 구름이 있어야만 한다.

① 수분이 없이 구름을　② 빗방울이나 얼음 조각을
③ 대기 중에 없던 수분을　④ 비가 내릴 만큼 충분한 수분을

5.

기온과 습도가 높은 여름에는 식중독이 발생하기 쉽다. 기상청이 제공한 식중독지수를 참고하면 여름철 질병을 효과적으로 예방할 수 있다. 식중독지수는 과거 식중독 발생 지역의 온도와 습도를 기초로 (　　　　) 가능성을 숫자로 나타낸 것이다. 식중독지수가 높은 날에는 음식물 보관에 더욱 신경을 써야하겠다.

① 온도별 습도별 계절별 식중독 발생
② 특정 온도와 습도에서 식중독이 발생할
③ 특정 음식물에서 식중독에 걸릴
④ 온도와 습도별로 음식물이 상할

▶ 解説は325ページへ

3 読解編 (3)

❷ 文の空所補充問題

6.

> 우리 몸속 세포들이 살아갈 수 있는 것은 혈액 덕분이다. 혈액은 몸 전체에 퍼져 있는 혈관을 타고 몸속을 돌아다니며 작은창자와 폐에서 얻은 영양소와 산소를 각 세포에 운반한다. 또 몸속 세포 이곳저곳에서 생긴 노폐물과 이산화탄소를 배설 기관으로 옮긴다. 혈액을 (　　　　) 기관은 바로 심장이다. 심장은 자신의 주먹 정도의 크기인데 펌프 작용으로 온몸에 피를 보낸다.

① 보내 혈관과 세포를 활성화시키는
② 걸러내서 깨끗한 피로 바꿔주는
③ 만들어서 몸속 세포에 공급하는
④ 온몸으로 순환시키는 역할을 하는

7.

> 직업상 장시간 앉아서 일해야 한다면, 일과 후 매일 30분~1시간 정도 천천히 걷기를 권한다. 온종일 일한 후에 근력 운동이나 달리기와 같은 고강도 운동을 하는 건 부담스럽다. 하지만 천천히 걷기는 지나치게 머리를 써서 피곤하고 지친 상태에서도 마음만 먹으면 할 수 있다. 놀랍게도 하루 몇십분만 걸어도 다음 날 주의 집중력이 호전된다. 머리를 쓰는 직업을 가졌다면 (　　　　) 걸어야 한다.

① 일 때문에 피곤할수록
② 고강도 운동을 피하기보다는
③ 일이 끝난 뒤에는 반드시
④ 마음 편하게 산책하는 기분으로

▶ 解説は326ページへ

8.

동물의 세계를 흔히 '약육강식' 의 세계라고 한다. 약한 동물이 자기보다 힘이 센 동물에게 잡아먹히기 때문이다. 그렇지만 약한 동물이라고 해서 (　　　　　) 것은 아니다. 약한 동물도 자기를 보호하기 위한 나름의 방법이 있기 때문이다. 힘이 센 동물이 나타나면 죽은 척하는 동물도 있고, 나쁜 냄새로 큰 동물이 가까이 오지 못하게 하는 동물도 있다. 또 몸의 색깔을 바꿔 다른 동물이 자기를 알아볼 수 없게 하는 동물도 있다. 그러므로 약한 동물들도 강한 동물들과 함께 살아갈 수 있는 것이다.

① 힘이 센 동물과 생존 경쟁만 하는
② 힘이 센 동물에게 항상 잡아먹히는
③ 힘이 센 동물에게 지기만 하는
④ 힘이 센 동물이 이기기만 하는

(既出 37 回)

9.

강한 자외선으로부터 눈을 보호하기 위해 선글라스 착용의 필요성이 강조되고 있다. 선글라스가 처음 개발되었을 때는 그 용도가 지금과 달랐다. 선글라스는 원래 법관들이 자신의 눈을 가리기 위해 쓰던 것이었다. 냉정하게 심문을 해야 하는 법관들이 눈을 통해 자신의 감정이 읽히는 것을 차단할 목적으로 사용하였다. 즉 심문을 할 때 자신의 (　　　　　) 범죄인의 의중을 파악하기 위한 도구였던 것이다.

① 지위를 드러내지 않으면서
② 감정을 과장되게 표현하면서
③ 판단이 정확함을 증명하면서
④ 심리를 노출시키지 않으면서

▶ 解説は327ページへ

3 文の内容一致問題

▶▶▶本番の試験【32～34】では3問、各2点の配点で出題される。

※ 다음을 읽고 내용이 같은 것을 고르십시오.
次を読んで内容が同じものを選びなさい。

1.

수면제의 남용은 정상적인 수면을 방해하고 불면을 악화시키므로 반드시 피해야 한다. 수면제를 지속적으로 사용하면 내성이 생겨서 효과가 감소되고 사용 중단시에는 거꾸로 불면증이 야기되어 수면상태는 수면제 복용 전보다 더욱 나빠진다. 그러나 수면제에 대한 부정적인 측면이 너무 강조되어 막연히 수면제의 투약을 거부하는 것은 올바른 태도가 아니다. 수면제는 전문가와 상의하면서 신중히 사용해야만 한다.

① 수면제의 부작용은 아무리 강조해도 지나치지 않는다.
② 수면제는 부작용을 고려해서 조심해 복욕해야 한다.
③ 수면제는 내성이 생기기 전에 사용을 중단하는 게 좋다.
④ 수면제를 복용하면 오히려 불면증이 악화되는 경우가 많다.

2.

인구주택총조사란 5년마다 한 번씩 통일된 기준에 따라 인구와 가구, 주택의 규모와 지역별 분포를 조사하는 것이다. 이를 테면 어느 지역에 몇 명의 사람들이 모여 사는지, 변화는 얼마나 되는지를 살피는 것이다. 결과를 종합해서 국가와 지방자치단체는 길을 새로 내고 집을 더 짓는 등 국민들이 살아가는 데 필요한 사업을 벌이게 된다. 이처럼 인구주택총조사는 나라의 자원을 효율적으로 쓰자는 것이 조사의 가장 큰 뜻으로, 나라를 경영하는데 없어서는 안 될 귀중한 통계 자료를 만드는 일이다.

① 인구주택총조사를 통하여 나라의 자원의 분포를 파악할 수 있다.
② 도로와 주택 건설은 모두 인구주택총조사 결과에 따라 이루어진다.
③ 지방자치단체별로 5년에 한 번씩 인구와 주택 조사를 한다.
④ 인구 주택 통계자료는 나라를 효율적으로 경영하는 데 쓰인다.

▶ 解説は328ページへ

3.

피사의 사탑을 짓기까지는 거의 200년이 걸렸다. 이탈리아 도시국가였던 피사가 사라센 함대에 거둔 대승을 기념하기 위해 공사에 들어간 게 1174년. 3층까지 올렸을 때 지반 침하로 탑이 기울면서 중단됐다가 지금의 모습으로 완공된 게 14세기 후반이다. 삐딱하게 기운 이 탑이 용케도 쓰러지지 않은 이유는 현대과학을 총동원해도 설명하기 어렵다고 한다. 그러기에 한 이탈리아 과학자는 "피사의 사탑은 신의 뜻으로 기울고 있다" 고 했다. 지구 종말에 대한 암시라는 주장일 게다.

① 피사의 사탑은 200년에 걸쳐 서서히 기울었다.
② 피사의 사탑은 완공되기 전부터 기울어 있었다.
③ 피사의 사탑은 건축 도중에 기울어 완공이 안 됐다.
④ 피사의 사탑은 지반침하가 중단돼 쓰러지지 않게 됐다.

4.

지구 종말의 원인이 어디 핵전쟁뿐이겠는가. 세계에서 4번째로 큰 내륙해에서 졸지에 사막으로 변한 아랄해는 이미 '물 없는 인류' 를 경고하고 있다. 하루에 백여종씩 멸종하는 생태계, 이름도 생소한 엘니뇨, 라니냐 등 환경재앙…. 하나같이 종말을 암시하는 증거가 아닌가. '문명이 문명을 파괴한다' 는 앨 고어 전 미국 부통령의 경고는 그래서 더욱 절실하게 다가온다.

① 핵전쟁 외에도 지구 파괴할 수 있는 위험 요인이 많다.
② 핵전쟁은 문명의 파괴뿐만이 아니라 지구의 종말을 초래한다.
③ 바다의 사막화로 문명에 위협을 주는 환경재앙이 빈발하고 있다.
④ 물 부족으로 인하여 하루에 백여종씩 생태계가 멸종하고 있다.

5.

냉장고는 세균의 활동을 완전히 막아 주지 못하므로 냉장고를 너무 과신하면 식중독에 걸릴 위험이 있게 된다. 냉장고는 음식을 차게 하고 약간의 신선도를 유지시켜 주지만 세균을 없애거나 부패를 방지하는 것은 아니다. 따라서 냉장고에 음식을 오래 보관하지 않도록 해야 한다.

▶ 解説は328ページへ

① 음식을 잘못 보관하면 식중독에 걸릴 위험이 커진다.
② 냉장고에는 식중독 균을 억제해 주는 기능이 있다.
③ 냉장고는 부패를 방지하여 신선도를 유지해 준다.
④ 냉장고에 음식을 보관해도 부패는 방지할 수 없다.

6.

지난 4세기 동안 서구가 세계사를 주도해 온 근원적 힘은 군사력도 경제력도 아닌 지식의 힘이었다. 16~17세기 베이컨, 뉴턴, 데카르트 등으로부터 시작된 과학혁명과 홉스, 칸트, 벤담, 밀 등으로 이어져 온 철학사상이 결국 유럽에서 산업혁명을 일으키고 합리적 사회제도와 효율적 시장을 정착하게 했다. 오늘날 아시아에 밀려 경제력이 쇠퇴하고 있음에도 지식에 바탕을 둔 소프트파워가 여전히 서구로 하여금 국제기구 운영, 세계안보 및 환경, 무역, 통화금융 질서를 주도하게 하는 배경이 되고 있다.

① 경제력을 배경으로 서구는 4세기 동안 세계사를 주도했다.
② 산업혁명에 의하여 합리적이고 효율적인 시장이 정착되었다.
③ 서구가 세계의 각종질서를 주도하는 힘의 원천은 지식에 있다.
④ 아시아에 밀려 유럽의 소프트파워와 경제력이 쇠퇴하고 있다.

7.

스마트벨트는 벨트에 센서를 부착하는 방식으로 만들어진 웨어러블 기기다. 스마트벨트는 착용자의 허리둘레를 자동으로 측정하고 벨트 길이의 변화를 실시간으로 확인해 과식 여부와 비만 위험도를 알려준다. 사용자가 비만 위험이 있는 상태라면 더 이상 허리둘레가 늘어나지 않도록 경고 메시지를 보낸다. 스마트벨트는 건강정보를 스마트폰 애플리케이션에 보내 착용자가 건강 상태를 확인할 수 있도록 해준다.

① 스마트벨트 착용자는 비만 위험이 높은 사람이 많다.
② 스마트벨트는 허리둘레가 늘어나면 경고를 해 준다.
③ 스마트벨트는 과식하지 않도록 벨트의 길이를 조정한다.
④ 웨어러블 기기는 건강 상태를 확인해 주는 애플리케이션이다.

▶ 解説は329ページへ

(既出 41 回)

8.
조선 시대에는 역사를 기록하는 사관이 있었다. 왕의 주변에서 일어나는 모든 일을 기록하는 사관은 누구의 간섭도 받지 않았다. 심지어 왕이라도 자신과 관련된 기록조차 절대로 볼 수 없었다. 또한 사관은 기록에 자신의 이름을 남기지 않아 정치적으로 어떠한 책임도 지지 않았다. 조선에서 사관의 역할은 왕이 스스로 자신의 언행을 조심하게 하였고 결과적으로 그것은 왕이 권력을 마음대로 쓰지 못하게 하는 장치로서 기능을 하였다.

① 역사를 기록하는 책에는 사관의 이름이 적혀 있었다.
② 왕은 필요할 때 사관의 기록 내용을 찾아볼 수 있었다.
③ 사관의 기록 때문에 왕은 자신의 언행을 조심하게 되었다.
④ 왕은 주변에서 일어나는 모든 일들을 사관에게서 보고받았다.

(既出 36 回)

9.
흔히 우주 과학은 투자 비용에 비해 우리 생활에 기여하는 바가 적다고 생각한다. 그러나 우주를 향한 인간의 노력은 통신,의료 등의 분야는 물론이고 일상생활에도 큰 영향을 미쳤다. 우주인의 식수 해결을 위한 장치가 정수기가 되었고, 우주인의 식사용으로 개발된 동결 건조 식품이 물만 넣으면 먹을 수 있는 일회용 국이 되었다. 이렇게 일상 속으로 들어온 우주 과학은 인류의 생활을 더욱 편리하고 풍요롭게 하고 있다.

① 정수기가 우주인의 식수를 해결해 주었다.
② 동결 건조 식품은 바쁜 일반인들을 위해 개발되었다.
③ 통신, 의료 분야에서 개발된 기술이 우주인들을 위해 사용되었다.
④ 우주 과학 기술 덕분에 생활에 편리한 제품이 개발되었다.

▶ 解説は330ページへ

4 文の主題把握問題

▶▶▶本番の試験【35～38】では4問、各2点の配点で出題される。

※ 다음 글의 주제로 가장 알맞은 것을 고르십시오.
次の文の主題として最も適切なものを選びなさい。

1. 인생의 목표가 분명한 사람에게 삶이란 등산을 하는 것과 다르지 않다는 말이 있다. 어느 길을 어떻게 걸어야 하는지 계획만 잘 세우면 목적지에 도달할 수 있다는 것이다. 그러나 삶은 반드시 그렇지만은 않다. 살다 보면 도저히 갈피를 잡을 수 없고, 어디에 놓여 있는지 자신이 처한 상황을 모르겠는 순간이 있다. 삶을 등산에 비유한 사람들은 그 순간을 흔히 골짜기에 놓인 상황으로 설명하려 들지만 그건 틀렸다. 그 말은 절망에서 빠져나오는 데에 일정한 공식이 있다는 말과 같다. 그러나 실상은 그렇지 못하다는 것을 우리는 경험으로 알고 있다.

① 인생에서 난관에 봉착했을 때를 위해 경험을 쌓아야 한다.
② 인생은 계획대로만 가면 목적지에 도달할 수 있는 등산과는 다르다.
③ 인생의 목표를 달성하려면 등산하듯이 꾸준히 걸어야 한다.
④ 인생도 골짜기에서 허우적거릴 때를 대비해 목표를 잘 세워야 한다.

2. 인명을 살상하기 위해 만들어 진 각종 무기에 인도주의적 규제를 가하자는 움직임이 일고 있다. 전쟁에서 흔히 사용되는 일반 재래식 무기의 효과를 과학적으로 분석해 잔인하게 인체에 고통을 주는 것을 규제하자는 취지이다. 생물학전이나 화학전에 동원되는 무기뿐 아니라 총탄 등의 재래식 무기에 대해서도 국제적으로 규제를 가하여 전쟁으로 인한 인류의 고통을 최대한 줄여야 한다.

① 잔인하게 인체에 고통을 주지 않는 무기를 개발해야 한다.
② 무기별로 살상 효과를 측정해 선별적으로 규제해야 한다.
③ 인명을 살상하는 각종 무기를 폐지해 전쟁을 방지해야 한다.
④ 인명 살상용 무기는 종류를 불문하고 규제를 가해야 한다.

▶ 解説は331ページへ

3. 우리 사회는 지금 발전 과정에 있다 그러므로 정치와 경제에서, 학문과 예술에서, 그리고 그 밖의 모든 분야에서 성장을 계속하기 위한 노력이 필요하다. 우리가 착실하게 성장을 계속하기 위해서는 과학자가 그러하듯이 새로운 정보를 존중하여 항상 자신을 수정해야 하며, 민주주의자가 그러하듯이 독단과 독선을 버리고 여러 사람들의 의견을 존중해야 한다.

① 지속적인 성장을 위해 사회의 모든 분야에서 노력해야 한다.
② 착실한 성장을 위해서는 과학과 민주주의가 정착돼야 한다.
③ 여러 사람의 의견을 존중하여 민주주의를 정착시켜야 한다.
④ 성숙한 시민 사회로 발전하려면 독단과 독선을 버려야 한다.

4. 복잡한 현대 사회로 들어서면서 우리에게는 무엇인가를 선택해야 하는 순간이 더 많아졌다. 이런 시대에는 해야 하는 여러 일들의 우선순위를 빠르게 정하는 능력이 더욱더 힘을 발휘한다. 사람의 시간과 능력에는 한계가 있기 때문이다. 한정된 자원을 가지고 모든 일에 똑같은 정성을 쏟는다면 어떤 것도 제대로 해내지 못할 것이다.

① 주어진 시간과 능력에는 한계가 있다는 것을 알아야 한다.
② 사회에서 능력을 인정받으려면 일을 남보다 먼저 해내야 한다.
③ 복잡한 시대인 만큼 일은 신속히 우선순위를 정해 처리해야 한다.
④ 어떤 일을 해내기 위해서는 자원을 한 곳에 집중해야 한다.

5. 한국의 전통 문화에서 오늘날 되살려 지켜 갈 만한 것으로는 어떤 것이 있을까? 수많은 것이 있겠지만, 부모를 섬기는 효도가 으뜸이 아닐까 생각한다. 효도란 자기를 낳아 준 부모를 극진하게 섬기는 사람의 도리이다. 이러한 효도의 개념을 현대적인 감각에 맞게 살리는 것이 현재 우리가 해야 할 것이라고 생각된다.

▶ 解説は331ページへ

① 현대에도 되살릴 수 있는 전통 문화를 발굴해 내야 한다.
② 현대적 감각에 맞춰서 효도의 전통을 살려나가야 한다.
③ 효도의 전통을 유지하기 위해서는 사회적 지원이 필요하다.
④ 효도의 개념이 시대에 맞지 않는 부분은 적절히 수정해야 한다.

6.

최근 들어 직원들의 업무 능률을 높이기 위해서 복장 자율화를 도입하는 기업들이 늘고 있다. 정보화 시대가 열림에 따라 첨단 기술 기업을 중심으로 새로운 복장 문화가 등장하게 된 것이다. 예전에는 업무의 특성과 상관없이 기업의 직원들은 일반적으로 정장을 입었다. 하지만 컴퓨터 프로그램을 개발하는 사람들처럼 개별적으로 작업을 하거나 근무시간이 일정하지 않은 이들에게는 일을 할 때 자유로운 옷차림이 훨씬 더 효율적이므로 당연한 추세라고 보아야 한다.

① 복장 자율화로 인해 각종 기업에서 업무 능률이 향상되고 있다.
② 정보화 시대에는 첨단 기술 기업이 복장 문화도 선도한다.
③ 업무의 특성에 따른 옷차림의 자율화는 당연한 추세다.
④ 근무시간이 불규칙한 사람에게는 정장은 비효율적이다.

7.

지난 몇 년 사이에 애견 인구가 크게 증가했다. 그리고 그와 함께 유기견의 수도 크게 증가하고 있다. 처음에는 애지중지 정성 들여 키우다가도 병에 걸린다든지 말썽을 부린다든지 하면 개를 내다 버리는 것이다. 이로 인해 유기견 보호소마저 넘쳐 나는 유기견을 감당하지 못할 판이다. 집에 개를 들이기 전에 먼저 개를 하나의 가족으로서 받아들이고 책임을 다할 수 있을 것인지 신중하게 고민해 봐야 한다.

① 무책임한 사회인의 증가에 비례해 유기견 수도 급증하고 있다.
② 유기견 보호소의 수용 능력을 크게 늘릴 필요가 있다.
③ 유기견은 보호소뿐만이 아니라 각 가정에서도 수용해야 한다
④ 끝까지 책임을 지겠다는 결심 없이 개를 키우지 말아야 한다.

▶ 解説は332ページへ

(既出 36 回)

8.

자동차 업계에서만 공유되던 부품 가격이 소비자의 알 권리와 유통의 투명성을 높이기 위해 공개되고 있다. 국내의 모든 자동차 회사들은 의무적으로 회사 홈페이지에 부품 가격을 게시한다. 그런데 자동차 회사들 중에는 초기 화면이 아닌 곳에 가격 정보를 공개하거나 회원 가입을 해야 정보를 볼 수 있도록 해 소비자들의 불신을 초래하는 경우가 있다. 이에 대해 이 제도가 기업에 대한 소비자의 신뢰를 되찾는 계기가 될 수 있도록 업계의 자성이 필요하다는 목소리가 커지고 있다.

① 가격 게시를 통해 유통 과정이 공개되고 있다.
② 부품 가격 공개는 소비자의 알 권리와 관계가 있다.
③ 업계는 홈페이지에 부품 가격 정보를 게시해야 한다.
④ 기업은 정직한 부품 가격 공개로 신뢰를 회복해야 한다.

(既出 37 回)

9.

기술 경쟁력이 중요한 시대가 되면서 무형 자산에 대한 금융권의 자금 지원이 확대되고 있다. 이때 중요한 것이 이공계 출신 인재의 역할이다. 그들은 첨단 기술에 대한 지식을 바탕으로 보통 사람들은 잘 모르는 무형 자산의 가치를 판단해 내는 역할을 한다. 따라서 기업의 성장 가능성에 대해 제대로 평가하기 위해서는 금융권 내에서 이공계 출신 전문 인력이 차지하는 비중이 높아져야 한다.

① 금융권에서 이공계 출신 인력의 채용이 확대되어야 한다.
② 금융권 내에서 고용인에 대한 재교육이 실시되어야 한다.
③ 무형 자산에 대한 금융권의 자금 지원이 증가되어야 한다.
④ 금융권에서 직원을 재교육시키는 방법이 변화되어야 한다.

▶ 解説は333ページへ

5 脱落文挿入問題

▶▶▶本番の試験【39～41】では3問、各2点の配点で出題される。

※ 다음 글에서 〈보기〉의 문장이 들어가기에 가장 알맞은 곳을 고르십시오. 次の文で〈보기〉の文章が入るのに最も適切なところを選びなさい。

1. (㉠)보건복지부는 해열진통제, 감기약, 소화제, 파스 중에서 공급량이 많은 제품을 '슈퍼판매 가능 일반의약품'으로 분류하겠다는 입장을 밝혔다. (㉡) 대부분의 제약사들은 전문의약품 약값 인하 때문에 뚝 떨어진 매출이 증가할 것을 기대하며 일반약 편의점 판매를 반기는 분위기다. (㉢) 그러나 약사들은 "국민 건강권을 위협하는 성급한 처리"라고 반발하고 있다. (㉣)

〈보기〉

마약류 성분이 있거나 부작용 우려가 큰 약은 편의점 판매 대상에서 제외된다.

① ㉠　　② ㉡　　③ ㉢　　④ ㉣

2. 우리 사회에 독신 세대가 증가하고 있다. (㉠) 결혼하지 않은 사람을 지칭하던 '독신'이라는 말이 그 범위를 넓혀 가고 있다. (㉡) 가정문제연구소에 따르면 이혼, 사별 등으로 인해 독신이 되는 사람이 몇 년 사이에 꾸준히 증가하고 있다고 한다. (㉢) 또 우리 사회가 고령화 사회로 진입함에 따라 노인 독신 세대가 점점 늘어나고 있다. (㉣)

〈보기〉

이에 따라 독신 세대를 겨냥한 상품 개발이 열기를 띠고 있다.

① ㉠　　② ㉡　　③ ㉢　　④ ㉣

▶ 解説は334ページへ

3. 문화란 무엇인가? (㉠) 문화란 인간이 자연 상태에서 일정한 목적과 이상을 실현하려는 과정이고 그 과정에서 만들어 낸 물질적·정신적 소득이다. (㉡) 문화는 역사적인 산물이므로 어느 한순간에 쉽게 바꿀 수 있는 성질의 것이 아니다. (㉢) 그러나 이러한 문화는 각 민족이나 나라의 독특한 생활양식과 습관을 나타내 줄 뿐이지 각 민족의 우수성이나 미개성을 비교하는 기준은 아니다. (㉣)

〈보기〉

또한 문화는 그 민족이나 나라의 생활양식과 습관을 가장 잘 보여준다.

① ㉠　　② ㉡　　③ ㉢　　④ ㉣

4. 나라마다 언어가 다르고 사람들이 다른 것처럼 음식도 다르다. 기후가 다르고 생활 습관이 다르기 때문이다. (㉠) 처음 한국에 왔을 때 한국 음식이 입에 맞지 않아 생활하기가 불편했다. (㉡) 그리고 우리나라 음식과 너무 달라 깜짝 놀랐다. (㉢) 한국 음식은 서양 음식보다 맵고 짠 편이다. 반찬도 많아서 무엇을 먹어야 할지 모를 때도 많았다. (㉣) 한국 음식에는 한국만의 특성이 있다는 것을 이해한다면 자기 나라의 음식과 달라서 놀라는 일은 없을 것이다.

〈보기〉

처음에는 힘들었지만 지금은 익숙해져서 한국 음식을 잘 먹고 좋아한다.

① ㉠　　② ㉡　　③ ㉢　　④ ㉣

▶ 解説は334ページへ

5 脱落文挿入問題

5.

사람들이 점을 치는 데에는 몇 가지 이유가 있는데, 먼저 미래에 대한 불안감 때문이다. (㉠) 문명이 발달했다고 해도 인간은 여전히 바로 다음 순간에 일어날 일조차 알 수 없다. (㉡) 또 다른 이유는 인간의 삶이란 이미 신에 의해 정해져 있다는 믿음 때문이다. (㉢) 즉, 이미 운명이 결정되어 있기 때문에 자신의 운명을 신에게 물어본 후 그에 따라서 살기 위해 점을 보는 것이다. (㉣)

〈보기〉

그러므로 살아가는 동안 장차 어떤 일들이 일어날지 매우 불안할 수 밖에 없다.

① ㉠　　② ㉡　　③ ㉢　　④ ㉣

6.

모든 예술은 서로 밀접한 관련을 맺고 영향을 주고 받으며 발전하고있다. (㉠) 음악을 하는 사람은 시를 알아야 하고, 미술을 하는 사람은 소설을 알아야 한다. (㉡) 먼 나라를 여행하며 기행문을 쓰는 사람은 건축을 알아야 한다. (㉢) 이러한 상황을 고려할 때, 서로 다른 방식을 통하여 같은 의미를 표현한 것을 비교하며 살펴보는 것은 어떤 대상을 폭넓게 이해하는 데 많은 도움을 준다. (㉣)

〈보기〉

이렇게 장르의 간격을 뛰어 넘지 않으면 진정 깊이 있는 세계를 알 수 없기 때문이다.

① ㉠　　② ㉡　　③ ㉢　　④ ㉣

▶ 解説は335ページへ

7.

고혈압 낮추는 방법은 좋은 식습관과 규칙적인 운동 등의 생활 습관을 개선하는 것이다. (㉠) 고혈압을 낮추기 위해서는 나트륨을 적게 섭취해야 한다. (㉡) 소금으로 섭취하는 나트륨이 가장 많은데 소금을 과다 섭취하면 체내 염분 농도를 낮추기 위해 혈액의 양이 많아지고 혈관이 수축한다. (㉢) 그래서 외식을 자주 하거나 이미 조리된 음식을 자주 섭취하면 고혈압에 걸릴 가능성이 커진다. (㉣) 음식을 직접 만들 때에는 간을 싱겁게 맞추면 되고, 국물 음식은 건더기만 먹고 국물은 남기는 게 혈압 건강에 좋은 방법이다.

〈보기〉

밖에서 사 먹는 음식이나 가공식품에 나트륨 함량이 상대적으로 높다.

① ㉠　② ㉡　③ ㉢　④ ㉣

(既出41回)

8.

(㉠) '메디치 효과' 는 서로 관련 없는 분야가 결합해 전에 없던 창의적인 결과를 창출하는 현상을 말한다. (㉡) 당시 메디치 가문은 서로 다른 역량을 가진 예술가와 학자들의 공동 작업을 후원했다. 그 결과로 피렌체 지역의 문화 수준이 한층 높아졌다. (㉢) 혁신적인 기술과 예술가의 품격 있는 디자인이 만나는 사례는 국내에서도 찾아볼 수 있다. (㉣) 그 예로 인주전자의 최첨단 기술과 유럽의 명품 디자인사가 공동 출시한 '엔젤폰' 이 있다.

〈보기〉

이 용어는 르네상스의 탄생과 발전에 큰 역할을 했던 메디치라는 가문의 이름에서 유래되었다.

① ㉠　② ㉡　③ ㉢　④ ㉣

▶ 解説は336ページへ

第4章
読解編（4）
上級後半

1 出題類型と内容 ……………… 194
2 問題類型別分析と対策 ……………… 195
1．人物の心情把握と文の内容一致問題 ……………… 212
2．文の主題把握と空所補充問題 ……………… 218
3．脱落文挿入と文の内容一致問題 ……………… 222
4．筆者の執筆の目的・態度把握と空所補充問題 ……………… 226

TOPIKⅡ					
時限	科目	問題数	形式	時間	配点
1	聞き取り	50問	4択式	60分	100点
	作文	4問	記述式	50分	100点
2	読解	50問	4択式	70分	100点
等級別判定		3級	4級	5級	6級
		120点以上	150点以上	190点以上	230点以上

読解（4）問題

❶ 出題類型と内容

読解問題５０問中２５番～５０番までは上級レベルの問題で構成されている。

この章で取り上げる上級後半の42番～50番までは一つの問題文に、二つか三つの問題の組み合わせで出題されているのが特徴である。

問題の形式は、❶内容一致、❷空所補充、❸主題把握、❹脱落文挿入、❺文中の人物の心情把握など、上級前半の問題と同じ形式のものが2問ずつの組み合わせで出題されるが、最後の2問だけ、①筆者の執筆の目的、②文中に表れた筆者の態度を問う問題でほかの出題形式と区別される。

区分	本試験４２番～５０番までの問題：類型と内容	問題数と配点
1	人物の心情把握と文の内容一致問題　【42～43】 随筆を読んで、①文中の特定の人物の心情を表す表現を選ぶ問題と、②文の内容と一致するものを選ぶ問題の2問がセットで出題される。	2問×2点
2	文の主題把握と空所補充問題　【44～45】 一つの文章を読んで、①文の主題を選ぶ問題と、②文中の空所に入れるのに適した語句を選ぶ問題の2問がセットで出題される。	2問×2点
3	脱落文挿入と文の内容一致問題　【46～47】 一つの文章を読んで、①文中の空所に適した脱落文を選ぶ問題と、②文の内容と一致するものを選ぶ問題の2問がセットで出題される。	2問×2点
4	筆者の執筆の目的・態度把握と空所補充問題　【46～47】 一つの文章を読んで、①筆者がこの文を書いた目的を選ぶ問題と、②文の空所に入るものを選ぶ問題、③文中に表れた筆者の態度を把握する問題の3問がセットで出題される。	3問×2点
※４つの問題類型、問題総数9問、配点は各２点で出題。		

❷ 問題類型別分析と対策

問題類型1 人物の心情把握と文の内容一致問題

小説、随筆などの散文を問題文として提示し、❶文中に表れた主人公または登場人物の心情やものの言い方のニュアンスを問う問題が1問、❷内容一致を問う問題が1問の組み合わせ【42 ～ 43】で出題される。心情把握の問題は人の気持ちや性格、態度を表す形容詞を中心とした単語を覚えておかなければならない。形容詞は場面によって複数以上の意味を持って用いられる場合が多いので、韓韓辞書を使って用例と正確な意味を確認しながら覚えるのが良い。この形式の問題は下線部の登場人物の発言や態度を表す部分の前後の文章から状況や背景、理由や結果を把握をしておくと答えがわかりやすい。

既出 41回

※다음 글을 읽고 물음에 답하십시오. (각 2점)

딴 데랑은 비교가 안 된다. 모르긴 해도 세계에서 제일 맛있을 것이다. 이 집은 나름대로 격조 있는 표현을 동원해 피자의 미학을 펼친다. 종잇장처럼 얄팍하지만 바삭바삭하고도 탄탄한 빵 반죽. 그 위에 펼쳐지는 절묘한 맛의 파노라마. 큰 피자, 큰 만족.

소탈하면서도 싹싹한 여주인이 메뉴판을 가지고 온다. 내가 시키는 건 정해져 있다. 아이들도 마찬가지다. 아무 문제가 없다.

"자, 뭘로 하실까요?" 연필을 손에 든 채 그녀가 묻는다.

"난, 마르그리타로 주세요."

"저두요. 근데 치즈는 넣지 마세요." 큰딸아이가 말한다.

"피자에다가 치즈를 안 넣어요?" 여주인은 한 방 맞은 기분인가 보다. "왜요, 불가능한가요?" 딸애가 꼬치꼬치 따진다.

"불가능한 게 아니라 맛이 없죠!" 딱하다는 말투다. (중략)

작은딸은 바질향 소스를 넣은 파스타를 주문한다. 근데 바질은 넣지 말란다. 여주인이 이상한 눈으로 나를 흘깃 쳐다본다.

도대체 내가 애들을 어떻게 길렀기에 이 모양이지? 치즈 빼고, 바질 빼고, 왜 이렇게들 삐딱할까.

1. 밑줄 친 부분에 나타난 여주인의 심정으로 알맞은 것을 고르십시오.

① 난처하다　　② 황당하다

③ 서먹하다　　④ 안타깝다

2. 이 글의 내용과 같은 것을 고르십시오.

① 나는 같은 피자를 주문하지 않는다.
② 큰딸은 바질향이 나는 빵을 좋아한다.
③ 나는 아이들의 행동이 이해가 안 된다.
④ 작은딸은 바삭바삭한 피자를 주문했다.

正解　1. ②　2. ③

解説　※次の文を読んで問いに答えなさい。(各2点)

　他のところとは比較にならない。おそらく世界で一番美味しいと思う。この店はそれなりに格調のある表現を使ってピザの美学を言い表している。紙切れのように薄いけど、サクサクとしてしっかりしたパンの生地。その上に繰り広げられる絶妙な味のパノラマ。大きいピザ、大きな満足。

　気さくで親切な女主人がメニューを持って来る。私が注文するものは決まっている。子供たちも同じだ。何の問題もない。

「何になさいますか。」鉛筆を手にしたまま彼女が聞く。

「私は、マルゲリータをください。」

「私も。しかし、チーズは入れないでください。」長女が言う。

「ピザにチーズを入れないんですか。」女主人は不意を突かれて驚いたようだ。「どうしてですか。できないんですか。」娘がしつこく聞く。

「できないのではなく美味しくないんですよ。」困ったと言う口調だ。

(中略)

　次女はバジリコソースを入れたパスタを注文する。ところがバジルは入れないようにと言う。女主人がけげんな表情で私をちらっと見た。

　一体子供たちをどのように育てたらこのようになるんだろう。チーズを抜いて、バジルを抜いて、どうしてこんなにひねくれているんだろう。

1. 下線部に表れた女主人の心情として適切なものを選びなさい。

① 困る　② 呆れかえる
③ 気まずい、打ち解けない　④ 切ない、もどかしい

2. この文の内容と同じものを選びなさい。

① 私は同じピザを注文しない。
② 長女はバジルの香りがするパンが好きだ。
③ 私は子供たちの行動が理解できない。
④ 次女はサクサクとしたピザを注文した。

合格資料 15 心情・態度を表す語彙の既出の選択肢例

本リストは、本試験42番の「登場人物の心情・気持ち」を問う問題によく出てくる選択肢の語彙を既出問題から抽出し、まとめたものである。毎回このような形で出題されるので、チェックをして知らない語彙は覚えておくようにしよう。

16回	① 섭섭하다	② 비굴하다	③ 허탈하다	④ 처량하다
17回	① 애틋하다	② 안타깝다	③ 섭섭하다	④ 원망스럽다
18回	① 태연하다	② 처절하다	③ 애잔하다	④ 막막하다
19回	① 간절하다	② 처량하다	③ 야속하다	④ 초조하다
20回	① 담담하다	② 흐뭇하다	③ 처량하다	④ 씁쓸하다
21回	① 거만하다	② 무뚝뚝하다	③ 공손하다	④ 다정다감하다
22回	① 초조하다	② 쑥스럽다	③ 들떠 있다	④ 안도하고 있다
23回	① 간절하다	② 담담하다	③ 씁쓸하다	④ 흐뭇하다
24回	① 거만하다	② 쌀쌀맞다	③ 위축되어 있다	④ 원망하고 있다
25回	① 당황스럽다	② 실망스럽다	③ 불만스럽다	④ 짜증스럽다
26回	① 야속하다	② 조급하다	③ 불안하다	④ 초조하다
27回	① 괘씸하다	② 민망하다	③ 곤혹스럽다	④ 거북스럽다
28回	① 애석하다	② 무안하다	③ 간절하다	④ 못마땅하다
29回	① 처량하다	② 허탈하다	③ 초조하다	④ 야속하다
30回	① 섭섭하다	② 처량하다	③ 못마땅하다	④ 원망스럽다
31回	① 무안하다	② 원망스럽다	③ 혼란스럽다	④ 의심이 든다
32回	① 담담하다	② 처량하다	③ 괘씸하다	④ 허무하다
33回	① 안쓰러워하다	② 쑥스러워하다	③ 곤혹스러워하다	④ 감격스러워하다
34回	① 설렌다	② 외롭다	③ 흐뭇하다	④ 허전하다
35回	① 격려하고 있다	② 위로하고 있다	③ 안도하고 있다	④ 원망하고 있다
36回	① 안타깝다	② 괘씸하다	③ 담담하다	④ 허탈하다
37回	① 희열을 느끼다		② 기대에 들뜨다	
	③ 가슴이 먹먹하다		④ 마음이 홀가분하다	
41回	① 난처하다	② 황당하다	③ 서먹하다	④ 안타깝다
47回	① 서운하다	② 억울하다	③ 조급하다	④ 괘씸하다
52回	① 난처하다	② 담담하다	③ 감격스럽다	④ 의심스럽다
60回	① 억울하다	② 서운하다	③ 걱정스럽다	④ 혼란스럽다
64回	① 불안하다	② 흡족하다	③ 실망스럽다	④ 감격스럽다

合格資料 16 よく出る心情・態度を表す語彙のまとめ

以下は、本試験42番の問題の選択肢によく出る語彙をまとめたものである。心情や態度を表す形容詞は状況によって複数以上の意味で用いられるものもあり、適訳が見つからないものもある。訳語がしっくりしない場合は韓韓辞書を使って意味を確認することをお勧めしたい。

- □ 가슴이 먹먹하다　胸がつかえる
- □ 간절하다　切実だ、切だ
- □ 감격스러워하다　感激する
- □ 감격스럽다　感激的だ
- □ 거만하다　傲慢だ
- □ 거북스럽다　気まずい、窮屈だ
- □ 걱정스럽다　心配だ
- □ 겁이 난다　怖くなる、怖気づく
- □ 격려하고 있다　激励している
- □ 곤혹스러워하다　困惑する
- □ 곤혹스럽다　困惑する
- □ 공손하다　丁寧だ
- □ 괘씸하다　不埒だ、けしからん
- □ 기대에 들뜨다　期待に浮き立つ
- □ 난처하다　困っている
- □ 다정다감하다　多情多感だ
- □ 담담하다　淡々とする
- □ 당황스럽다　戸惑っている
- □ 들떠 있다　うきうきしている
- □ 막막하다　途方に暮れる
- □ 못마땅하다　気に食わない
- □ 무뚝뚝하다　ぶっきらぼうだ
- □ 무안하다　恥ずかしい
- □ 민망하다　心苦しい、しのびない
- □ 불만스럽다　不満だ
- □ 불안하다　不安だ
- □ 불편하다　不便だ
- □ 비굴하다　卑屈だ
- □ 서먹하다　打ち解けず気詰まりだ
- □ 서운하다　残念だ、寂しい
- □ 설레다　わくわくする
- □ 섭섭하다　残念だ、寂しい
- □ 실망스럽다　がっかりする
- □ 쌀쌀맞다　冷淡だ、冷たい
- □ 쑥스러워하다　気恥ずかしがる
- □ 쑥스럽다　照れくさい
- □ 씁쓸하다　後味が悪い
- □ 안도하고 있다　安堵する
- □ 안쓰러워하다　いじらしい、気の毒だ
- □ 안타깝다　切ない、気の毒だ
- □ 애석하다　悲しくて惜しい
- □ 애잔하다　もの悲しい
- □ 애틋하다　切ない、うら悲しい
- □ 야속하다　薄情だ、冷淡だ
- □ 억울하다　悔しい
- □ 외롭다　寂しい、孤独だ
- □ 원망스럽다　うらめしい
- □ 원망하고 있다　恨んでいる
- □ 위로하고 있다　慰めている
- □ 위축되다　萎縮する
- □ 의심스럽다　疑わしい
- □ 의심이 든다　疑念を感じる
- □ 조급하다　せっかちだ
- □ 짜증스럽다　苛立つ、嫌気がさす
- □ 처량하다　もの悲しい
- □ 처절하다　凄絶だ、すさまじい
- □ 초조하다　いらいらする
- □ 태연하다　平然としている
- □ 허무하다　はかない、むなしい
- □ 허전하다　うつろな感じだ
- □ 허탈하다　虚脱感に陥る
- □ 혼란스럽다　混乱している
- □ 홀가분하다　心が軽い、気楽だ
- □ 화가 난다　腹が立つ
- □ 황당하다　呆れかえる
- □ 흐뭇하다　心温まる、満足に思う
- □ 희열을 느끼다　喜びを感じる

合格資料 17 その他参考になる心情・態度を表す語彙リスト

ここでは代表的な意味だけを訳語として提示している。しっくりしない場合は韓韓辞書を使って状況別の意味を確認することをお勧めしたい。

□ 가련하다	哀れだ
□ 가소롭다	笑止千万だ
□ 감개무량하다	感無量だ
□ 감명깊다	感銘深い
□ 개운하다	晴れやかだ
□ 개탄스럽다	嘆かわしい
□ 거북하다	気詰まりだ、気まずい
□ 건방지다	生意気だ
□ 겸연쩍다	ばつが悪い
□ 경망스럽다	軽はずみだ
□ 경사스럽다	喜ばしい
□ 경이롭다	驚異的だ
□ 고달프다	しんどい
□ 고독하다	孤独だ
□ 고통스럽다	苦しい
□ 곤욕스럽다	苦しく恥ずかしい
□ 공허하다	むなしい
□ 구차하다	つまらない
□ 군색하다	苦しい、窮屈だ
□ 궁금하다	気がかりだ
□ 궁상맞다	貧乏たらしい
□ 궁색하다	困っている
□ 기막히다	あきれ返る
□ 꺼림칙하다	うしろめたい
□ 난감하다	困り果てる
□ 남부끄럽다	人聞きが悪い
□ 놀랍다	驚くに値する
□ 눈꼴사납다	目に余る
□ 다행스럽다	幸いだ
□ 달갑잖다	気に入らない
□ 답답하다	もどかしい、 うっとうしい
□ 당치않다	もってのほかだ
□ 당혹스럽다	戸惑う
□ 대견스럽다	殊勝だ、けなげだ
□ 뒤숭숭하다	落着かない
□ 든든하다	心強い
□ 떨떠름하다	気乗りしない
□ 떳떳하다	やましくない
□ 뜨끔하다	どきっとする
□ 만족스럽다	満足だ
□ 머쓱하다	しょげている
□ 멋쩍다	きまりが悪い、 照れくさい
□ 무덤덤하다	何の感じもない
□ 뭉클하다	きゅんとなる
□ 미심쩍다	いぶかしい
□ 믿음직하다	頼もしい
□ 밉살맞다	憎たらしい
□ 밉살스럽다	憎たらしい
□ 번거롭다	煩わしい
□ 변덕스럽다	気まぐれだ
□ 보람되다	やり甲裴がある
□ 보람차다	やり甲斐がある
□ 볼썽사납다	見苦しい
□ 뻔뻔스럽다	厚かましい
□ 뻔뻔하다	図々しい
□ 생소하다	疎い、不慣れだ
□ 서글프다	物悲しい
□ 서운하다	残念だ、寂しい
□ 소탈하다	気さくだ
□ 속상하다	腹が立つ
□ 속절없다	やるせない
□ 솔깃하다	乗り気になる
□ 솔직하다	率直だ
□ 송구스럽다	恐れ入る
□ 수상스럽다	疑わしい
□ 수상쩍다	疑わしい
□ 수줍다	恥かしい
□ 시시껄렁하다	取るに足りない

□ 시시하다	つまらない
□ 시원섭섭하다	せいせいする一方で名残惜しい
□ 시원스럽다	すっきりしている
□ 시원찮다	はかばかしくない
□ 시원하다	せいせいしている
□ 시큰둥하다	気乗りがしない
□ 심드렁하다	気乗りがしない
□ 심란하다	心が乱れる
□ 심심하다	退屈だ
□ 싱숭생숭하다	気持ちが浮つく
□ 쓸쓸하다	寂しい
□ 씁쓰레하다	後味が悪い
□ 씁쓰름하다	後味が悪い
□ 아깝다	惜しい
□ 아니꼽다	癪に障る、目障りだ
□ 아쉽다	心残りだ
□ 안쓰럽다	痛々しい
□ 암담하다	暗澹としている
□ 애절하다	哀切だ、悲しい
□ 애통하다	悲しみ嘆く
□ 야무지다	抜け目がない
□ 야박스럽다	薄情だ
□ 야박하다	薄情だ、不人情だ
□ 야비하다	下品で卑しい
□ 어리둥절하다	とまどう、まごつく
□ 어리석다	愚かだ
□ 어색하다	ぎこちない
□ 어수룩하다	うぶだ
□ 어수선하다	落ち着かない
□ 어이없다	あきれる
□ 어처구니없다	あきれる
□ 억울하다	くやしい
□ 언짢다	嫌な気持ちだ
□ 얼떨떨하다	面くらう
□ 엉큼하다	腹が黒い
□ 역겹다	鼻持ちならない
□ 염려스럽다	心配する
□ 영광스럽다	光栄に思う
□ 영예롭다	栄誉だ
□ 오만불손하다	傲慢無礼だ
□ 오만스럽다	傲慢だ
□ 오만하다	傲慢だ
□ 옹졸하다	度量が狭い
□ 완고하다	頑固だ
□ 외람스럽다	僭越だ
□ 우려스럽다	心配になる
□ 우스꽝스럽다	こっけいだ
□ 울적하다	寂しくて憂鬱だ
□ 유감스럽다	残念だ
□ 유쾌하다	愉快だ
□ 으스스하다	薄ら寒い
□ 음울하다	陰鬱だ
□ 의기소침하다	意気消沈する
□ 의기양양하다	意気揚揚とする
□ 의심스럽다	疑わしい
□ 의심쩍다	疑わしい
□ 의아스럽다	いぶかしい
□ 의아하다	いぶかしい
□ 의연하다	毅然としている
□ 의젓하다	堂々としている
□ 이채롭다	異彩だ
□ 인색하다	ケチだ
□ 인자하다	慈しみ深い
□ 자상하다	細やかだ、優しい
□ 자신만만하다	自信満々だ
□ 자애롭다	慈しみ深い
□ 적막하다	頼る処なく寂しい
□ 절실하다	切実だ
□ 졸렬하다	拙い
□ 좀스럽다	みみっちい
□ 죄송하다	申し訳ない
□ 주체스럽다	厄介だ
□ 지겹다	うんざりする
□ 지긋지긋하다	うんざりだ
□ 지당하다	もっともだ
□ 지독스럽다	ひどい
□ 지독하다	ひどい
□ 지루하다	退屈だ
□ 짓궂다	意地悪だ
□ 징그럽다	いやらしい
□ 짠하다	心苦しい

□ 쩨쩨하다	みみっちい
□ 찌뿌드드하다	体がだるい
□ 찜찜하다	嫌な感じがする
□ 찝찝하다	面白くない
□ 착잡하다	複雑な気持ちだ
□ 참담하다	惨憺としている
□ 창피스럽다	恥ずかしい
□ 창피하다	恥ずかしい
□ 채신없다	軽率で威厳がない
□ 천덕스럽다	下品で卑しい
□ 천박하다	浅はかだ
□ 천부당만부당하다	理不尽だ
□ 철없다	分別がない
□ 청승맞다	見苦しい、哀れだ
□ 촌스럽다	やぼったい
□ 추잡스럽다	いかがわしい
□ 추잡하다	いかがわしい
□ 추하다	醜い
□ 출출하다	空腹だ
□ 측은하다	哀れだ
□ 치욕스럽다	恥辱を感じる
□ 치졸하다	稚拙だ
□ 탐탁하다	好ましい
□ 터무니없다	根拠がない
□ 털털하다	大ざっぱだ
□ 통쾌하다	痛快だ
□ 퉁명스럽다	つっけんどんだ
□ 편협하다	偏狭だ
□ 푸근하다	心のどかだ、ほのぼのとする
□ 한스럽다	恨めしい
□ 한심스럽다	嘆かわしい
□ 한심하다	なさけない
□ 한탄스럽다	嘆かわしい
□ 화끈하다	豪快だ
□ 황급하다	慌て急いでいる
□ 황당무계하다	荒唐無稽だ
□ 황송스럽다	恐縮している
□ 황홀하다	うっとりする
□ 후련하다	すかっとする
□ 후안무치하다	厚顔無恥だ
□ 후회스럽다	悔やまれる
□ 흉하다	見苦しい
□ 흡족하다	十分だ、満足だ
□ 흥겹다	楽しい
□ 희한하다	珍しい

問題類型2　文の主題把握と空所補充問題

一つの文章を読んで、❶その主題を選ぶ問題が1問、❷文中の空所に入る文を選ぶ問題が1問の組み合わせ【44～45】で出題される。

文の主題は、問題文の最初と最後に集約されやすいので文の最初と最後の数行は特に集中して確認する。また文章全体ではなく、文章の一部分、一つの段落について限定されて述べている選択肢は不正解の場合が多いので注意しなければならない。空所補充の問題は、空所の内容に関係する理由、原因、対比、結論、説明などは空所の前後に出てくる場合が多い。空所の前後の内容と選択肢の内容とを比較して文脈関係が正しくなるかを確認しなければならない。

既出 60回

※다음을 읽고 물음에 답하십시오. (각2점)

원고 마감이 임박하거나 시험공부 시간이 부족하면 사람은 본능적으로 놀라운 집중력을 발휘한다. 그래서 시간 부족 상태가 되어야만 일을 효율적으로 할 수 있다고 믿는 사람들이 많다. 그러나 효율성만 믿고 (　　　) 것은 어리석은 일이다. 시간에 쫓기면 사람들은 한가지에만 집중할 뿐 그 외에 다른 것에는 주의를 기울이지 못하게 되기 때문이다. 이런 상황은 실제로 상당히 위험할 수 있다. 단적인 예로 소방관들은 구조 현장으로 이동하는 과정에서 안전벨트를 매지 않아 사고를 당하는 경우가 매우 많다. 일 초가 급한 상황에서 인명 구조에만 집중한 나머지 차 문을 닫거나 안전 벨트를 채우는 기본적인 일을 잊어서 생긴 결과이다. 이처럼 시간적 여유가 부족해지면 집중했던 일은 성공적으로 처리할 수 있겠지만 나머지 많은 것들은 놓칠 수 있다.

1. 이 글의 주제로 알맞은 것을 고르십시오.
   ① 인간의 집중력은 시간적인 제약이 많을수록 높아진다.
   ② 인간에게 시간 부족은 효율적인 일 처리의 원동력이 된다.
   ③ 단시간 내에 일을 처리해도 성공적으로 일을 마칠 수 있다.
   ④ 시간 부족은 인간의 시야를 좁혀 부정적인 영향을 미칠 수 있다.

2. (　　　)에 들어갈 내용으로 가장 알맞은 것을 고르십시오.
   ① 성급히 일을 처리하는　　② 무턱대고 일을 미루는
   ③ 관심사를 무한히 늘리는　　④ 전적으로 하나에만 매달리는

正解　1. ④　2. ②

解説　※次を読んで問いに答えない。(各２点)

> 原稿の締め切りが迫ったり試験勉強の時間が足りなくなると人は本能的に驚くべき集中力を発揮する。だから時間不足の状態になれば仕事を効率的にできると信じている人が多い。しかし効率性だけ信じて(　　　　)のは愚かなことだ。時間に追われると人は一つにだけ集中するのみで、その外に他のことには注意を傾けなくなるからだ。このような状況は実際にかなり危険性がある。端的な例として消防士は救助現場に移動する過程でシートベルトを締めなくて事故にあうケースが非常に多い。1秒を争う状況で人命救助にだけ集中するあまり車のドアを閉めたりシートベルトを締める基本的なことを忘れて起きた結果だ。このように時間的な余裕がなくなると集中していた仕事は確実に処理することができるが、ほかの多くのことは見落としかねない。

1. この文の主題として適切なものを選びなさい。
   - ① 人間の集中力は時間的な制約が多いほど高くなる。
   - ② 人間にとって時間の不足は効率的な仕事の処理の原動力になる。
   - ③ 短時間で仕事を処理しても確実に仕事を終えることができる。
   - ④ 時間の不足は人間の視野を狭めて否定的な影響を及ぼしかねない。

2. (　　　　) に入る内容として最も適切なものを選びなさい。
   - ① 性急に仕事を処理する
   - ② むやみに仕事を後回しにする
   - ③ 関心事を無限に増やす
   - ④ 完全に一つだけにかかりきりになる

問題類型3 脱落文挿入と文の内容一致問題

一つの文章を読んで、❶脱落文の挿入場所として適切な空所を選ぶ問題が1問、❷文の内容と一致するものを選ぶ問題が1問の組み合わせ【46～47】で出題される。

脱落文挿入問題は、①まず〈보기〉の脱落文を読んでキーワードになる語彙は何か、具体例か一般論か、問題を提起しているか結論付けているかなどを確認し、②文中の空所に〈보기〉の文を入れて論理的な流れに符合するかを確かめる。論理的な流れを確かめる際に空所の前後の文に指示語や接続詞があれば特に注意する。内容一致の問題は、先に選択肢を読んで問題文のどこに着目して読むべきかを確認しておいてから問題文の関連個所と比較していくと内容が一致しているかどうかがチェックしやすい。

既出41回

※다음을 읽고 물음에 답하십시오.(각 2점)

우리는 야구 만화를 볼 때 공이 상하좌우로 강하게 휘어 들어가는 장면에서 감탄하게 된다. 이건 단지 만화라서 가능한 일일까? (㉠) 아니다. 실제로도 이런 일이 있는데 이것은 공이 회전하기 때문이다. (㉡) 공은 회전을 주는 방향에 따라 회전하는 방향과 떨어지는 정도가 다르다.

(㉢) 야구에서 투수들은 이런 방법을 사용해 공을 치는 타자가 쉽게 예측할 수 없는 다양한 공을 던진다. 가끔 공이 날아오다가 자기 앞에서 떠오르는 것 같다는 타자들도 있다. (㉣) 그런데도 그렇게 착각하는 것은 공에 회전을 주어 공이 가라앉는 정도를 줄였기 때문이다. 당연히 아래로 떨어질 것이라고 예상했는데 공이 회전을 받아 거의 직선으로 날아오니까 떠오르는 것처럼 보이는 것이다.

1. 다음 문장이 들어가기에 가장 알맞은 곳을 고르십시오.

> 사실 투수가 던진 공은 중력으로 인해 절대로 위로 올라갈 수 없다.

① ㉠　② ㉡　③ ㉢　④ ㉣

2. 이 글의 내용과 같은 것을 고르십시오.

① 중력의 영향으로 회전 방향이 달라진다.
② 회전을 이용하면 공을 떠오르게 할 수 있다.
③ 회전되어 날아오는 공은 타자가 예측하기 쉽다.
④ 투수는 공에 회전을 주어서 다양한 공을 던진다.

正解　1. ④　2. ④

解説　※次を読んで問いに答えなさい。（各２点）

> 私たちは野球の漫画を読んで、球が上下左右に強く曲がって（ストライクゾーンに）入る場面で大きく感心する。これはただ漫画だから可能なことなのか。（ ㉠ ）違う。実際の場面でもこのようなことはあるが、これはボールが回転するからだ。（ ㉡ ）ボールは回転を与える方向によって回転する方向と落ちる程度が異なる。
> （ ㉢ ）野球で投手はこのような方法を使ってボールを打つ打者が簡単に予測できない多様なボールを投げる。たまにボールが飛んで来る途中、自分の前で浮び上がるようだという打者もいる。（ ㉣ ）それでもそのように錯覚するのはボールに回転を与えてボールが沈む程度を減らしたからだ。当然下に落ちるものと予想したが、ボールが回転を受けてほぼ直線で飛んで来るので浮び上がるように見えるのだ。

1. 次の文章が入るのに最も適切なところを選びなさい。

> 実は投手が投げたボールは重力によって絶対に上に上がることはできない。

①㉠　　②㉡　　③㉢　　④㉣

2. この文の内容と同じものを選びなさい

① 重力の影響で回転方向が変わる。
② 回転を利用するとボールを浮び上がらせることができる。
③ 回転して飛んで来るボールは打者が予測しやすい。
④ 投手はボールに回転を与えて多様なボールを投げる。

問題類型4　筆者の執筆の目的・態度把握と空所補充問題

一つの文章を読んで、❶筆者がその文を書いた目的を選ぶ問題が1問、❷文の空所補充の問題が1問、❸文中に表れた筆者の態度を把握する問題が1問の3問組み合わせ【48〜50】で出題される。

問題文は主に論説文で社会的、経済的な話題を取り上げているものが多い。筆者がその文章を書いた目的はそのテーマについて説明するためか、問題点を指摘するためか、意見を提示するためかなどを問う形で出題される。

空所補充の問題はこれまでの空所補充問題でやってきたとおり空所の前後の文を確認して文の論理的な流れに合う選択肢を選ぶようにする。

筆者の態度を問う問題では取り上げられた話題について筆者は批判しているか、支持・擁護しているか、憂慮・心配しているかなど、話題に対して筆者が取っている態度はどれかが問われる。

既出 36

※다음을 읽고 물음에 답하십시오. (각 2점)

성장과 분배는 경제 정책의 양 축이다. 새가 두 날개로 날 듯 둘 중 하나만으로는 국가 경제가 제대로 굴러갈 수 없다. 문제는 어느 쪽에 더 정책의 무게를 두느냐에 있다.지난 정부에서는 성장률이 올라가면 저절로 분배가 이루어진다는 '낙수 효과' 를 기대하고 선성장 후분배 정책을 시행했지만 큰 효과를 보지 못하였다. 1950년대와 1960년대에 일부 국가들이 (　　), 이와 함께 소득 불평등이 크게 완화된 예가 있기는 하다. 그러나 대기업이 주도하는 현재 우리의 경제 구조에서는 발전의 성과가 편중되기 마련이어서 낙수 효과를 기대하기가 어렵다. 그러므로 경제 성장에 따른 소득 불평등 완화 현상은 실현되기 어렵다. 따라서 소득 불평등의 심화는 필연적이므로 이에 대한 획기적인 정책이 마련되어야 한다. 이런 점에서 현 정부가 발표한 성장과 분배의 균형에 목표를 둔 '소득 주도 성장' 정책은 시의 적절하다고 볼 수 있다.

1. 위 글을 쓴 목적으로 알맞은 것을 고르십시오.
   ① 정부의 지원 대책 마련을 요구하기 위하여
   ② 낙수 효과가 일어나는 현상을 설명하기 위하여
   ③ 선성장 후분배의 성공 사례를 제시하기 위하여
   ④ 정부의 새로운 경제 성장 정책을 지지하기 위하여

2. (　　　)에 들어갈 내용으로 알맞은 것을 고르십시오.
   ① 높은 경제 성장을 이루고　　② 다양한 분배 정책을 실시하고
   ③ 성장과 분배가 조화를 이루고　④ 적은 세금을 국민에게 부과하고

3. 밑줄 친 부분에 나타난 필자의 태도로 알맞은 것을 고르십시오.
① 소득 불평등 문제가 해소된 상황을 가정하고 있다.
② 소득 주도 성장을 위한 다양한 방법을 제안하고 있다.
③ 이전과 같은 성장에 따른 분배가 불가능함을 주장하고 있다.
④ 정책 변화로 인해 경제 성장률이 떨어질 것을 예측하고 있다.

正解　1. ④　2. ①　3. ③

解説

※次を読んで問いに答えなさい。（各２点）

　成長と分配は経済政策の両輪だ。鳥が二つの翼で飛ぶように二つの中の片方だけでは国家経済がうまく機能しない。問題はどちらのほうにより政策の重点を置くのかにある。前の政府では成長率が上がれば自然に分配ができるという「トリクルダウン効果」を期待して先成長、後分配政策を実施したが、大した効果は見られなかった。1950年代と1960年代に一部の国が（　　　　）、それに伴い所得不平等が大きく緩和された例があるにはある。しかし大企業が主導している現在の韓国の経済構造では発展の成果が偏りがちなのでトリクルダウン効果は期待しにくい。だから経済成長による所得不平等の緩和現象は実現しにくい。したがって所得不平等の深化は必然的なのでこれに対する画期的な政策を立てなければならない。このような点から現政府が発表した成長と分配の均衡に目標を置いた「所得主導形成長」政策は時宜に適っていると言える。

1. 上の文を書いた目的として適切なものを選びなさい。
① 政府の支援対策の策定を要求するために
② トリクルダウン効果が起きる現象を説明するために
③ 先成長、後分配の成功事例を提示するために
④ 政府の新しい経済成長政策を支持するために

2.（　　　　）に入る内容として適切なものを選びなさい。
① 高い経済成長を成し遂げて　② 多様な分配政策を実施して
③ 成長と分配が調和を成して　④ 少ない税金を国民に課して

3. 下線部に表れた筆者の態度として適切なものを選びなさい。
① 所得不平等の問題が解消された状況を仮定している。
② 所得主導の成長のための多様な方法を提案している。
③ 以前のような成長による分配が不可能であることを主張している
④ 政策の変化によって経済成長率が落ちることを予測している。

合格資料 18 「筆者の執筆の目的を問う問題」でよく出る選択肢例

問題文の文章を書くようになった筆者の目的は何かを問う本試験48番の問題の選択肢は、「～을 설명하기 위해서·설명하려고/～을 분석하기 위해서·분석하려고/～을 제시하기 위해서·제시하려고/～을 주장하기 위해서·주장하려고（～を説明するために·説明しようと/～を分析するために·分析しようと/～を提示するために·提示しようと/～を主張するために·主張しようと）」などのようにすべて「～を説明·主張·提示·分析·比較·批判·支持…するために」などの形で出題される。

- □ 개념을 설명하기 위해
- □ 경각심을 촉구하기 위해
- □ 고객 심리를 분석하기 위해
- □ 공론화를 촉구하기 위해
- □ 공통점을 분석하기 위해
- □ 과정을 설명하기 위해
- □ 관계를 이해시키기 위해
- □ 관계를 파악하기 위해
- □ 관계에 있음을 보여 주기 위해
- □ 근거를 제시하기 위해
- □ 기능을 알려 주기 위해서
- □ 기업 사례를 보여 주기 위해
- □ 남해안을 홍보하기 위해
- □ 노력을 이끌어 내기 위해
- □ 다양성을 설명하기 위해서
- □ 대책 마련을 요구하기 위하여
- □ 도래를 알리기 위해서
- □ 등장인물을 소개하기 위해
- □ 문제를 널리 알리기 위해
- □ 문제점을 지적하기 위해
- □ 반문명적 요소를 고발하기 위해
- □ 반발을 무마하기 위해
- □ 발전에 기여한 바를 밝히기 위해
- □ 방법을 가르쳐 주기 위해서
- □ 방법을 소개하기 위해
- □ 방법을 제시하기 위해
- □ 방법을 조사하기 위해
- □ 방식을 설명하기 위해
- □ 배경을 설명하기 위해
- □ 범위를 논의하기 위해
- □ 변화 양상을 설명하기 위해
- □ 변화를 설명하기 위해
- □ 사례를 제시하기 위하여
- □ 사상을 분석하기 위해
- □ 사용 방법을 알려 주기 위해
- □ 사회적 갈등에 대해 설명하기 위해
- □ 상징을 설명하기 위해
- □ 상품 가치를 알리기 위해
- □ 생활상을 분석하기 위해
- □ 성격을 소개하기 위해
- □ 소양을 설명하기 위해
- □ 시기를 제안하기 위해
- □ 실례를 소개하기 위해
- □ 실시 배경을 소개하기 위해
- □ 심각성을 알리기 위해
- □ 쓰임새를 설명하기 위해
- □ 아름다움을 설명하기 위해
- □ 연관성을 밝히기 위해
- □ 연관성을 제시하기 위해
- □ 영향을 분석하기 위해
- □ 영향을 알려 주기 위해
- □ 영화를 비교하기 위해
- □ 우수성을 밝히기 위해
- □ 원리를 설명하기 위해
- □ 원리를 알려 주기 위해
- □ 원인을 분석하기 위해
- □ 위상을 알려 주기 위해
- □ 유치 방법을 설명하기 위해
- □ 유형을 설명하기 위해
- □ 의미를 분석하기 위해
- □ 의미를 알려 주기 위해
- □ 의미를 재조명하기 위해
- □ 이유를 설명하기 위해
- □ 이익이 돌아가도록 촉구하기 위해

□ 이해를 돕기 위해
□ 자격을 알리기 위해
□ 작가의 관점을 설명하기 위해
□ 작품을 비교하기 위해
□ 작품의 종류를 소개하기 위해서
□ 장단점을 비교하기 위해
□ 전환을 당부하기 위해
□ 정보를 제공하기 위해
□ 정책을 제안하기 위해
□ 정책을 지지하기 위하여
□ 줄거리를 분석하기 위해
□ 중요성을 강조하기 위해
□ 지도자를 비판하기 위해
□ 지도자에게 조언하기 위해
□ 차이를 보여 주기 위해
□ 책임감을 강조하기 위해
□ 춤 열풍을 이해하기 위해
□ 춤을 교육하도록 요청하기 위해
□ 토론을 유도하기 위해
□ 특색을 설명하기 위해
□ 특성을 비교하기 위해
□ 특성을 설명하기 위해
□ 특징을 비교하기 위해
□ 필요성을 알리기 위해
□ 필요성을 역설하기 위해서
□ 필요성을 정당화하기 위해
□ 필요성을 주장하기 위해
□ 해결 방안을 요청하기 위해
□ 현상을 설명하기 위하여
□ 혼란을 경고하려고

合格資料 19 「筆者の態度を問う問題」でよく出る選択肢例

文中の筆者の態度を問う本試験50番の問題は、筆者が文中のテーマについて「支持・同情・賛成・非難・批判・反論・心配・憂慮する」など、どのような態度をとっているかが選択肢として提示される。

□ ~에 대해 감탄하고 있다.
□ ~에 대해 고민하고 있다.
□ ~에 대해 공감하고 있다.
□ ~에 대해 반론하고 있다.
□ ~에 대해 분개하고 있다.
□ ~에 대해 비판하고 있다.
□ ~에 대해 염려하고 있다.
□ ~에 대해 지지하고 있다.
□ ~에 대해 전망하고 있다.
□ ~에 대해 확신하고 있다.
□ ~을 가정하고 있다.
□ ~을 강조하고 있다.
□ ~을 경계하고 있다.
□ ~을 과시하고 있다.
□ ~을 동정하고 있다.
□ ~을 반박하고 있다.
□ ~을 비난하고 있다.
□ ~을 비판하고 있다.
□ ~을 역설하고 있다.
□ ~을 염려하고 있다.
□ ~을 예측하고 있다.
□ ~을 옹호하고 있다.
□ ~을 우려하고 있다.
□ ~을 요구하고 있다.
□ ~을 인정하고 있다.
□ ~을 제시하고 있다.
□ ~을 제안하고 있다.
□ ~을 주장하고 있다.
□ ~을 증명하고 있다.
□ ~을 지적하고 있다.
□ ~을 지지하고 있다.
□ ~을 평가하고 있다.

第4章　練習用正答チェックシート

✎ 練習問題を解きながら正答チェック用に使用してください。複数回練習ができるようにコピーをして使用することをお勧めします。

問題番号	正答チェック欄	問題番号	正答チェック欄
1	人物心情把握と文の内容一致問題	2	[1]　[2]　[3]　[4]
[1]		**[2]**	
1	[1]　[2]　[3]　[4]	1	[1]　[2]　[3]　[4]
2	[1]　[2]　[3]　[4]	2	[1]　[2]　[3]　[4]
[2]		**[3]**	
1	[1]　[2]　[3]　[4]	1	[1]　[2]　[3]　[4]
2	[1]　[2]　[3]　[4]	2	[1]　[2]　[3]　[4]
[3]		**[4]**	
1	[1]　[2]　[3]　[4]	1	[1]　[2]　[3]　[4]
2	[1]　[2]　[3]　[4]	2	[1]　[2]　[3]　[4]
[4]		3	脱落文挿入と文の内容一致問題
1	[1]　[2]　[3]　[4]	**[1]**	
2	[1]　[2]　[3]　[4]	1	[1]　[2]　[3]　[4]
[5]		2	[1]　[2]　[3]　[4]
1	[1]　[2]　[3]　[4]	**[2]**	
2	[1]　[2]　[3]　[4]	1	[1]　[2]　[3]　[4]
[6]		2	[1]　[2]　[3]　[4]
1	[1]　[2]　[3]　[4]	**[3]**	
2	[1]　[2]　[3]　[4]	1	[1]　[2]　[3]　[4]
2	文の主題把握と空所補充問題	2	[1]　[2]　[3]　[4]
[1]		**[4]**	
1	[1]　[2]　[3]　[4]	1	[1]　[2]　[3]　[4]

練習用正答チェックシート

問題番号	正答チェック欄	問題番号	正答チェック欄
2	[1]　[2]　[3]　[4]		
4	筆者の執筆目的・態度把握と空所補充問題		
[1]			
1	[1]　[2]　[3]　[4]		
2	[1]　[2]　[3]　[4]		
3	[1]　[2]　[3]　[4]		
[2]			
1	[1]　[2]　[3]　[4]		
2	[1]　[2]　[3]　[4]		
3	[1]　[2]　[3]　[4]		
[3]			
1	[1]　[2]　[3]　[4]		
2	[1]　[2]　[3]　[4]		
3	[1]　[2]　[3]　[4]		
[4]			
1	[1]　[2]　[3]　[4]		
2	[1]　[2]　[3]　[4]		
3	[1]　[2]　[3]　[4]		
[5]			
1	[1]　[2]　[3]　[4]		
2	[1]　[2]　[3]　[4]		
3	[1]　[2]　[3]　[4]		

1 人物の心情把握と文の内容一致問題

▶▶▶本番の試験【42～43】では2問、各2点の配点で出題される。

[1] 다음을 읽고 물음에 답하십시오. 次を読んで問いに答えなさい。

세상에서 대인관계처럼 복잡하고 미묘한 일이 어디 또 있을까. 까딱 잘못하면 남의 입살에 오르내려야 하고, 때로는 이쪽 생각과는 엉뚱하게 다른 오해도 받아야 한다. 그러면서도 이웃에게 자신을 이해시키고자 일상의 우리는 한가롭지 못하다. 이해란 정말 가능한 걸까. 사랑하는 사람들은 서로가 상대방을 이해하노라고 입술에 침을 바른다. 그리고 그러한 순간에서 영원히 살고 싶어한다. 그러나 그 이해가 진실한 것이라면 불변해야 할 텐데 번번이 오해의 구렁으로 떨어진다. 나는 당신을 이해합니다라는 말은 어디까지나 언론 자유에 속한다. 남이 나를, 또한 내가 남을 어떻게 온전히 이해할 수 있단 말인가. 그저 이해하고 싶을 뿐이지. 그래서 우리는 모두가 타인이다. 사람은 저마다 자기 중심적인 고정관념을 지니고 살게 마련이다. 그러기 때문에 어떤 사물에 대한 이해도 따지고 보면 그 관념의 신축 작용에 지나지 않는다. 하나의 현상을 가지고 이러쿵저러쿵 말이 많은 걸 봐도 저마다 자기 나름의 이해를 하고 있기 때문이다.

"자기 나름의 이해"란 곧 오해의 발판이다. 우리는 하나의 색맹에 불과한 존재다. 그런데 세상에는 그 색맹이 또 다른 색맹을 향해 이해해 주지 않는다고 안달이다. 연인들은 자기만이 상대방을 속속들이 이해하려는 열기로 하여 오해의 안개 속을 헤맨다. 그러고 보면 사랑한다는 것은 이해가 아니라 상상의 날개에 편승한 찬란한 오해다. "나는 당신을 죽도록 사랑합니다"라는 말의 정체는 "나는 당신을 죽도록 오해합니다"일지도 모른다.

1. 밑줄 친 부분에 나타난 나의 심정으로 알맞은 것을 고르십시오.
下線部に表れた私の心情として適切なものを選びなさい。

① 당치않다　　② 시시껄렁하다
③ 착잡하다　　④ 심드렁하다

➡1. の心情·態度を表す語彙のリストは合格資料15·16·17 (pp.197～201) を参照。

2. 이 글의 내용과 같은 것을 고르십시오.

この文の内容と同じものを選びなさい。

① 상대가 오해를 하더라도 이해하고 감싸주는 것이 사랑이다.

② 남을 이해하기 위해서는 그가 가진 고정관념을 파악해야 한다.

③ 이웃에게 자신을 이해시키기 위해서는 한가로울 필요가 있다.

④ 사람의 생각은 제각각이므로 서로가 온전히 이해하기란 어렵다.

[2] 다음을 읽고 물음에 답하십시오.

벌써 며칠째 소녀는, 학교에서 돌아오는 길에 물장난이었다. 그런데, 어제까지 개울 기슭에서 하더니, 오늘은 징검다리 한가운데 앉아서 하고 있다.

소년은 개울둑에 앉아 버렸다. 소녀가 비키기를 기다리자는 것이다.

요행 지나가는 사람이 있어, 소녀가 길을 비켜 주었다.

다음 날은 좀 늦게 개울가로 나왔다. 이 날은 소녀가 징검다리 한가운데 앉아 세수를 하고 있었다. 분홍 스웨터 소매를 걷어올린 목덜미가 마냥 희었다. 한참 세수를 하고 나더니, 이번에는 물 속을 빤히 들여다 본다. 얼굴이라도 비추어 보는 것이리라. 갑자기 물을 움켜 낸다. 고기 새끼라도 지나가는 듯. 소녀는 소년이 개울둑에 앉아 있는 걸 아는지 모르는지 그냥 날쌔게 물만 움켜 낸다. 그러나, 번번이 허탕이다. 그대로 재미있는 양, 자꾸 물만 움킨다. 어제처럼 개울을 건너는 사람이 있어야 길을 비킬 모양이다.

그러다가 소녀가 물 속에서 무엇을 하나 집어 낸다. 하얀 조약돌이었다. 그리고는 벌떡 일어나 팔짝팔짝 징검다리를 뛰어 건너간다.

다 건너가더니만 홱 이리로 돌아서며,

“이 바보.” 조약돌이 날아왔다.

소년은 저도 모르게 벌떡 일어났다.

단발머리를 나풀거리며 소녀가 막 달린다. 갈밭 사잇길로 들어섰다.

뒤에는 청량한 가을 햇살 아래 빛나는 갈꽃뿐. 이제 저쯤 갈밭머리로 소녀가 나타나리라. 꽤 오랜 시간이 지났다고 생각했다. 그런데도 소녀는 나타나지 않았다. 발돋움을 했다. 그러고도 상당한 시간이 지났다고 했다. 저쪽 갈밭머리에서 갈꽃이 한 옴큼 움직였다. 소녀가 갈꽃을 안고 있었다.

▶ 解説は337ページへ

1 人物の心情把握と文の内容一致問題

1. 밑줄 친 부분에 나타난 소년의 심정으로 알맞은 것을 고르십시오.

① 괘씸하다 ② 씁쓸하다

③ 무안하다 ④ 처량하다

2. 이 글의 내용과 같은 것을 고르십시오.

① 소녀는 매일 개울에서 물장난을 하면서 고기를 잡고 있다.

② 소년은 소녀가 징검다리를 비켜줄 때까지 둑에 앉아 기다릴 생각이다.

③ 소녀는 소년이 개울둑에 앉아서 자기를 보고 있는 것에 화가 났다.

④ 소녀는 소년에게 사과하려고 갈꽃을 꺾으러 갔다.

[3] 다음을 읽고 물음에 답하십시오.

재작년이던가, 눈이 아파 한동안 병원엘 드나든 적이 있었다. 그 무렵 경전 번역 일로 줄곧 골몰했더니 바른쪽 눈이 충혈되고 찌뿌드드해 무척 거북스러웠다. 안약을 넣어도 듣지 않았다. 미적미적 미루다가 하루는 마음을 크게 먹고 신문에 자주 나오는 안과를 찾아갔다. 나처럼 서투르고 어설픈 사람이면 대개가 그렇듯이 광고의 유도를 받은 것이다.

그 안과는 어찌나 환자들로 붐비던지 진찰 받는 시간보다 기다리는 시간이 몇 곱절 더 길었다. 의사는 밀린 환자 때문에 그럼인지 경기장에서 갓 나온 운동 선수처럼 씩씩거리면서 내 눈을 살폈다. 시력에는 이상이 없었다. 기표소처럼 휘장이 쳐진 구석을 가리켰다. 대기하고 있던 간호원이 철썩 엉덩이에 주사침을 꽂았다. 그리고 안약 한 병. 지극히 간단하고 신속한 진료였다. 날마다 오라고 했지만 나는 그 의사의 초대를 사양했다. 날마다 찾아갈 성의도 여가도 함께 없었지만 무엇보다 그 의사에게 신뢰가 가지 않았기 때문이었다. 내친 걸음에 다음날은 그 길 건너에 있는 안과를 찾아갔다. 분위기가 차분했다. 물론 씩씩거리지도 않았다. 병명은 구결막 부종. 평범한 말로 하자면 눈의 흰자가 좀 부었다는 것이었다. 시력에는 영향이 없으니 걱정말고 눈을 푹 쉬라고 했다. 그런데 출간 예정일 때문에 눈을 쉬게 할 수가 없었다. 할 일은 태산 같은데 몸이 따르지 못하는 그런 형편이었다.

▶ 解説は338ページへ

1. 밑줄 친 부분에 나타난 나의 심정으로 알맞은 것을 고르십시오.

① 야속하다　　② 겸연쩍다

③ 찜찜하다　　④ 안타깝다

2. 이 글의 내용과 같은 것을 고르십시오.

① 광고에 난 병원치고 신뢰할 만한 곳은 별로 없다.

② 어설픈 사람일수록 병원 광고를 액면 그대로 받아들인다.

③ 눈을 혹사한 탓에 안과 신세를 지지 않을 수 없었다.

④ 구결막 부종이란 안과 의사에 따라 치료법이 크게 다르다.

[4] 다음을 읽고 물음에 답하십시오. (既出 37 回)

나는 오전에 자전거를 끌고 사람이 없는 운동장으로 갔다. 시멘트 계단 옆에 자전거를 세운 뒤 안장에 올라가서 발로 연단을 차는 힘으로 자전거의 주차 장치가 풀리면서 앞으로 나가도록 했다. 바퀴가 두 번도 구르기 전에 자전거는 멈췄고 나는 넘어졌다. 같은 식의 시행착오가 수백 번 거듭되었다.

정강이와 허벅지에 멍 자국이 생겨났고 팔과 손의 피부가 벗겨졌다. 나중에는 자전거를 일으키는 일조차 힘이 들었다. 마지막으로 쓰러졌을 때 어둠이 다가오고 있는 걸 알고는 막막한 마음에 자전거 옆에 한참 누워 있다가 일어났다. (중략)

그럼에도 불구하고 나는 돌을 딛고 자전거에 올라섰다. 어차피 가지 않으면 안 될 길. 나는 몸을 앞뒤로 흔들어 자전거를 출발시켰다. 자전거는 앞으로 나아가기 시작했다. 페달을 밟지 않고도 가속이 붙었다. 나는 난생 처음 봄을 맞는 장끼처럼 나도 모를 이상한 소리를 내지르며 자전거와 한 몸이 되어 달려 내려갔다. 가슴이 터질 듯 부풀었고 어질어질한 속도감에 사로잡혔다.

1. 밑줄 친 부분에 나타난 나의 심정으로 알맞은 것을 고르십시오.

① 희열을 느끼다　　② 기대에 들뜨다

③ 가슴이 먹먹하다　　④ 마음이 홀가분하다

▶ 解説は339ページへ

2. 이 글의 내용과 같은 것을 고르십시오.

① 자전거의 바퀴가 고장 나서 집으로 끌고 가야 했다.
② 주차 장치가 풀려서 계단 옆에 세워 놓은 자전거가 쓰러졌다.
③ 나는 자전거를 탈 줄 몰라서 늦은 시간까지 연습을 거듭했다.
④ 나는 다른 사람의 자전거와 부딪치면서 온몸에 상처를 입었다.

[5] 다음을 읽고 물음에 답하십시오. (既出 36 回)

어린 시절 그 애는 정말 막무가내로 인혜를 따라다녔다. 계집애하고 논다고 친구들한테 별의별 놀림을 다 받으면서도 아침이면 어김없이 인혜네 양철대문을 두드리며 "오인혜, 학교 가자!"를 외쳐댔던 것이다. 새침한 인혜가 갈래 머리를 어깨 뒤로 넘기며 휑하니 앞서 걸으면 어느 틈엔가 따라와서 넌지시 인혜의 책가방 끈을 잡아당겨 제 책가방에 겹쳐 들고 가곤 하던 이현석. 그러니 학교 변소 벽에는 이현석 오인혜 연애대장 어쩌구하는 낙서가 지워질 날이 없을 수밖에. 5학년 때던가, 현석이 이사 가던 날은 장맛비가 추적추적 내렸다. 이삿짐을 나르느라 부산한 뒷집의 기척을 다 들으면서도 인혜는 방에 처박혀 꼼짝을 하지 않았다. 이윽고 트럭이 부르릉 시동 거는 소리가 들려오자 자기도 모르게 가슴이 철렁하여 인혜는 골목 쪽으로 난 창문을 황급히 열어젖혔다. 그러자 바로 거기에, 비를 맞으며 현석이 인혜네 창문을 올려다보며 서 있었던 것이다. 늘 뻣뻣이 일어서 있던 머리카락이 비에 젖은 탓인지 현석의 표정은 어린애답지 않게 우수가 어려 있었다.

1. 밑줄 친 부분에 나타난 현석의 심정으로 알맞은 것을 고르십시오.

① 안타깝다 ② 괘씸하다 ③ 담담하다 ④ 허탈하다

2. 이 글의 내용과 같은 것을 고르십시오.

① 현석이는 매일 아침 인혜와 함께 등교를 했다.
② 현석이네는 5학년 때 인혜네 앞집으로 이사를 왔다.
③ 친구들은 현석이가 인혜를 좋아한다는 것을 몰랐다.
④ 현석이는 인혜에게 가방을 들어 주겠다는 말을 자주 했다.

▶ 解説は339ページへ

[6] 다음을 읽고 물음에 답하십시오. (既出 35 回)

초등학교 3학년쯤으로 보이는 남자 아이가 가장 높은 다이빙대에 올라갔다. 성인도 호기로 올라갔다가 그냥 내려오곤 하는 곳이었다. 소년은 무서워서 뛰어내리지도, 뒤돌아 내려가지도 못하고 다이빙대 끝과 계단 사이를 한참 왔다 갔다 했다. 그러자 부모로 보이는 사람이 내려오라는 손짓을 했다. 아이는 계속 망설였다. 수영장의 모든 사람이 이 모습을 지켜보고 있었다. 그때였다. 스피커에서 수영장 관리자로 추정되는 사람의 목소리가 나오기 시작했다. 나는 당연히 아이의 부모에게 '어서 아이를 데리고 내려오라.' 고 말할 줄 알았다. 그런데 그는 전혀 다른 말을 했다.

"넌 할 수 있어! 내가 도와줄게. 이제 셋을 셀 거야. 겁내지 말고 뛰어내리면 돼!" 그리고 큰 소리로 숫자를 세기 시작했다. 수영장에 있던 모든 사람도 스피커 소리를 따라 큰 소리로 숫자를 따라 셌다. (중략)

아이는 다이빙대 끝을 박차고 허공에 손을 휘저으며 뛰어내렸다. 아이가 물로 떨어지는 몇 초 동안, 모든 것은 잠시 숨을 멈추었다. 바람도 공기도 나뭇잎의 흔들림까지. 이윽고 '풍덩' 하는 소리와 함께 세상은 다시 깨어났다. 박수 소리가 수영장을 울렸다. 나도 손뿐 아니라 마음 깊은 곳에서 박수를 보냈다.

1. 밑줄 친 부분에 나타난 사람들의 태도로 알맞은 것을 고르십시오.

① 격려하고 있다　② 위로하고 있다

③ 안도하고 있다　④ 원망하고 있다

2. 이 글의 내용과 같은 것을 고르십시오.

① 아이가 올라간 다이빙대는 어린이 전용으로 만들어졌다.

② 아이가 뛰어내려 물속으로 들어가자 사람들이 박수를 쳤다.

③ 방송을 통해 아이의 부모가 아이에게 내려오라고 소리쳤다.

④ 아이의 부모는 관리자에게 아이를 데려와 달라고 부탁했다.

▶ 解説は340ページへ

4 読解編 (4)

2 文の主題把握と空所補充問題

▶▶▶本番の試験【44~45】では2問、各2点の配点で出題される。

[1] 다음을 읽고 물음에 답하십시오. 次を読んで問いに答えなさい。

재정 건전성은 한국 경제 최후의 보루다. 넉넉한 외환보유액과 함께 외풍을 막는 방파제가 돼 왔다. 글로벌 금융위기 이후 오히려 한국의 국가신용등급이 오른 것도 해외에서 이를 높이 평가했기 때문이다. 하지만 가계부채가 임계점에 이르렀다는 지적이 잇따르는 가운데 나랏빚마저 빠르게 늘면 경제가 기댈 안전판이 사라지는 셈이다. 청년세대를 위해 기성세대가 희생해야 한다며 노동개혁을 강조하는 정부가 (　　　　) 것은 모순이다. 정부는 국가채무가 정권이 아니라 국가의 문제라는 인식을 다져야 한다. 예산 낭비를 막는 재정개혁과 복지의 효율성을 높이는 데 전력을 기울여야 한다. 내년 예산 심의 과정에서 불필요하거나 시급하지 않은 지출을 걸러내는 국회의 역할도 중요하다. 총선을 앞둔 국회가 모처럼 제 몫을 했다는 평가를 받길 기대한다.

1. 이 글의 주제로 알맞은 것을 고르십시오.
この文の主題として適切なものを選びなさい。

① 청년세대의 부담 경감을 위해 과도한 복지 예산을 줄여야 한다.
② 재정 건전성을 저해하는 가계부채는 시급히 탕감해야 한다.
③ 재정개혁과 넉넉한 복지 제공은 모순되는 것이 아니다.
④ 재정 건전성이 확보되도록 가일층 적정한 예산 편성이 요구된다.

2. (　　　　)에 들어갈 내용으로 알맞은 것을 고르십시오.
(　　　　)に入る内容として適切なものを選びなさい。

① 국가채무도 제대로 파악하지 못하고 있는
② 미래세대의 부담인 나랏빚을 크게 늘리는
③ 청년세대보다 기성세대를 더 우대하는
④ 젊은이들을 위한 일자리를 늘리지 않는

▶ 解説は342ページへ

[2] 다음을 읽고 물음에 답하십시오.

교육인적자원부가 마련한 '부적격 교원 퇴출안'은 그 범위와 심사절차 등에서 대체로 수긍할 만하다. 사안의 핵심이었던 부적격 교원의 범위에 금품 수수, 시험문제 유출 및 학업성적 조작, 성 범죄, 상습적 폭력, 정신적 질환자 등이 포함된 것은 합리적인 수준인 것 같다. 퇴출 절차에 있어서도 학부모나 학생의 실명신고, 시·도교육청 감사담당 부서에서 사실 여부 확인, '교직복무심의위원회'의 부적격 해당 여부 심의, 시·도교육감의 징계 결정, 해당 교사의 재심의 요구 등 절차는 만에 하나 억울한 퇴출이 없도록 한다는 점에서 큰 무리가 없어 보인다.

그런 점에 비춰보면 교원단체들이 무작정 반대만 할 일은 아니다. 물론 교원단체이니만큼 (　　　　) 것은 이해할 만하다. 하지만 무리한 주문이 따르면 현실을 외면한 집단이기주의로 비치기 십상이다. 부적격 교사 퇴출은 교육의 질을 높이기 위한 것으로 학부모 등 교육의 수요자가 공급자인 교사들에게 원하는 중요 현안이다.

1. 이 글의 주제로 알맞은 것을 고르십시오.
① 교육의 질적 향상을 위해 부적격 교원의 적절한 퇴출이 필요하다.
② 교원 부적격자 퇴출 판정 문제는 신중을 기해야 한다.
③ 부적격 교원 문제는 담당 관서와 교원단체의 협의하에 해결해야 한다.
④ 부적격 교원의 범위와 퇴출 절차는 엄밀하게 정해야 한다.

2. (　　　　)에 들어갈 내용으로 알맞은 것을 고르십시오.
① 퇴출안 폐기를 위한 서명 활동을 벌이는
② 교원을 변호하고 재심을 대행하는
③ 교원들의 사기 진작을 위해 노력하는
④ 교원들에게 돌아갈 불이익에 반대하는

▶ 解説は342ページへ

2 文の主題把握と空所補充問題

[3] 다음을 읽고 물음에 답하십시오.

경기가 어려울 때 각국이 가장 먼저 증세 카드로 꺼내는 게 이른바 '죄악세(sin tax)'다. 담배·술·도박처럼 반사회적인 상품과 서비스에 과세하면 '세금으로 사회악을 줄인다'는 명분을 내세울 수 있기 때문이다. 글로벌 금융 위기 이후 재정이 어려웠던 나라들은 대개 담배·술에 대한 소비세를 올렸다. 뉴욕에선 탄산음료에도 비만세를 매겼다. 우리나라도 올초 담뱃값을 2000원이나 올렸다. 정부는 값을 올리면 올해 담배 소비가 34% 줄어들 것이라고 했다. 하지만 담배를 끊었던 애연가들이 다시 손에 담배를 쥐고 있다.

담뱃값을 어정쩡하게 올리면 (　　　　) 결국 세수 구멍을 메우려고 서민을 쥐어짰다는 말이 나올 수밖에 없다. 정부는 담뱃갑 경고 사진처럼 획기적인 금연 대책을 추가로 꺼내야 한다. 이대로 가면 국민 건강은 팽개치고 세금이나 챙기려고 '꼼수 증세'를 했다는 말을 들을 게 뻔하다.

1. 이 글의 주제로 알맞은 것을 고르십시오.
   ① 반사회적 상품을 추방하기 위해 강력한 조치를 취해야 한다.
   ② 사회악 경감을 위한 소비세 인상은 마땅하다.
   ③ 증세만이 목적이 아닌 효과적인 금연 대책을 마련해야 한다.
   ④ 흡연율을 감소시키기 위해 어느 정도의 담뱃값 인상은 필요하다.

2. (　　　)에 들어갈 내용으로 알맞은 것을 고르십시오.
   ① 세수의 증가는 기대할 수 없으므로
   ② 애연가의 혼란만 부추기게 되므로
   ③ 흡연율은 별반 떨어지지 않으므로
   ④ 애꿎은 서민들만 피해를 보게 되므로

▶ 解説は343ページへ

[4] 다음을 읽고 물음에 답하십시오.

2010년 국제우주정거장(ISS)이 완공되자 6개월에서 1년씩 우주에 머무를 수 있게 됐다. 그러나 그 기간을 버텨내려고 식품을 산더미같이 싣고 간다면 비용이 만만치 않다. 식품 유효기간도 문제다. 그래서 우주인은 주로 가벼운 냉동 건조 식품이나 튜브형 식품을 먹는다. 하지만 간이 식품만 갖고 오랜 기간 우주여행을 하기란 불가능에 가깝다.

미 항공우주국(NASA)은 작년부터 우주 식물 재배 장치 '베지(Veggie)'를 ISS에 보내 식용 식물을 재배하는 실험을 하고 있다. 며칠 전 ISS의 우주인들이 '베지'에서 키운 적상추를 처음으로 먹는 모습이 인터넷 생중계됐다.

NASA는 '한 인간에겐 한 입, 인류에겐 거대한 잎사귀'라는 글을 인터넷에 올렸다. 단순히 상추를 한 입 먹은 게 아니라 장기 우주여행으로 가는 (　　　　) 의미다. NASA는 우주에 오랫동안 머무는 데 필요한 식물로 상추·토마토·블루베리를 꼽고 있다. 멀고 먼 우주 탐험 길에 식량 자급이라는 문이 또 하나 빠끔히 열렸다.

1. 이 글의 주제로 알맞은 것을 고르십시오.
   ① 우주에서의 완전한 식량 자급이 이루어져야 한다.
   ② 베지의 성능 개선을 통해 우주 탐험이 성공하길 원한다.
   ③ 식물의 자급 자족만이 우주 여행의 문을 열어 줄 수 있다.
   ④ ISS에서의 식용식물 재배 성공이 주는 의미는 크다.

2. (　　　)에 들어갈 내용으로 알맞은 것을 고르십시오.
   ① 중요한 첫걸음을 내디뎠다는
   ② 도정에서 식량 자급을 해결했다는
   ③ 사람들에게 푸성귀를 제공하게 됐다는
   ④ 요원도 신선한 잎사귀를 맛볼 수 있게 됐다는

▶ 解説は344ページへ

3 脱落文挿入と文の内容一致問題

▶▶▶本番の試験【46~47】では2問、各2点の配点で出題される。

[1] 다음을 읽고 물음에 답하십시오. 次を読んで問いに答えなさい。

건강보험심사평가원의 자료에 의하면 분만을 받는 의원급 산부인과 수가 해가 갈수록 감소하는 것으로 나타났다. (㉠) 분만 의원급 산부인과 감소는 과중한 노동량, 낮은 분만수가, 의료사고 및 분쟁 위험성에 대한 부담 및 저출산 현실 등에 기인한다. (㉡) 적정한 산부인과 수의 유지는 국가적인 차원에서도 장차 한국의 미래를 담당할 인구의 질을 결정한다는 점에 있어서도 무엇보다도 중요하다. (㉢) 지역사회에서 산모와 신생아의 생명과 건강을 책임지는 의원급 산부인과의 감소는 농어촌 등 의료취약지역의 의료접근성 악화, 고령출산자의 건강 위해 요인 증가, 신생아 집중치료에 필요한 병상 부족 등의 문제를 야기하고 있다. (㉣)

1. 다음 문장이 들어가기에 가장 알맞은 곳을 고르십시오.
この文が入るのに最も適切な場所を選びなさい。

> 복지부는 안전한 분만 환경 조성과 임산부들의 의료접근성 강화를 위한 구체적 지원방안을 강구해야 한다.

① ㉠　　② ㉡　　③ ㉢　　④ ㉣

2. 이 글의 내용과 같은 것을 고르십시오.
この文の内容と同じものを選びなさい。

① 산부인과 수의 감소는 의료취약지역의 증가에 의한 것이다.
② 안전 분만이 가능하도록 산부인과 감소에 대한 대책이 필요하다.
③ 지역사회가 산모와 신생아의 건강에 책임지는 태세를 갖춰야 한다.
④ 지역에 따른 분만 환경의 차이가 의료 분쟁을 야기하고 있다.

▶ 解説は345ページへ

[2] 다음을 읽고 물음에 답하십시오.

길고양이들로 인한 민원으로 골머리를 앓던 서울 강동구는 지역 내 캣맘(길고양이에게 먹이를 주며 보살피는 사람) 단체가 제안한 이른바 '길고양이 급식소'를 지자체 중 처음으로 설치했다. (㉠) 강동구청 담당자는 "먹을 게 충분하면 고양이들이 음식물 쓰레기봉투를 건드리지 않게 돼 주민 불편이 해소될 것이란 제안이 설득력 있었다"며 "무조건 쫓아내기보다는 급식소를 마련해 길고양이를 관리하자는 역발상"이라고 설명했다. (㉡) 급식소 설치 후 관내 길고양이를 둘러싼 갈등은 상당 부분 줄었다는 평가를 받고 있다. (㉢) 담당자는 "과거엔 길고양이들이 쓰레기봉투를 뜯어놓는 것 때문에 불만이 많았는데 급식소 설치 후 많이 줄었다"고 말했다. (㉣) 한 주민은 "비둘기는 유해동물로 분류해 먹이를 주지 말라고 홍보하면서 길고양이에게는 왜 먹이를 주는지 모르겠다"며 "낮에는 비둘기들이 급식소를 점령해 사료를 먹고 있다"고 지적했다.

1. 다음 문장이 들어가기에 가장 알맞은 곳을 고르십시오.

하지만 "구가 나서서 길고양이에게 밥을 주는 건 문제가 있다"며 급식소 설치에 반대하는 목소리도 만만찮다.

① ㉠　　② ㉡　　③ ㉢　　④ ㉣

2. 이 글의 내용과 같은 것을 고르십시오.

① 길고양이를 포획하려면 길고양이 급식소가 필요하다.
② 길고양이 급식소 설치에 대해서 주민 모두 긍정적이다.
③ 음식물 쓰레기봉투를 뜯어놓는 길고양이에 대한 민원이 많다.
④ 길고양이 급식소 설치가 음식물 쓰레기 문제를 해결해 준다.

▶ 解説は345ページへ

3 脱落文挿入と文の内容一致問題

[3] 다음을 읽고 물음에 답하십시오.

추석을 앞두고 명절 음식을 빠르게 장만할 수 있도록 도와주는 기능성 주방용품이 인기를 끌고 있다. (㉠) 온라인쇼핑몰 아이스타일에 의하면 판매가 급증한 주방용품 중에는 명절 음식 중 가장 손이 많이 가는 전 요리에 필요한 제품들이 많았다.계란과 부침가루 등을 자동으로 섞는 반자동 거품기의 판매량은 43% 늘었으며, 부침 요리를 할 때 눌러 붙지 않는 코팅 후라이팬 판매량은 50% 증가했다. (㉡) 한번에 빠른 채썰기를 도와주는 다기능 슬라이서와 용도별로 칼이 들어있는 주방용 칼 세트 판매량이 각각 38%, 43% 늘었다. 육류와 생선 전용 용기를 비롯해 음식을 종류별로 쉽게 분리 보관하는 다기능 용기도 지난달보다 72% 잘 팔렸다. (㉢) 실제로 이 기간동안 기능성 주방용품을 구매한 소비자 가운데 58%는 30~40대 여성이었다. (㉣)

1. 다음 문장이 들어가기에 가장 알맞은 곳을 고르십시오.

> 이는 추석 음식 장만에 스트레스를 받는 주부들이 요리를 간편하게 할 수 있는 제품을 일찌감치 구입하고 있기 때문이다.

① ㉠　② ㉡　③ ㉢　④ ㉣

2. 이 글의 내용과 같은 것을 고르십시오.
① 명절 음식은 손이 많이 가므로 다기능 용기가 많이 팔린다.
② 명절 음식 준비와 보관에 편리한 주방용품과 용기가 인기다.
③ 명절만 되면 주방용품이나 용기를 새로 장만하는 여성이 많다.
④ 1년중 주방용품 매출이 가장 증가하는 시기가 추석 명절 때다.

▶ 解説は346ページへ

[4] 다음을 읽고 물음에 답하십시오.

'페이스북'의 이용기록을 분석해 개인의 성격, 심리뿐 아니라 취향까지 알려주는 프로그램이 나와 관심을 끌고 있다. 영국의 한 연구팀은 페이스북 '좋아요' 기록을 통해 개인 성향을 분석해주는 어플을 개발했다. 자신의 페북 계정과 어플을 연동시키면 사용자는 즉시 결과를 받아볼 수 있다. (㉠) 페이스북 이용자의 교육 수준과 연애 현황은 물론 성격 특성까지 개별적으로 측정 가능해 결과값이 다양하다. 해당 어플 개발자는 "'좋아요'를 누르는 것만으로도 개인에 대해 많은 것을 파악할 수 있다는 사실을 보여주고 싶었다"며 개발 이유를 밝혔다. 그러나 이같은 SNS를 활용한 빅데이터 분석으로 인해 개인 사생활 영역이 무너지고 신상정보까지 유출된다는 우려도 제기되고 있다. (㉡) 이 어플 개발 소식이 알려지자 네티즌들의 반응은 싸늘하다. (㉢) 국내 한 네티즌은 "무심코 누른 '좋아요'에 내 개인 성향을 분석하는 프로그램을 보니 신기하다는 생각보다 무서움이 먼저 든다"며 "개인 정보, 사진과 함께 성격, 취향마저 강제공개 당하는 느낌"이라고 평가했다. (㉣)

1. 다음 문장이 들어가기에 가장 알맞은 곳을 고르십시오.

불과 10초 사이에 본인의 대한 다양한 분석 결과가 나오는 것에 충격을 받았기 때문이다.

① ㉠　　② ㉡　　③ ㉢　　④ ㉣

2. 이 글의 내용과 같은 것을 고르십시오.
① 타인의 정보를 쉽게 알아볼 수 있는 것이 페이스북의 장점이다.
② SNS의 이용기록 분석은 개인정보 유출에 대한 우려가 크다.
③ SNS 이용 분석에서 추출한 데이터는 심리분석에 큰 도움이 된다.
④ 페이스북은 이용자의 특성을 측정할 수 있는 어플을 개발했다.

▶ 解説は346ページへ

4 筆者の執筆の目的・態度把握と空所補充問題

▶▶▶本番の試験【48～50】では3問、各2点の配点で出題される。

[1] 다음을 읽고 물음에 답하십시오. 次を読んで問いに答えなさい。

애지중지하던 기계가 고장났다면? 최선의 방법은 두가지 중 하나다. 과감하게 새 걸로 교체하든지 아니면 제대로 고쳐쓰는 것이다. 어정쩡한 미봉책 수준에서 고장난 기계를 계속 돌려봤자 늘어나는 건 수리비요, 까먹는 건 시간이다. 부실기업 갱생을 위한 기업구조조정의 현주소가 딱 이 신세다. 살릴 만한 부실기업의 빠른 갱생과 죽어야 할 좀비기업의 신속한 정리라는 기능이 고장나다시피 했다. 이 기능이 제대로 작동하지 않는다는 건 중차대한 문제다. 이해관계자의 고통이 따르긴 하지만 오히려 한정된 자원을 효율적으로 재분배해 국가경제 생태계를 건강하게 유지할 수 있는 절호의 기회를 놓쳐버리는 우(愚)를 범할 수 있기 때문이다. 게다가 지금은 장기 불황과 국가산업 경쟁력 약화로 한계기업이 속출하고 있는 긴박한 상황이다. 그렇다면 이러한 문제의 해결 과제는 무엇일까. 결론부터 말하면 무너진 기업구조조정 시장의 보상·유인 체계를 (　　　　), 정치권 등의 보이지 않는 외압을 차단하는 것이다.

1. 위 글을 쓴 목적으로 알맞은 것을 고르십시오.
上の文を書いた目的として適切なものを選びなさい。

① 부실기업의 실태와 국가경제의 낭비를 고발하기 위해
② 정부의 부실기업 정리 대책을 지지하기 위해
③ 부실기업의 선별과 구조조정의 필요성을 주장하기 위해
④ 정치권의 외압에 대한 경각심을 촉구하기 위해

2. (　　　)에 들어갈 내용으로 알맞은 것을 고르십시오.
(　　　)に入る内容として適切なものを選びなさい。

① 철저하게 제거하고　② 적극적으로 장려하고
③ 합리적으로 다시 복원하고　④ 시장의 자율성에 맡기고

➡筆者の目的・態度に関する選択肢例は合格資料18・19（pp.208～209）を参照。

3. 밑줄 친 부분에 나타난 필자의 태도로 알맞은 것을 고르십시오.

下線部に表れた筆者の態度として適切なものを選びなさい。

① 부실기업 정리가 초래할 혼란을 걱정하고 있다.

② 부실기업의 퇴출 방안에 대해 비판하고 있다.

③ 부실기업에 대한 신속한 구조조정을 주장하고 있다.

④ 부실기업의 갱생과 정리의 어려움을 지적하고 있다.

[2] 다음을 읽고 물음에 답하십시오.

산업 사회와 정보화 사회에서 '표준화'가 없었다면 오늘날과 같은 인터넷 시대는 상상도 할 수 없었을 것이다. 개인용 컴퓨터의 하드웨어와소프트웨어 및 네트워크 장비 등에 국제 표준이 적용되었기에 제품의 효율적인 생산과 이용이 가능하였다. 이처럼 표준화는 나름대로 큰 이점이 있는가 하면, 개인의 창의력에 기반을 둔 지적 생산성을 저해할 수도 있다. 참신한 아이디어에 기반을 둔 획기적인 상품일지라도 표준화의 과정을 거치지 못하면 활용되지 못한 채 사장되는 경우가 많다. 이것은 거대 기업이 집단의 힘을 발휘하여 국제적 협조를 얻기가 쉬운 반면에, 개인이나 소기업은 표준화에 (   ) 거의 불가능하기 때문이다.

따라서 국제적인 표준화가 불가피하더라도, 큰 틀에서는 생산과 유통을 효율화하기 위한 규정을 마련하고 작은 틀에서는 각 개인의 창의력이 제 몫을 발휘할 수 있도록 규정을 유연화하는 것이 현명할 것이다. 과학기술 사회의 실현 여부는 자유롭고 다양한 가능성을 담을수 있는 갖가지 그릇을 얼마나 잘 준비하느냐에 달려 있다.

1. 위 글을 쓴 목적으로 알맞은 것을 고르십시오.

① 국제적 표준화의 불가피함과 이점을 설명하기 위해

② 지적 생산성의 저해 요인을 고발하기 위해

③ 국제적 표준화에 따른 보완책의 필요성을 주장하기 위해

④ 표준화가 가져올 피해에 대한 경각심을 촉구하기 위해

▶ 解説は348ページへ

4 筆者の執筆の目的・態度把握と空所補充問

2. (　　　)에 들어갈 내용으로 알맞은 것을 고르십시오.

① 막대한 투자를 하기가　　② 영향력을 행사하기가

③ 유연하게 대응하기가　　④ 획기적인 기여를 하기가

3. 밑줄 친 부분에 나타난 필자의 태도로 알맞은 것을 고르십시오.

① 생산성 저하가 가져올 소기업의 혼란에 대해 걱정하고 있다.

② 지적 생산성을 높일 수 있는 표준화 방책을 모색하고 있다.

③ 표준화가 개인의 창의력 활용에 미칠 부작용을 우려하고 있다.

④ 표준화로 인해 생산성이 저하될 가능성에 대해 염려하고 있다.

[3] 다음을 읽고 물음에 답하십시오.

보건복지부가 내년부터 전업주부의 0~2세 자녀에 한해 어린이집 무상이용 시간을 하루 7시간 이내로 줄이는 방안을 추진하기로 했다. 지금은 0~2세 아동은 모두 무상으로 어린이집 종일반(하루 12시간)을 이용할 수 있지만 앞으로는 부모의 취업 여부에 따라 맞춤형으로 바꾸기로 한 것이다. 무차별적인 무상보육의 문제점은 꾸준히 제기돼 왔고, 지난해 말 인천 어린이집 아동학대 사건이 터지면서 전면 개편해야 한다는 목소리가 높았다.

무상보육은 도입부터 졸속이었다. 총선과 대선을 앞두고 여야가 무상복지 포퓰리즘 공약을 쏟아냈고, 철저한 준비도 없이 2013년부터 0~5세 전면 무상보육이 도입됐다. (　　　) 무차별로 받아주다보니 무상보육 예산도 기하급수적으로 늘어났다.

그런 점에서 정부가 무차별적인 무상보육 제도를 선별적, 맞춤형으로 뜯어고치기로 한 것은 바람직한 방향이다. 부모의 소득, 취업 여부와 상관없이 무차별적으로 보육료를 지원하는 나라는 세계 어디에도 없다.

▶ 解説は349ページへ

1. 위 글을 쓴 목적으로 알맞은 것을 고르십시오.

① 정부의 무상보육제도 개선 방안을 지지하기 위해
② 무차별적 무상보육 제도의 폐지를 주장하기 위해
③ 무상보육제도 운용의 허점을 지적하기 위해
④ 전업주부 자녀의 어린이집 이용 제한을 촉구하기 위해

2. (　　　)에 들어갈 내용으로 알맞은 것을 고르십시오.

① 부모의 소득 수준과 관계없이　　② 어린이집의 실정을 도외시하고
③ 어린이집 수용 인원을 늘리고　　④ 부모의 취업 여부와 상관없이

3. 밑줄 친 부분에 나타난 필자의 태도로 알맞은 것을 고르십시오.

① 무차별적 보육료 지원으로 인한 예산부족을 걱정하고 있다.
② 현재의 무차별적 무상보육제도에 대해 비판하고 있다.
③ 무상보육제도의 실시에 대해 기본적으로는 공감하고 있다.
④ 무상보육이 실패했던 해외 사례를 강조하고 있다.

[4] 다음을 읽고 물음에 답하십시오.

신용카드도 신용등급을 가려서 발급해 주는 시대이다. 그만큼 신용등급관리가 중요해졌다. 신용등급이 7등급 아래인 사람들은 신용등급을 올리기 전에는 신용카드를 발급받을 수가 없게 된다. 그러므로 소 잃고 외양간 고치지 않기 위해서는 금융거래 때 발생할 수 있는 불이익을 미리 방지하는 편이 바람직하다. 신용평가회사의 홈페이지에 들어가면 무료로 신용을 조회하여 자신의 신용등급을 확인할 수 있다. 그리고 비교적 짧은 시간내에 신용등급을 올리는 방법은 신용등급 평가 항목의 부정적인 요소를 줄이는 것이다. 신용등급에 가장 부정적인 영향을 미치는 것은 연체다. 특히 10일 이상 연체된 기록은 5년이 지나서야 지워진다. 그러므로 자동이체를 해 놓은 경우 통장 잔액을 확인하여 연체하는 일이 없도록 해야 한다. 이렇게 꾸준히 (　　　) 부정적인 요소를 줄여나가면 훨씬 더 유리한 조건으로 금융생활을 누릴 수 있다.

▶ 解説は350ページへ

❹ 筆者の執筆の目的・態度把握と空所補充問

1. 위 글을 쓴 목적으로 알맞은 것을 고르십시오.
   ① 신용등급을 올리는 방법을 소개하기 위해
   ② 신용등급 관리의 중요성을 강조하기 위해
   ③ 신용평가에 부정적인 요인을 설명하기 위해
   ④ 연체가 미치는 부정적인 영향을 지적하기 위해

2. (　　　)에 들어갈 내용으로 알맞은 것을 고르십시오.
   ① 통장잔액을 확인하면서　　② 신용 등급을 확인하면서
   ③ 평가항목을 확인하면서　　④ 연체금을 갚으면서

3. 밑줄 친 부분에 나타난 필자의 태도로 알맞은 것을 고르십시오.
   ① 신용등급에 따라 발생할 불이익을 예측하고 있다.
   ② 신용등급 때문에 불이익을 받지 않도록 주의를 촉구하고 있다.
   ③ 금융거래 시의 불이익 방지 대책을 제안하고 있다.
   ④ 신용카드를 사용 못함으로서 발생하는 불이익에 대해 염려하고 있다.

[5] 다음을 읽고 물음에 답하십시오.　　(既出 41 回)

현대 사회는 다양한 이익 집단의 관계가 복잡하게 얽혀 있기 때문에 많은 사회적 갈등이 존재한다. 사회 문화적 요소가 포함된 갈등에서부터 경제적 요인이 포함된 갈등, 일상생활과 관련된 갈등까지 사회적 갈등들은 여러 요인에 의해 끊임없이 발생한다. 그런데 이러한 사회적 갈등이 타협을 통해 합리적으로 조정된다면 사회를 통합하는 동력으로 작용할 수 있을 것이다. 따라서 사회적 갈등을 합리적으로 해결하기 위해 사회 구성원 모두가 합의할 수 있는 해결 원칙을 세울 필요가 있다. 먼저 (　　　) 해결하는 것이 중요하다. 즉 당사자 간의 자유로운 대화와 협상을 통해 쟁점을 해결하려는 노력이 우선되어야 한다. 다음으로 갈등의 당사자 모두에게 이익이 되는 방향으로 해결해야 한다. 갈등 해결에 따른 이익이 한쪽에만 돌아가면 쟁점을 둘러싼 갈등이 계속 이어지기 때문이다. 또한

▶ 解説は350ページへ

국민 전체의 이익과 부합되는 방향으로 해결되어야 그 해결 방안이 국민의 지지를 받을 수 있다는 점도 잊지 말아야 한다.

1. 위 글을 쓴 목적으로 알맞은 것을 고르십시오.
   ① 공통된 갈등 해결의 원칙이 필요함을 주장하기 위해
   ② 국가의 지지를 받는 갈등 해결 방안을 요청하기 위해
   ③ 현대 사회의 다양한 사회적 갈등에 대해 설명하기 위해
   ④ 갈등 당사자 모두에게 이익이 돌아가도록 촉구하기 위해

2. (　　　)에 들어갈 내용으로 알맞은 것을 고르십시오.
   ① 자율적으로　　　② 중립적으로
   ③ 독창적으로　　　④ 창의적으로

3. 밑줄 친 부분에 나타난 필자의 태도로 알맞은 것을 고르십시오.
   ① 사회적 갈등 발생에 대해 경계하고 있다.
   ② 타협을 통한 갈등 해결에 대해 회의적이다.
   ③ 사회 통합의 어려움에 대해 공감하고 있다.
   ④ 사회적 갈등의 긍정적인 측면을 인정하고 있다.

▶ 解説は351ページへ

第5章 模擬試験編

第1回 TOPIKⅡ読解　模擬試験 …… 236
第2回 TOPIKⅡ読解　模擬試験 …… 254
TOPIKⅠ模擬試験の正答と配点表 …… 271

TOPIKⅡ					
時限	科目	問題数	形式	時間	配点
1	聞き取り	50問	4択式	60分	100点
	作文	4問	記述式	50分	100点
2	読解	50問	4択式	70分	100点
等級別判定		3級	4級	5級	6級
		120点以上	150点以上	190点以上	230点以上

제1회 한국어능력시험Ⅱ 모의시험

第1回 韓国語能力試験Ⅱ模擬試験

TOPIKⅡ

읽기

수험번호 (Registration No.)		
이름(Name)	한국어(Korean)	
	영　어(English)	

유 의 사 항

Information

1. 시험 시작 지시가 있을 때까지 문제를 풀지 마십시오.
   試験開始の指示があるまで問題を解かないでください。

2. 수험번호와 이름을 정확하게 적어 주십시오.
   受験番号と氏名は正確に書いてください。

3. 답안지를 구기거나 훼손하지 마십시오.
   答案用紙を折ったり汚したりしないでください。

4. 답안지의 이름, 수험번호 및 정답의 기입은 배부된 펜을 사용하여 주십시오.
   答案用紙の氏名、受験番号及び正答の記入は必ず配布されたペンを使ってください。

5. 정답은 답안지에 정확하게 표시하여 주십시오.
   正答は答案用紙に正確に表示してください。

   marking example　① ● ③ ④

6. 문제를 읽을 때에는 소리가 나지 않도록 하십시오.
   問題を読む時は音を出さないようにしてください。

7. 질문이 있을 때에는 손을 들고 감독관이 올 때까지 기다려 주십시오.
   質問がある場合は手を上げて監督官が来るまで待ってください。

TOPIKⅡ 읽기 (1번~50번)

読解（1番～50番）1回

▶解答は271ページ、解説は352ページ

※[1~2] (　　)에 들어갈 가장 알맞은 것을 고르십시오. (각 2점)

1. 민수는 이번 방학 때 어학 연수를 (　　　　　　).

① 갈까 한다　　② 갈걸 그랬다
③ 가곤 한다　　④ 갈 모양이다

2. 준호한테 한잔하러 가는 길인데 같이 (　　　　　　) 물어 봤어요.

① 갈 거라고　　② 가자고
③ 가겠느냐고　　④ 가라고

※[3~4] 다음 밑줄 친 부분과 의미가 비슷한 것을 고르십시오. (각 2점)

3. 마감까지 한 시간밖에 안 남아서 서두른다고 해도 힘들 거야.

① 서두르자면　　② 서두르기만 하면
③ 서두른 만큼　　④ 서둘러 봤자

4. 일은 많고 시간은 없어서 할 수 있을지 걱정이다.

① 할까 말까 한다　　② 할 수 있을지 모르겠다
③ 할 수밖에 없다　　④ 하지 않을 수 없다

※[5~8] 다음은 무엇에 대한 글인지 고르십시오. (각 2점)

5.

• 식재료를 오랫동안 신선하게 보관할 수 있습니다.
• 제품 상단에 내부 온도 표시가 있습니다.
• 내부는 투명 서랍으로 구성, 내용물 확인이 쉽습니다.

① 선풍기　　② 식기세척기　　③ 냉장고　　④ 가습기

6.

안정된 노후를 위하여!

고객님께 다양한 자산관리 서비스를 제공해 드립니다.

① 택배 ② 은행 ③ 학원 ④ 양로원

7.

한 달에 한 번 한국 음식을 먹으며 한국 가요를 즐기는 모임입니다.
한국 노래와 음식에 관심 있는 분이라면 누구나 환영합니다.

① 회원 모집 ② 수업 안내 ③ 활동 소개 ④ 모임 안내

8.

① 수험표는 책상 위에 놓아 주십시오.
② 휴대전화, 알람시계는 반드시 전원을 꺼 주십시오.

① 사용 방법 ② 주의 사항 ③ 공연 안내 ④ 수업 안내

※[9~12] 다음 글 또는 그래프의 내용과 같은 것을 고르십시오. (각 2점)

9.

샐러드 바 1인 이용권

- 사용 매장 : 사랑방 명동점
- 유효 기간 : 20××년 10월 30일까지
- 월, 화요일에 한해 해당 쿠폰 지참시 사용 가능합니다.
- 샐러드 바 주문시에 한해 사용 가능하며, 주문 전 제시해 주십시오.
- 성인 3인 이상 방문시 사용 가능합니다.
  (3~5 인 1매, 6인 이상 최대 2매까지 사용 가능)

① 이 쿠폰은 시월 말까지 언제나 사용이 가능하다.
② 식사비를 지불할 때 이 쿠폰을 제시하면 할인해 준다.
③ 이 쿠폰 한 장으로 어른 다섯이 샐러드 바를 이용할 수 있다
④ 이 쿠폰은 사랑방 명동점에서 식사하는 사람 모두 이용할 수 있다.

5 模擬試験編

10.

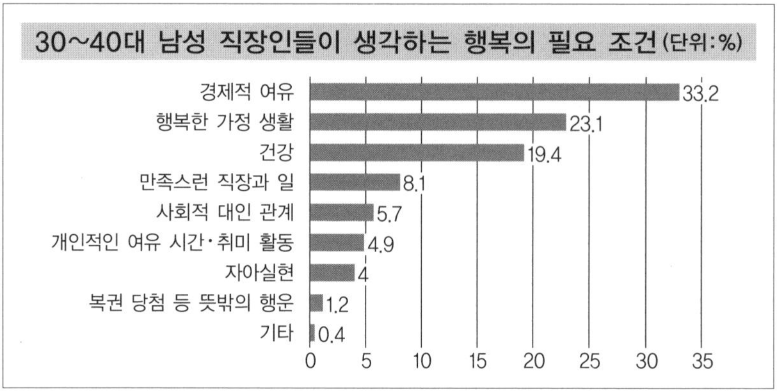

① 건강을 희생해서라도 경제적인 여유를 바라는 사람들이 많다.
② 일보다는 개인적인 여유시간을 원하는 사람이 늘고 있다.
③ 돈보다 건강과 행복한 가정이 행복의 조건이라는 사람이 많다.
④ 여유 있는 생활을 위해 복권 당첨을 바라는 사람도 일부 있다.

11.

한국어교육센터에서는 7월 4일부터 4주 동안 외국인들에게 한국어를 가르치고 있는 선생님들을 대상으로 '한국어교사 하기 연수'를 실시한다. 참가 신청은 선착순으로 100명까지이다. 참가자는 3주 동안 컴퓨터를 이용한 한국어 교수법에 관한 강의를 듣고 마지막 주에는 조별로 나누어 모의 수업을 하게 된다. 연수가 끝나면 참가자들은 수료증을 받게 된다.

① 외국인 대상 한국어 교사는 전부 연수에 참가할 수 있다.
② 연수 기간 내내 컴퓨터를 이용한 교수법에 대한 강의를 받는다.
③ 수료증을 받으면 컴퓨터를 이용한 수업이 허용된다.
④ 1주일 동안은 100명이 조별로 나눠 모의 수업을 한다.

12.

13일부터 17일까지 여의도에서 '제8회 여의도 봄꽃 축제'가 열린다. 축제 기간 동안 여의도 일대는 벚꽃을 비롯하여 진달래, 개나리, 목련 등이 만개해 '봄꽃터널'을 이룰 것으로 전망된다. 축제 기간 동안 여의도 일대의 교통이 통제되므로 주최측은 시민들에게 대중 교통의 이용을 권했다. 여의도를 지나는 27개 시내버스는 13일~15일까지 막차 시간을 연장된다고 한다.

① 축제 기간 동안 버스의 막차 시간이 연장된다.
② 축제 기간에는 봄꽃을 이용해 봄꽃터널을 만든다.
③ 축제 기간에는 교통이 통제되므로 걸어가야 한다.
④ 이 축제에서는 여러 가지 봄꽃을 즐길 수 있다.

※[13~15] 다음을 순서대로 맞게 배열한 것을 고르십시오. (각 2점)

13.

(가) 그런데 아이를 낳지 않으면 사회 구성원이 줄어들어 사회 구조가 불안정해진다.
(나) 미래 사회를 위해서라도 아이들을 낳아야 한다.
(다) 요즘 사람들은 결혼하더라도 아이를 낳지 않으려고 한다.
(라) 그렇게 되면 고령화가 진행되어 경제도 위축된다.

① (나) – (가) – (라) – (다)　② (나) – (다) – (가) – (라)
③ (다) – (가) – (라) – (나)　④ (다) – (라) – (가) – (나)

14.

(가) 곡물 가루는 먹기가 간편하고 영양분도 많아서 좋다.
(나) 이러한 사람들을 위해 쌀과 콩과 같은 곡물 가루가 인기다.
(다) 그러나 시간이 없다는 이유로 아침을 먹지 않는 경우가 많다.
(라) 사람들은 아침 식사가 중요하다는 것을 잘 안다.

① (라) – (다) – (나) – (가)　② (가) – (나) – (다) – (라)
③ (가) – (다) – (나) – (라)　④ (라) – (나) – (가) – (다)

15.

(가) 여러분의 삶이 바뀔 수도 있습니다.
(나) 가 보지 않은 세상이 궁금하십니까?
(다) 그리고 새로운 세상과 만나 보십시오.
(라) 책을 펼쳐 보십시오.

① (나) – (가) – (다) – (라)　② (나) – (라) – (다) – (가)
③ (라) – (가) – (다) – (나)　④ (라) – (다) – (가) – (나)

※[16~18] 다음을 읽고 (　　　)에 들어갈 내용으로 가장 알맞은 것을 고르십시오. (각 2점)

16.

약 180년 전에 '인구론'이란 책을 쓴 경제학자는 인구가 기하급수적으로 증가하는 데 비해 식량 생산량은 그에 따르지 못하기 때문에, 인류는 결국 (　　　) 멸망한다고 전망하였다. 그러나 그로부터 180여 년이 지났지만, 우리는 아직까지 식량 부족으로 멸망하지 않았다.

① 식량 부족으로　　② 인구 폭발로
③ 전염병과 전쟁으로　　④ 자원 고갈로

17.

갑자기 실직을 하면 (　　　) 걱정이 된다. 일을 할 수 없을 뿐만 아니라 돈을 벌 수도 없기 때문이다. 하지만 실직을 기회로 사용해 보자. 지금까지 진짜로 하지 못했던 일들에 도전해 보자. 그러면 분명히 다른 길이 열릴 것이다.

① 어떻게 살아야 할지　　② 뭐라고 얘기해야 할지
③ 돈을 벌 수 있을지　　④ 다른 길이 열릴지

18.

사람들은 그냥 열심히 일을 하면 성공하는 줄 안다. 그러나 구체적인 목표가 없으면 성공할 수 없다. 성공을 위해서는 먼저 취직, 결혼, 주택 구입 등과 같은 실제적인 목표를 정하는 것이다. 다음으로 (　　　) 죽어도 언제까지 꼭 해야겠다고 결심하는 것이다.

① 돈을 모으려면　　② 목표를 정했으면
③ 목표가 달성되면　　④ 성공을 이루기 위해서는

※[19~20] 다음 글을 읽고 물음에 답하십시오. (각 2점)

우체국 집배원이 길가에 떨어져 있는 1,100여만 원이 들어 있는 지갑을 주워 주인에게 돌려준 사실이 뒤늦게 알려져 화제다. 3일 부산우정청에 따르면 동래우체국 집배원 안 모씨(49)는 지난달 26일 오전 우편물을 배달하다가 도로변에 지갑과 통장이 떨어져 있는 것을 발견했다. 지갑을 열어보니 수표와 현금등 모두 1,150만 원이 들어 있었고 신용카드도 3~4장 꽂혀 있었다. 안 씨는 (　　　) 인근 파출소에 달려가 주인을 찾아달라며 신고했다. 경찰이 지갑에 있는 신분증으로 연락을 취한 결과 주인은 작은 사업을 하는 A 씨로 밝혀졌다. 집배원의 선행은 A 씨가 우정사업본부 홈페이지 '칭찬합니다' 코너에 투고하면서 알려졌다.

19. (　　　)에 들어갈 알맞은 것을 고르십시오.

① 함부로　② 어느새　③ 곧바로　④ 하루빨리

20. 이 글의 내용과 같은 것을 고르십시오.

① 집배원이 지갑 주인을 만나 돈을 돌려주었다.
② 집배원은 지갑을 주운 뒤 파출소로 달려갔다.
③ 경찰이 집배원의 선행을 투고해서 알렸다.
④ 집배원은 퇴근 후에 우연히 지갑을 발견했다.

※[21~22] 다음 글을 읽고 물음에 답하십시오. (각 2점)

도전 정신을 가지고 있는 사람들이 사회를 변화시키고 발전시킨다. 그들은 처음 경험하는 것에 대한 호기심이 크고 어떤 일에 실패했을 경우에도 좌절하기는커녕 그러한 상황을 통해 어려움을 극복하는 길을 찾는다. 또한 그들은 힘들고 어려운 일이라도 '(　　　)' 는 정신으로 도전한다. 이렇듯 포기하지 않고 끈기 있게 도전하는 정신이 사회 발전의 바탕이 된다.

21. (　　　)에 들어갈 알맞은 것을 고르십시오.

① 아는 길도 물어 가라　② 열 번 찍어 안 넘어가는 나무 없다
③ 발 없는 말이 천 리 간다　④ 세 살 버릇 여든까지 간다

22. 이 글의 중심 생각을 고르십시오.

① 처음 도전할 때의 실패가 크면 좌절감이 커지기 쉽다.
② 포기하지 않는 정신이 실패를 극복할 수 있는 지름길이다.
③ 도전 정신이야말로 사회 발전과 변화의 원동력이다.
④ 실패를 반복해도 꾸준히 도전하는 사람만이 성공할 수 있다.

※[23~24] 다음 글을 읽고 물음에 답하십시오. (각 2점)

결혼하고 나서 지금까지 가계부를 적고 있다. 햇수로 따지면 13년이 넘었다. 하지만 내용을 살펴보면 가계부라기보다는 '기록부' 라는 표현이 더 옳다. 정확한 지출과 수입보다는, 그때그때 무엇을 먹고 얼마를 저축하고 지출했는지 정도만 적기 때문이다. 생활 일기는 따로 썼지만 가끔씩 기록부에 그날 일어난 일이나 감상을 몇 줄 적어 놓기도 했었다. 작년에 집 안을 정리하다 문득 그 동안의 기록부를 꺼내 보았다. 적은 수입에 알뜰히 보조를 맞춘 내 흔적이 거기에 다 들어 있었다. 어떤 날엔 이렇게 기분을 메모해 놓고 있었다. "침대보를 바꿨다. 너무 예뻐서 잠을 자기가 싫다. 그냥 예쁘게 정리해 두고 바라보고만 싶다." 지금 생각하면 비싼 물건도 아니었는데, 작은 것 하나 바꾸고 무척 행복해 했던 그때의 순진한 내 모습이 흐뭇하게 떠오른다.

23. 밑줄 부분에 나타난 나의 심정으로 알맞은 것을 고르십시오.

① 허전하다　　② 그립다
③ 시시하다　　④ 안타깝다

24. 이 글의 내용과 같은 것을 고르십시오.

① 나는 십삼 년 동안 꼼꼼하게 가계부와 생활 일기를 써 왔다.
② 나는 지금까지 그동안의 지출과 수입을 정확하게 적어 놓았다.
③ 나는 가끔 과거의 가계부를 꺼내 보면서 행복한 기분에 젖는다.
④ 나는 가계부에 가끔 생활의 메모나 감상을 써 놓기도 했다.

※[25~27] 다음 신문 기사의 제목을 가장 잘 설명한 것을 고르십시오. (각 2점)

25.

물가 오르고 투자 줄고… 삼바 경제 사면초가

① 물가 상승과 투자 감소등 세 가지 요인이 경제를 어렵게 하고 있다.
② 물가 오르면 투자가 주는 것을 삼바 경제 사면초가라 한다.
③ 물가와 투자를 살리지 못한 브라질 경제가 사면초가에 몰렸다.
④ 물가는 상승하고 투자는 감소하여 브라질 경제가 어려움에 처해 있다.

26. 잦은 사고 불구, 자동차 회사 사고 안전 대책 미적

① 작은 사고였지만 자동차회사가 사고 대책 마련에 전력을 다하고 있다.
② 잦은 사고로 자동차 회사의 안전 대책에 대한 우려가 제기되고 있다.
③ 사고가 빈발하는데도 자동차회사는 신속한 안전대책을 세우지 않고 있다.
④ 자동차 회사의 안전 대책 미흡으로 사고가 자주 발생하고 있다.

27. 폭염, 끝이 보인다…태풍이 동반한 비바람이 몰아낼 듯

① 폭서가 끝나고 태풍이 동반한 비바람이 몰려올 것 같다.
② 태풍이 동반한 비바람 덕분에 무더위가 물러갈 것 같다.
③ 무더위 끝에 찾아온 비바람을 태풍이 몰아낼 것 같다.
④ 태풍이 비바람을 몰아내어 다시 폭서가 시작될 것 같다.

※[28~31] 다음을 읽고 (　　　)에 들어갈 내용으로 가장 알맞은 것을 고르십시오. (각 2점)

28. 태풍이 우리에게 엄청난 피해를 주긴 하지만 반드시 나쁘기만 한 건 아니다. 태풍은 적도 지방에 집중적으로 쏟아지는 태양열을 (　　　) 중요한 역할을 한다. 태풍이 없으면 적도 지방은 지금보다 훨씬 더워지게 되고 우리나라는 지금보다 훨씬 추워지게 된다는 뜻이다. 태풍은 바닷물을 섞어줘 적조와 같은 피해가 발생하는 걸 막아준다.

① 차단해서 적당히 식혀주는
② 축적해 우리나라로 몰고 오는
③ 지구 전체로 확산시켜주는
④ 흡수하여 뜨거워진 바닷물을 뒤섞어주는

29. 눈송이는 수분이 많은 저기압이 상승하면서 차가운 고기압을 만날 때 만들어지는 눈구름 속에서 만들어진다. 차가운 눈구름 속에서 만들어지는 작은 얼음 조각이 구름 속의 강한 바람에 휘날리는

5 模擬試験編

과정에서 (　　　) 만들어진다. 그런 과정에서 물 분자가 얼음의 매끄러운 면보다 두 면이 만나는 모서리에 더 잘 달라붙기 때문에 육각형 모양으로 자라게 된다.

① 부딪혀서 잘게 부서지면서　② 빙글빙글 돌아 부딪히면서
③ 솜사탕처럼 부풀어오르면서　④ 물 입자들이 달라붙으면서

30. 공학적인 기술은 과학에서 조그만 힌트를 얻으면 그것을 수십 번 확대하고 재생산한다. 그리하여 처음에 이론을 제시한 과학자가 (　　　) 결과를 만들어 내곤 하였다. 공학은 스스로의 생명을 가지고 과학의 도움이 없이도 이제는 무한히 발전해 갈수 있는 토대를 만든 것이다. 20세기에 물리학 분야에서는 뚜렷한 발전이 없었는데도 불구하고 공학 분야에서는 눈부신 발전이 계속되었다.

① 예측하고 설계한 대로　② 감히 예측하지 못했던
③ 실용적인 기술도 개발하여　④ 기술과 생산을 주도하여

31. 일반적으로 나이가 들수록 뇌의 능력이 떨어진다고 생각한다. 그러나 나이가 들면서 뇌의 능력이 떨어지는 것이 아니라 달라지는 것이다. 보통 젊을 때는 이름이나 전화 번호 같은 부분적인 것을 잘 기억한다. 그러나 나이가 들면 (　　　) 대신 전체적인 상황을 잘 파악하고 이해하는 능력을 갖게 된다. 나이를 먹으면서 삶의 경험이 풍부해지기 때문이다.

① 정보를 재현하는 능력이 약해지는
② 뇌의 능력이 점차 저하되는
③ 부분적인 정보를 잘 기억하지 못하는
④ 새 정보를 받아들여 재생산하는

※[32~34] 다음 글을 읽고 내용이 같은 것을 고르십시오. (각 2점)

32. 우리 몸은 좋고 싫고만 표현할 줄 아는 신체와, 옳고 그름, 사람의 도리, 해야 할 일 등만을 계산하는 뇌로 구성돼 있다. 우리는 '아

무리 힘들어도 정신력만 있으면 못 할 게 없다'고 한다. 그렇게 하는 것은 몸은 너무 힘들어 더 이상 일하기 싫다는데도, 할 일은 끝까지 해야 한다는 뇌의 계산에 맞춰 사는 것이다. 이런 생활이 계속되면 주의 집중력과 일 수행 능력이 떨어진다. 그러다 보면 일을 욕심만큼 못 하는 상황이 반복되고, 결국 불안과 우울에 이르게 된다.

① 옳고 그름을 판단하는 데에는 정신력이 요구된다.
② 몸이 힘들어지면 무슨 일이나 하기 싫어지게 된다.
③ 몸과 뇌의 균형이 깨지면 주의력과 집중력이 저하된다.
④ 정신이 불안정하고 우울해지면 일을 제대로 못하게 된다.

33.

사람들은 흔히 불평하는 것을 좋지 않은 행동이라고 생각한다. 그러나 조금 다른 시각에서 본다면 불평을 하는 사람만이 발전을 할 수 있는 가능성이 있다. 어떤 것에 대해서 비판하는 시각 없이 무조건 수긍하고 수용한다면 개인이나 사회에 더 이상의 발전은 없을 것이다. 항상 지금의 자리에 안주하지 않고 더 나은 방향으로의 개선점을 찾는 긍정적인 불평은 개인이나 사회 발전에 기여할 수 있다.

① 불평하는 사람만이 발전할 수 있다는 견해는 편견이다.
② 사회와 개인의 발전을 위해서는 적당히 비판적인 시각도 필요하다.
③ 개선점을 제시하지 않고 무조건 비판만 하는 사람은 발전할 수 없다.
④ 긍정적인 불평과 비판을 수용할 줄 알아야 사회는 발전이 된다.

(既出 35 回)

34.

요즘 도시에 벌의 수가 증가하여 이로 인한 피해가 종종 발생하고 있다. 한 연구팀은 도시가 벌이 살기에 적합한 환경이 된 것이 원인이라고 밝혔다. 도시 환경이 벌의 생존에 도움이 된다는 것이다. 도시의 공원에서 다양한 꽃과 식물이 자라고 있어 풍부한 먹이를 제공한다고 한다. 농촌에 비해 도시가 상대적으로 농약 사용이 적어 안전하다는 것도 도시에 벌이 많아진 또 하나의 이유라고 한다.

① 예전에 비해 도시에 사는 벌의 수가 줄었다.
② 벌을 쫓기 위해 도시의 식물에 약을 뿌리고 있다.
③ 도시의 벌 피해 방지법에 대한 연구가 진행 중이다.
④ 도시의 공원은 벌이 살 수 있는 좋은 환경을 제공한다.

※[35~38] 다음 글의 주제로 가장 알맞은 것을 고르십시오. (각 2점)

35.

새해를 맞이해서 올해는 꼭 무엇인가를 해야겠다는 다짐을 누구나 하지만, 운동이나 금연, 다이어트 등 너무 지키기 힘든 계획을 강박적으로 지키려고 노력하다 지쳐서 좌절감이나 자기 비하 등 자아상에 오히려 더 부정적인 영향을 끼치기도 한다. 구체적으로 어떤 계획을 세울 때 너무 큰 목표를 둬서 작심삼일이라는 말을 듣고 스스로 정신건강을 해치는 것보다 산책이나 달리기 등 내가 성취할 수 있는 수준에 대해 긍정적으로 생각하면서 기분을 돋우는 행동을 실천해보는 것이 중요하겠다.

① 달성하기 힘든 목표는 부정적인 영향이 커서 작심삼일이 되기 쉽다.
② 신년 목표는 즐겁게 실천 가능한 것부터 시작하는 것이 좋다.
③ 산책이나 달리기와 같은 가벼운 운동이 정신 건강에는 제일 좋다.
④ 작심삼일이 안 되려면 모든 것을 긍정적으로 보고 즐겨야 한다.

36.

오늘날 우리는 교육과 관련된 많은 문제를 안고 있다. 그 중 하나는 공교육에 지출되는 비용보다 사교육에 지출되는 비용이 더 많다는 것이다. 이것은 단순히 교육에 대한 열정을 넘어서 사회 전반에 영향을 미치는 심각한 사회 문제로 받아들여지고 있다. 국민들이 사교육에 의존할수록 공교육은 점점 더 부실해질 것이다. 따라서 학부모들은 공교육을 더 불신하게 되고, 정부의 교육 정책도 성과를 거두지 못하게 될 것이다. 또한 사교육비가 늘어날수록 이것을 감당할 수 없는 사람들의 교육 기회는 점점 줄어든다. 그러므로 사교육비 지출이 늘어난다는 것은 교육 기회의 불평등을 의미한다.

① 교육의 성과를 거두기 위해서는 사교육의 용인이 필요하다.
② 공교육이 불신을 받지 않도록 교육 정책이 성과를 거두어야 한다.
③ 사교육의 억제를 위해 공교육이 부활되어야 한다.
④ 사교육의 증가는 공교육의 부실과 교육의 불평등을 초래하게 된다.

37.

요즘 어떤 분야에서 실력이 뛰어난 사람을 '대가' 나 '권위자', 나아가 '전설' 이라고까지 지칭하는 것을 종종 볼 수 있다. 그런데 개인의 개별적 특성을 무시한, 이러한 천편일률적인 수식이 오히려 그 사람의 고유 색채를 흐리게 만들기도 한다. '서양 미술의 대가' 나 '링 위의 전설' 과 같은 표현이 그 분야에서 최고라는 것을 의미한다고 하더라도 왠지 개성은 없어 보인다. 반면 '색의 마술사' 나 '핵주먹' 같은 표현들은 엄청난 찬사라고 할 수는 없지만 그 사람만이 가지는 고유한 특성을 부각시켜 준다고 할 수 있다.

① 몰개성적인 수식어가 오히려 최고라는 이미지를 실추시킨다.
② 그 분야의 최고인 사람에게는 그에 합당한 찬사를 보내야 한다.
③ 한 분야에 출중한 사람에 대한 칭호는 개성과 특성이 살려져야 한다.
④ 고유 색채를 무시하는 서양미술가에게 색의 마술사란 지나친 찬사다.

(既出 35 回)

38.

미혼이라는 말에는 결혼은 꼭 해야 하는 것이지만 아직 하지 않았다는 뜻이 포함되어 있다. 그러나 결혼은 필수가 아니라 선택이라고 생각하는 사람들이 증가함에 따라 미혼이라는 말 대신에 결혼을 선택하지 않는다는 의미의 비혼이라는 단어가 사용되기 시작하였다. 미혼, 독신 등의 단어들이 비혼이라는 단어에 자리를 내주게 된 것이다.

① 미혼이라는 말은 결혼에 대한 다양한 의미를 포괄한다.
② 비혼이라는 말은 결혼에 대한 인식의 변화를 보여 준다.
③ 비혼과 미혼은 같은 대상을 가리키므로 의미의 차이는 없다.
④ 미혼이라는 말은 결혼을 계획하는 사람들에게 부적절한 표현이다.

※[39~41] 다음 글에서 〈보기〉의 문장이 들어가기에 가장 알맞은 곳을 고르십시오. (각 2점)

39. 눈이 나빠서가 아니라 눈을 보호하기 위해 쓰는 안경이 있다. 가장 흔한 것은 선글라스다. (㉠) 그런데 더 강력한 자외선과 더 능동적인 활동성이 강조되는 용도에서는 고글이라는 안경이 쓰인다. (㉡) 자외선 투과를 더 강력하게 차단하기 위해 글라스에 해당하는 부분은 기능적으로 특화된 강화유리나 플라스틱으로 만든다. (㉢) 주변 이물질로부터 눈을 보호하기 위해 유리는 안경테에 해당하는 부분 없이 얼굴에 압박적으로 밀착된다. (㉣)

〈보기〉

강력한 태양빛이 눈에 흡수되는 것을 막기 위한 용도로 널리 쓰인다.

① ㉠　② ㉡　③ ㉢　④ ㉣

40. CD는 빛을 이용해 디지털 정보를 저장하는 매체이다. (㉠) 플라스틱 원판 위에 은이나 알루미늄 막이 얇게 코팅되어 있고, 미세한 홈(피트)이 새겨 있는 구조로 되어 있다. (㉡) 평평한 부분을 랜드라고 부르고, 홈이 파인 부분을 피트라고 부른다. (㉢) 정보는 레이저로 CD 표면에 홈을 새겨 기록한다. (㉣) 이때 레이저가 홈의 형태에 따라 다른 세기로 반사되는 원리를 이용한다.

〈보기〉

저장된 정보는 홈이 새겨진 표면에 레이저를 비춰서 읽어 낸다.

① ㉠　② ㉡　③ ㉢　④ ㉣

41.

> 산에 오르다 보면 많은 사람들이 무리한 걸음으로 산행하는 것을 종종 볼 수 있다. (㉠) 자신의 체력적인 한계를 고려하지 않고 다른 사람들을 쫓아가는 이들은 결국 얼마 가지 않아 등산을 포기하고 하산하곤 한다. (㉡) 자신의 속도는 무시한 채 다른 사람만을 쫓아가는 사람들은 자신의 눈앞에 펼쳐진 절경을 볼 수 없다. (㉢) 우리들이 자신만의 보폭, 자신만의 눈으로 세상을 볼 때 우리의 삶은 더욱 풍요로워지지 않을까. (㉣)

〈보기〉

> 이들에게는 앞 사람의 뒤꿈치만 보일 뿐이다.

① ㉠　② ㉡　③ ㉢　④ ㉣

※[42~43] 다음 글을 읽고 물음에 답하십시오. (각 2점)

> 따르릉~. "지윤 엄마! 나야. 별일 없어?"
>
> 아들 지윤이에겐 '큰엄마'가 계신다. 생후 2개월부터 세 살까지 키워주신 분이다. 쉰이 조금 넘은, 강원도가 고향이신 덩치도 크고 손도 크고 인심도 좋은 분. 생일이나 명절 또는 꿈자리가 험한 날이면 꼭 전화로 안부를 확인한다. 오늘도 날 차가운데 우리 지윤이가 학교 잘 다니는지 궁금해서 전화하셨단다. 그 분을 만난 건 나와 아이에게 최고의 복이었다.
>
> 아이를 낳고 직장에 복귀한 지 얼마 되지 않았을 때의 일이다. 어렵게 구한 탁아모가 허리디스크를 호소하며 2주 만에 손을 드는 바람에 새로 사람을 구해야 했던 나는 제정신이 아니었다. 장대같은 비가 퍼붓던 날 휴대폰이 울렸고 어떤 사람인지, 어떤 집인지 알아볼 겨를도 없이 다음 날 바로 생후 3개월 된 아이를 데려다 맡겼다.
>
> 큰엄마 가족은 중학생 두 아들과 아저씨까지 네 명. 신기하게도 두 아들이 지윤이와 꼭 닮았다. 그들은 아이를 너무 좋아하는 사람들이었다. 키워 주던 아기가 이사 가는 바람에 아직도 장난감이며 책들이 굴러다니고 있었다. "그놈의 정이 뭔지, 헤어질 때 너무 짠해서 이젠 그만하려 했는데…." 하면서도 큰엄마 식구들은 아기가 예뻐 죽겠다는 표정으로 들여다보며 싱글벙글이었다. 덩치가 어른보다 큰 두 아들은 학교가 파하면

농구도 마다하고 곧장 집으로 와 지윤이와 놀아 주곤 했다. 공부에 방해가 될까 걱정하는 나에게 큰엄마는 "괜찮아. 저 녀석들 공부 못하니까" 라며 개의치 말라고 안심시켰다.

42. 밑줄 부분에 나타난 나의 심정으로 알맞은 것을 고르십시오.

① 볼썽사납다 ② 착잡하다
③ 황급하다 ④ 야박스럽다

43. 이 글의 내용과 같은 것을 고르십시오.

① 강원도에 사는 지윤이 큰엄마는 가끔 안부 전화를 주신다.
② 큰엄마 아들 둘과 지윤이는 사촌이라서 신기할 정도로 많이 닮았다.
③ 첫번째 탁아모가 갑자기 그만두었을 때는 정말 원망스러웠다.
④ 두번째 탁아모 가족은 어른 아이 할 것 없이 아기를 좋아했다.

※[44~45] 다음을 읽고 물음에 답하십시오. (각 2점)

문화는 사람을 사람답게 만든다. 경제와 문화 예술 수준이 많이 향상되었음에도 불구하고 빈곤 계층은 여전히 문화를 향유하지 못한 채 소외되어 있다. 이러한 문화 소외 계층의 문화 욕구를 충족시켜 주기 위한 '문화 나눔' 운동이 문화 예술계를 비롯한 사회 각계에 확산되고 있다. 그간 문화를 통해 수익을 추구해 왔던 문화 예술계에도 이제는 수익을 추구하기에 앞서 나눔을 실천해야 한다는 사회적 공감대가 형성된 것으로 보인다. 현재 여러 문화 나눔 단체가 설립되어 문화 소외 계층에게 공연,전시등 다양한 문화 활동 지원 사업을 벌이고 있다. 하지만 이러한 지원이 단지 ( ) 사회적인 분위기에 휩쓸려 울며 겨자 먹기로 하는 일이 되지 않도록 해야 할 것이다.

44. 이 글의 주제로 알맞은 것을 고르십시오.

① 빈곤 계층도 문화를 향유할 수 있는 지원책 마련이 절실하다.
② 문화를 통해 수익을 추구하는 것은 어불성설이다.
③ 진정한 문화 나눔 운동이 실현될 수 있도록 노력이 필요하다.
④ 울며 겨자먹기식의 각종 문화 활동은 폐지돼야 마땅하다.

45. (　　　)에 들어갈 내용으로 가장 알맞은 것을 고르십시오.

① 소외 계층의 주장에 영합하는
② 사회적인 공감대를 요구하는
③ 나눔을 실천해야 한다는
④ 문화의 수익 추구는 괘씸하다는

※[46~47] 다음을 읽고 물음에 답하십시오. (각 2점)

낙엽이 지는 이유는 나뭇잎이 겨울의 혹독한 추위를 견디지 못하기 때문이다. (㉠) 그래서 나무들은 점점 짧아지는 낮의 길이를 신호 삼아 겨울의 휴식기에 미리 대비한다. (㉡) 이 과정에서 흥미로운 것은 나무가 스스로 나뭇잎에 있는 엽록소라는 녹색 물질을 나무줄기나 가지로 되돌려 보내 영양분을 자급자족한다는 점이다. 이 현상은 동물들이 생활하기에 불리한 겨울이라는 환경 조건에 적응하기 위하여 체내의 대사 활동을 줄이고 체온도 낮추는 것과 같은 이치이다. (㉢) 이때 남은 성분들이 선명한 색채 배합을 이뤄 화려한 단풍을 만들게 된다. (㉣) 우리가 보는 아름다운 단풍이 실상은 쓸모없어진 나뭇잎의 껍질에 불과한 것이다.

46. 다음 문장이 들어가기에 가장 알맞은 곳을 고르십시오.

이렇게 물질이 빠져나가고 난 후 노란 성분이나 붉은 성분은 제자리에 그대로 남는다.

① ㉠　　② ㉡　　③ ㉢　　④ ㉣

47. 이 글의 내용과 같은 것을 고르십시오.

① 일조시간이 짧아짐에 비례해서 단풍의 색채가 짙어진다.
② 나무는 추위에 대비하여 잎으로 엽록소를 흡수, 축적한다.
③ 기온이 낮아지면 동식물은 활동을 멈추고 휴식기에 들어간다.
④ 엽록소가 빠져나간 나뭇잎이 울긋불긋한 단풍이 된다.

5 模擬試験編

※[48~50] 다음을 읽고 물음에 답하십시오. (각 2점)

> 나노기술은 나노미터 크기의 물질들을 기초로 하여 우리 실생활에 유용한 나노소재, 나노부품등을 만드는 기술이다. 흑연이나 다이아몬드 같은 광물은 똑같은 탄소 원자로 이루어졌지만 단단한 다이아몬드에 비해 흑연은 육각형의 판 모양으로 연결되어 (　　　). 그런데 흑연을 나노 단위로 나눈 다음 재구성하면 강철보다 100배에 달하는 세기를 가진 성질로 바뀌게 된다. 게다가 구리만큼 전기가 잘 통하게 된다. 이러한 나노 기술은 이미 우리 생활 속에 들어와 다양한 방면에서 활용되고 있다. 정보를 보관하는 컴퓨터 부품에 사용되어 작은 몸체에 메모리 용량을 충분히 넣을 수 있고 에어컨, 세탁기, 공기청정기와 같은 전자제품에는 적은 양의 은으로 항균물질을 만들어 큰 효과를 내고 있다. 미래에는 난치병치료, 건강 상태의 점검이나 질병 예방, 교통수단 등에도 나노기술이 활용되면 우리의 삶의 질은 더욱 높아지게 될 것이다.

48. 위 글을 쓴 목적으로 알맞은 것을 고르십시오.

① 나노기술의 재료와 원리, 특성을 소개하기 위해
② 실생활에서의 나노기술의 적극적인 활용을 촉구하기 위해
③ 나노기술과 그 쓰임새를 설명하기 위해
④ 의료분야에서의 나노기술의 중요성을 강조하기 위해

49. (　　　)에 들어갈 내용으로 알맞은 것을 고르십시오.

① 무르고 부서지기 쉽다　　② 연하고 쉽게 구부러진다
③ 형태가 눈과 비슷하다　　④ 전기가 통하지 않는다.

50. 밑줄 친 부분에 나타난 필자의 태도로 알맞은 것을 고르십시오.

① 나노기술의 다양한 활용 방안을 제안하고 있다.
② 삶의 질을 높이기 위해 나노기술을 채용할 것을 주장하고 있다.
③ 실생활에 적용될 수 있는 나노기술의 활용에 대해 기대하고 있다.
④ 삶의 질에 비례해 나노기술도 더 활용된다는 것을 인정하고 있다.

제2회 한국어능력시험 모의테스트

第2回 韓国語能力試験模擬試験

TOPIK Ⅱ

읽기

수험번호 (Registration No.)		
이름(Name)	한국어(Korean)	
	영　어(English)	

TOPIKⅡ 읽기 (1번～50번)

読解（1番～50番）2回

▶解答は272ページ、解説は365ページ

※[1～2] (　　)에 들어갈 가장 알맞은 것을 고르십시오. (각 2점)

1. 올해 들어서 기름 값이 (　　　) 다른 물가도 많이 올랐다.

① 오른다고 해서　　② 오른 것치고는
③ 오르기는커녕　　④ 오르는 바람에

2. 시험에 (　　　) 걱정을 많이 했는데 합격을 해서 다행이다.

① 떨어질까 말까　　② 떨어져서
③ 떨어질까 봐　　④ 떨어진대서

※[3～4] 다음 밑줄 친 부분과 의미가 비슷한 것을 고르십시오. (각 2점)

3. 주문한 게 도착할지도 몰라서 기다리느라고 못 나갔다.

① 도착할 리가 없어서　　② 도착한 바람에
③ 도착한 것 같아서　　④ 도착할까 봐

4. 회비가 너무 비싸서 참가할지 말지 생각 중이다.

① 참가하나 마나　　② 참가하든지 말든지
③ 참가할까 말까　　④ 참가하거나 말거나

※[5～8] 다음은 무엇에 대한 글인지 고르십시오. (각 2점)

5.

가정의 필수품!
보채는 아이도 디지털 기능으로
빠르고 정확하게 측정할 수 있습니다.

① 전자지도　② 체온계　③ 디지털 시계　④ 온도계

6.

혼자만 고민하고 있습니까?
주저하지 말고 여기로 오십시오.
당신의 이야기를 듣고 함께 생각해 드립니다.

① 문구점　② 찻집　③ 상담실　④ 직업소개소

7.

신비한 바닷속 세계
바닷속에서 사는 희귀한 생물들의 모습이
생생하고 박력있게 화면 가득 펼쳐집니다.
감독: 김인수

① 책 소개　② 전시회 안내　③ 공연 안내　④ 영화 소개

8.

성능이 좋고, 가격이 저렴합니다.
크기가 작아 보관과 사용이 편리하고, 필터가 반영구적입니다.

① 주의 사항　② 사용 방법　③ 구입 안내　④ 장점 소개

※[9～12] 다음 글 또는 그래프의 내용과 같은 것을 고르십시오. (각 2점)

9.

제15회 강원도 농산물 전시회
•기 간: 20××년 10월 1일～10월 7일
•시 간: 오전 10시～오후 5시(마지막 날은 오후 4시까지)
•장 소: 서울공원 야외전시장
•문의전화: 02-8765-4321
※품목에 따라서는 판매도 합니다.
※기간 중에는 강원도 음식 판매대도 설치합니다.

① 전시된 농산물은 모두 판매된다.
② 기간 중에는 매일 오후 5시까지 전시된다.
③ 전시회는 일주일 동안 열린다.
④ 농산물 구입은 미리 전화로 예약해야 한다.

5 模擬試験編

10.

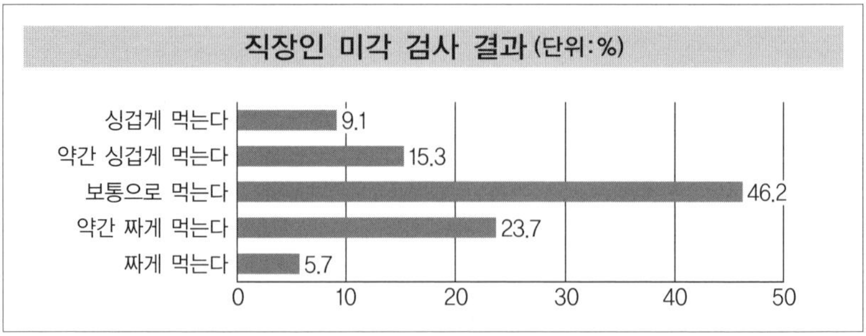

① 짜게 먹는 사람이 싱겁게 먹는 사람보다 많다.
② 싱겁게 먹는 사람은 전체의 1할이 넘는다.
③ 보통으로 먹는 사람은 전체의 절반이 안 된다.
④ 싱겁게와 약간 싱겁게 먹는 사람은 전체의 3분 1 정도가 된다.

11.

경기도 남양주시는 ‘제67회 식목일’을 맞아 오는 4월 2일부터 4일까지 ‘나무 나눠 주기 행사’를 실시한다. 이 행사에서는 숲과 나무의 중요성을 알리기 위해 전시회와 나무 심기에 대한 전문가의 상담회도 열린다. 또한 과일 나무 14,000그루를 지역 주민들에게 나눠 주고 ‘내 나무 심기 운동’에 참가하도록 홍보할 예정이다.

① 이 행사는 숲에서 열릴 예정이다.
② 나무 심기 운동을 홍보하기 위해 전문가들이 출석한다.
③ 행사에 참석하는 주민들에게는 과일 나무를 나눠 줄 예정이다.
④ 전문가들이 행사에 나와 나무 심기에 대한 상담도 해 준다.

12.

미혼 여성 10명 중 6명은 아버지와 비슷한 남성을 애인 감으로 선호하지 않는 것으로 나타났다. 결혼정보회사가 최근 20세 이상 미혼남녀 1196명(남 628명·여 568명)에게 ‘부모를 닮은 이성과의 연애’에 대해 조사한 결과다. 그에 따르면 남성 66.1%는 ‘어머니를 닮은 연인이라면 좋을 것 같다’고 답했다. 반면 여성 60.4%는 ‘아버지를 닮은 연인이라면 싫을 것 같다’고 응답했다. ‘부모가 애인과의 교제를 반대한다면 어떻게 하겠는가’란 질문에는 남성

(82.3%)과 여성(53.2%)은 '부모의 뜻과는 상관없이 계속 연애한다' 가 의견이 가장 많이 나왔다.

① 여성은 대부분 아버지와 닮은 남성을 선호한다.
② 남성은 대부분 어머니와 비슷한 여성을 좋아하지 않는다.
③ 여성은 대부분 부모가 애인과의 교제를 반대하면 그만둔다.
④ 남성은 대부분 부모가 반대해도 애인과의 교제를 계속한다.

※[13～15] 다음을 순서대로 맞게 배열한 것을 고르십시오. (각 2점)

13.

(가) 그로 인하여 단수될 예정입니다.
(나) 관리 사무실에서 알려 드립니다.
(다) 8일 오전 8시부터 오후 3시까지 물탱크 청소를 실시합니다.
(라) 물을 쓰실 분은 미리 물을 받아 놓으시기 바랍니다.

① (가) − (나) − (다) − (라)　② (나) − (라) − (다) − (가)
③ (가) − (다) − (라) − (나)　④ (나) − (다) − (가) − (라)

14.

(가) 컴퓨터가 바이러스에 감염되면 저장된 정보가 지워질 수 있다.
(나) 파일이 컴퓨터 바이러스에 감염돼 있을지 모르기 때문이다.
(다) 그러므로 수시로 바이러스 치료 프로그램으로 점검해야 한다.
(라) 특히 다른 사람의 파일을 받을 때는 조심해야 한다.

① (라) − (나) − (가) − (다)　② (가) − (나) − (다) − (라)
③ (가) − (다) − (라) − (나)　④ (라) − (가) − (다) − (나)

15.

(가) 날씨가 맑고 습도가 낮으면 대개 기분이 좋아진다.
(나) 이렇게 날씨는 몸 상태와 기분에 큰 영향을 준다.
(다) 날씨에 따라 사람의 기분은 많이 달라진다.
(라) 그러나 흐리고 습도가 높으면 몸이 무겁고 기분도 안 좋다.

① (가)−(라)−(다)−(나)　② (가)−(다)−(라)−(나)
③ (다)−(가)−(라)−(나)　④ (다)−(나)−(라)−(가)

※[16～18] 다음을 읽고 (　　　)에 들어갈 내용으로 가장 알맞은 것을 고르십시오. (각 2점)

16.

결혼 상대자의 (　　　) 것은 중요한 일이다. 특히 결혼 상대자의 경제적인 능력은 중요한 덕목이다. 그러나 결혼은 돈과 하는 것이 아니다. 기본적으로 상대자를 사랑하는 마음이 있어야 결혼해도 행복할 수 있다.

① 조건을 따져보는　　② 첫인상을 중시하는
③ 재산을 알아보는　　④ 성장 배경을 파악하는

17.

요즘 붐을 이루고 있는 인터넷 쇼핑. 수백 원대 문구류부터 수백만원짜리 전자제품까지 다양한 상품을 갖추고 있다. 매장을 직접 둘러보지 않고도 웹사이트를 뒤져 싼 제품을 (　　　) 때문에 시간도 절약할 수 있고 편리하다.

① 부칠 수 있기　　② 팔 수 있기
③ 배달해 주기　　④ 고를 수 있기

18.

우리 부모님께서는 내가 혼자 외국에 있기 때문에 (　　　) 모양이다. 그렇지만 나는 필요한 일이 있을 때만 전화를 드린다. 어제도 한 달 만에 전화를 드렸다. 연세가 많으신 부모님께 너무 죄송하다. 앞으로는 꼭 일주일에 한 번씩 전화를 드리기로 약속했다.

① 보러 오고 싶으신　　② 걱정이 많으신
③ 전화를 자주 하시는　　④ 때로는 외로우신

※[19～20] 다음 글을 읽고 물음에 답하십시오. (각 2점)

사람의 특성상 화를 내지 않는 것은 매우 어렵고 힘든 일이다. 화를 내지 않는 사람은 없다. 다만 화가 났을 때 어떻게 대처하느냐가 다를 뿐이다. 화가 났을 때 그 화를 (　　　) 조절하지 못하면 신체에까지 영향을 미치게 된다. 전문가들은 약 10분 정도의 시간이면 화를 다스릴 수 있다고 한다. 10분이 지난 후에 화가 나게 만들었던 대상을 마주하면 조금 더 이성적인 상태에서 문제를 해결할 수 있다.

19. (　　　)에 들어갈 알맞은 것을 고르십시오.

① 비로소　② 저절로　③ 스스로　④ 간신히

20. 이 글의 내용과 같은 것을 고르십시오.

① 건강을 위해 화를 과학적으로 조절할 줄 알아야 한다.
② 화가 나서 지속되는 시간은 10분 넘으면 위험하다.
③ 화를 내는 것도 적절히 조절할 수 있는 것도 인간의 특성이다.
④ 화가 난 지 십분쯤 되면 비교적 냉정해질 수 있다.

※[21~22] 다음 글을 읽고 물음에 답하십시오. (각 2점)

최근 생활 수준이 향상된 탓에 삶의 질과 건강에 대한 관심이 부쩍 높아지고 있다. 그런데 2, 30대의 경우 건강에 관심이 없을 뿐만 아니라 정기적으로 병원을 찾는 사람들도 거의 없다. 건강은 한번 잃으면 다시 찾기 어려운 만큼 '(　　　)' 가 되지 않도록 주의해야 한다. 따라서 몸에 이상이 없어도 정기적으로 자신의 건강 상태를 확인하는 것이 중요하다.

21. (　　　)에 들어갈 알맞은 것을 고르십시오.

① 쇠귀에 경 읽기　② 식은 죽 먹기
③ 긁어 부스럼 만들기　④ 소 잃고 외양간 고치기

22. 이 글의 중심 생각을 고르십시오.

① 젊은이들이 건강에 관심을 가지도록 병원이 지도해야 한다.
② 젊은이들도 건강 상태의 정기적인 체크가 바람직하다.
③ 젊은이들의 건강에 대한 무관심이 위험수준에 이르렀다.
④ 젊을 때부터 정기 검진의 필요성을 교육해 줘야 한다.

※[23~24] 다음 글을 읽고 물음에 답하십시오. (각 2점)

마술을 배운 건 고3 때다. 수험생이라서 공부에 지쳐 있었다. 그러던 어느 날 TV에서 마술을 보았다. 사람의 손짓에 따라 눈이 휘날리는 마술이었다. 눈이 나오는 곳은 그 사람의 손이었다. 눈이 그치자 카드가 나오기 시작했다. 그 다음에는 로프, 지팡이 그리고 마지막으로 비둘기가 나타났다. 눈을 믿을 수 없었다. 그때 처음 마술에 빠졌다. 마술을 배우기는 정말 어려웠다. 시중에서 파는 마술 관련 책에는 생활용품을 이용한 초급 마술만 있었다. 그러던 때 인터넷에서 마술 동호회 회원들을 만났다. 그들의 공연을 보고 지도를 받아 매일 연습을 했다. 그렇게 갈고 닦은 마술을 고아원 등에서 보여 주기도 했다. 간혹 마술에 대해서 "사기다" "속임수다" 하며 비난하는 사람들도 적지 않다. 하지만 마술을 접한 것은 내게 큰 행운이었다고 생각한다.

23. 밑줄 부분에 나타난 나의 심정으로 알맞은 것을 고르십시오.

① 수상쩍다　　② 황당무계하다
③ 경이롭다　　④ 무덤덤하다

24. 이 글의 내용과 같은 것을 고르십시오.

① 지금도 손에서 비둘기가 나오는 것을 믿을 수 없다.
② 고아원에서 마술을 보여 주고 "사기다" 라는 말을 들었다.
③ 마술 동호회 회원들 덕분에 마술을 배울 수 있었다.
④ 고3 때 마술에 빠져서 마술가가 된 것은 좋았다고 생각한다.

※[25~27] 다음 신문 기사의 제목을 가장 잘 설명한 것을 고르십시오. (각 2점)

25.

한국영화 잇따른 흥행 성공… 영화주 고공 행진

① 한국영화가 연이어 흥행에 성공함에 따라 영화관계 주가가 급등했다.
② 한국영화의 개봉이 줄을 이어 관객들이 극장 앞에 장사진을 치고 있다.

③ 영화회사의 적극적인 영업활동이 한국영화의 흥행을 좌우하고 있다.

④ 영화회사의 주가가 오름에 따라 한국영화의 흥행이 성공하고 있다.

26.

아빠 차 몰래 몰다 120m 추락 한 중학생 구사일생

① 아빠가 차를 몰다가 사고가 났지만 중학생 아들만은 무사했다.

② 아빠가 과속으로 사고를 내 중학생 아들이 중상을 입었다.

③ 아빠 차를 몰래 과속으로 몰던 중학생이 사고를 내 중상을 입었다.

④ 아빠 차를 몰래 운전하던 중학생이 추락했으나 다행히 목숨만은 건졌다.

27.

'바다 지름길' 뚫어라… 글로벌 운하 건설 붐

① 바다에서의 석유 굴착과 운하 건설이 한창이다.

② 국제적인 뱃길을 단축하기 위한 운하 건설이 붐을 이루고 있다.

③ 해양 자원 개발을 위한 국제적인 운하 건설이 착공되었다.

④ 국제적인 운하 건설과 해상 루트의 개발이 한창이다.

※[28～31] 다음을 읽고 (　　　　)에 들어갈 내용으로 가장 알맞은 것을 고르십시오. (각 2점)

28.

우리는 이제 인터넷을 비롯한 다양한 정보 통신 기술 덕분에 수많은 정보를 손쉽게 얻을 수 있다. 그렇지만 (　　　　) 우리가 가지고 있는 문제가 저절로 해결되는 것은 아니다. 구슬이 서 말이라도 꿰어야 보배라는 말이 있듯이 정보 사용자인 우리가 인터넷을 통해 얻은 정보를 잘 판단하여 우리 주변의 여러 가지 문제를 해결하는 데 이용해야 한다.

① 정보를 모아 분석한다고 해서

② 취득한 정보를 선별한다고 해서

③ 어떤 정보를 얻었다고 해서

④ 정보를 적절히 이용한다고 해서

5 模擬試験編

29.

스트레스란 우리 심신에 해로운 인자가 들어와서 이에 대응해 긴장하는 상태를 말한다. 적당한 스트레스는 활력소가 되기도 하지만 지나친 스트레스는 만병의 원인이기도 하다. 스트레스에 대처하는 방법의 하나는 적당한 운동을 하는 것이다. 운동중에서도 조깅, 수영 등과 같은 비경쟁적인 운동을 선택하는 것이 좋다. 그러나 처음부터 무리하게 운동을 하면 (　　　　) 또다른 스트레스를 받을 수 있으므로 점진적으로 강도를 높여가는 게 필요하다.

① 만병의 원인이 될 뿐만 아니라
② 긴장 상태가 급속히 높아져
③ 해로운 인자가 늘어나
④ 스트레스를 해소하기는커녕

30.

사람들은 칭찬에 매우 민감하다. 심리학자들은 매일 칭찬을 들으며 크는 아이와 그렇지 않은 아이는 학교 성적뿐만 아니라 성격, 사회성 등에서도 큰 차이가 난다고 한다. 그러나 어떤 식물은 물을 자주 주지 않으면 죽지만 또 어떤 식물은 물을 자주 주어서 죽기도 한다. 누군가를 칭찬하는 것도 마찬가지다. 칭찬이 좋은 결과를 낳는다고 해서 사람의 유형을 고려하지 않은 채 (　　　　) 것은 좋지 않다. 칭찬할 대상의 성격에 따라 칭찬의 방법과 횟수를 다르게 하는 것이 효과적이다.

① 민감한 이야기를 마구 하는
② 무조건 칭찬을 많이 하는
③ 학교 성적 이야기를 마구 하는
④ 갑자기 누군가를 칭찬하는

(既出 41 回)

31.

훌륭한 예술가는 작품 활동을 하다가 벽에 부딪히면 돌파구를 찾아낸다. 화가들에게 (　　　　)은 '독' 이라기보다 '약' 이었다. 손이 떨려 그릴 수 없었던 한 화가는 종이를 잘라 물감을 칠해 붙이는 방법으로 새로운 작품 세계를 열었다. 또 가난해서 그림 재료를 살 수 없었던 어떤 화가는 담배 포장지에 스케치를 했다. 이런 예술 작품을 통해 자신만의 예술 세계를 구축하였다.

① 재료의 부족과 호기심
② 경제적 빈곤과 예술성
③ 신체적 장애와 열악한 환경
④ 예술적 한계와 정신적 고통

※[32~34] 다음을 읽고 내용이 같은 것을 고르십시오. (각 2점)

32.

스웨덴은 1인 가구 비율이 전체의 47%에 달한다. 국민 두 명 중 한 명은 혼자 산다는 얘기다. 그럼에도 불구하고 스웨덴에서는 '고독사' 같은 사회적 문제를 찾아보기 어렵다. 전통적인 가족의 개념이 해체됐음에도 '살기 좋은 나라' 에 꼽힌다. 비결은 다양한 복지제도와 사회안전장치다. 특히 '공동주택정책' 은 1인 가구를 위한 핵심 지원책이다. 집합주택 거주자들이 개인 원룸을 제외한 공동주방과 육아센터 등 나머지 시설을 공유할 수 있도록 하는 것이다. 다양한 연령대의 거주자들은 각자의 경험과 정보를 교류하며 공동체를 꾸려나간다. 이 때문에 1인 가구라 해도 고립될 일이 없다.

① 스웨덴은 1인 가구가 많아서 고독사가 문제가 되고 있다.
② 다양한 복지제도가 스웨덴의 전통적인 가족을 해체했다.
③ 스웨덴은 주택정책을 통해 1인 가구의 고립을 방지하고 있다.
④ 다양한 연령대의 거주자가 없으면 공동체를 꾸려나가기 힘들다.

5 模擬試験編

33.

당뇨병 환자가 규칙적으로 유산소 운동과 근력 운동을 병행하면 혈당을 낮추는 데 효과적이다. 유산소 운동은 10분 이상 한 시간 미만으로 하는 게 좋고, 등에 살짝 땀이 날 정도의 중(中) 강도로 하는 게 바람직하다. 자전거 타기, 빨리 걷기, 수영, 수중 에어로빅 등이 좋다. 근력 운동은 한 번에 8회 정도 할 수 있을 정도의 중량이 좋다. 유산소 운동과 근력 운동은 합쳐서 1주일에 총 150분 정도 하면 된다. 심혈관질환을 동반하고 있으면 실내에서 해야 체온을 잘 조절할 수 있다.

① 당뇨병 환자의 운동은 하루에 세 시간을 넘지 않는 것이 좋다.
② 근력 운동은 한 번에 여덟 번 이상 해야 혈당을 낮출 수 있다.

③ 유산소 운동은 한 번에 십분이상씩 매일 해야 효과적이다.
④ 당뇨 환자는 한 시간 이상의 유산소 운동은 피하는 것이 좋다.

(既出 41 回)

34.

북극곰은 고지방 식사에 빨리 적응한 동물이다. 북극곰은 몸의 50%가 지방이며 새끼가 먹는 젖의 지방도 27%에 이른다. 사람이 이만큼의 지방을 가지고 있으면 심혈관 질환과 같은 성인병으로 목숨을 잃을 수도 있다. 그러나 북극곰은 피 속에 지방을 걸러 내는 유전자가 있어 지방으로 인한 부작용을 막아 주는 것으로 알려졌다. 이 동물의 유전자를 연구하면 인간의 성인병 치료에 도움이 될 것으로 기대된다.

① 북극곰은 심혈관 질환에 잘 걸리지 않는다.
② 북극곰은 지방이 적은 음식을 주로 섭취한다.
③ 북극곰의 몸은 27%가 지방으로 이루어져 있다.
④ 북극곰 연구로 인간의 성인병을 치료하고 있다.

※[35~38] 다음 글의 주제로 가장 알맞은 것을 고르십시오. (각 2점)

35.

보험상품에는 예정이율이란 게 있다. 보험사가 가입자에게 보험금을 줄 때 이자를 더해 돌려주는데, 이때 보험사가 가입자에게 보장하는 이자율이다. 은행 예금금리와 비슷한 개념이며 보험료를 책정하는 데 기준이 된다. 예정이율을 조정하는 것은 보험사가 자율적으로 하게 돼 있다. 시중금리와 회사 건전성 등을 고려해 알아서 정하도록 규정돼 있다. 하지만 이는 규정상으로만 그렇다. 새로운 예정이율을 적용한 보험상품을 판매하려면 금융당국에 신고하거나 인가를 받아야 한다. 결국 금융당국에 미리 허락받지 않으면 새로운 상품 개발은 불가능하다는 것을 알 수 있다.

① 보험사가 예정 이율을 정할 수 있다는 규정은 허울뿐이다.
② 보험 상품 판매가 활성화되도록 유명무실한 규정은 폐지해야 한다.
③ 가입자 보호를 위해 보험 상품은 금융당국의 허가를 받게 해야 한다.
④ 금융 당국의 지나친 간섭이 보험사의 건전성을 저해하고 있다.

36.

흔히 여자는 여자다워야 한다는 고정관념을 가진 사람들이 있다. 그런데 그때의 '여성다움' 이 흔히 시집가기 전에는 매력 있는 여자가 되기 위해 고민하고, 시집간 후에는 남편 뒷바라지 잘 해 주는 '안사람' 으로 만족하는 것만을 뜻하게 되는 경우가 종종 있다. 하지만 이제는 이런 '여성다움의 덫' 에서 벗어나 사람다움의 바탕 위에서 또 다른 새로운 여성다움을 찾아야 할 것이다.

① 여성다움이란 시대와 더불어 진화해 나가야 한다.
② 여성의 역할에 대한 고정관념을 가진 사회의 의식을 바꿔야 한다.
③ 종래의 여성상에서 벗어나 새로운 여성의 역할이 모색돼야 한다.
④ 여성다움을 갈고닦기 위한 고민은 시대를 초월한 테마이다.

37.

일반적으로 인간의 이기심은 부정적인 것으로 간주된다. 하지만 개인이 자신의 이로움을 추구하는 것은 지극히 당연한 일이며 사회가 통제할 수 있는 영역의 일도 아니다. 그러나 우리 사회는 여전히 이기심을 배척해야 할 사회악으로 여기며 개인의 이기심에 죄책감을 부여함으로써 개인에게 이기심을 떼어 내라는 불가능한 요구를 하고 있는 것이다. 제거하거나 통제하는 것이 불가능하다면 그것을 인정하고 부정적인 영향을 최소화하는 방향으로 이끌어 가는 것이 최선이다.

① 공공의 이익을 위해서는 개인의 이기심의 통제는 어쩔수 없다.
② 개인의 이기심에 대해 죄책감을 부여하는 것은 불가능하다.
③ 자신의 이로움을 추구하는 것은 결국 사회 전체의 이익이 된다.
④ 개인의 이기심을 부정하기보다 인정하고 대응하는 자세가 필요하다.

(既出 41 回)

38.

사람들은 꿀이 건강에 좋은 식품이라고 생각한다. 그래서 꿀은 당뇨병 환자들에게도 좋으며 설탕과 달리 비만을 일으키지 않는다고 생각한다. 꿀에는 영양소가 풍부하지만 혈당을 높이기 때문에 당뇨병 환자들에게 설탕보다 더 나은 것은 결코 아니다. 우리가 생각하는 꿀의 장점은 대부분 과학적으로 증명되지 않았다. 꿀과 설탕의 결정적인 차이는 소비자의 의식이지 실제의 장단점은 아니다.

① 꿀은 설탕보다 건강에 좋은 대체 식품이다.
② 당뇨병 환자는 설탕 대신에 꿀을 섭취해야 한다.
③ 꿀에 대해 믿고 있는 장점이 사실이 아닐 수 있다.
④ 꿀이 건강에 미치는 영향은 과학적으로 증명되었다.

※[39~41] 다음 글에서 〈보기〉의 문장이 들어가기에 가장 알맞은 곳을 고르십시오. (각 2점)

39.

부모와 아이의 관계가 평등하다는 인식이 대화의 출발점이 된다. (㉠) 아이가 부모를 어렵게 느끼면 대화가 단절되기 십상이므로, 부모는 아이가 생각하는 것이 무엇인지 경청하고 매사 그 의견을 충분히 이해하고 있다는 공감을 표시해야 한다. (㉡) 또 아이들이 자신의 생각을 충분히 표현할 수 있도록 가능성을 열어두는 것이 바람직하다. (㉢) 따라서 대화를 할 때는 경청과 질문을 통해서 자녀와 생각을 나누도록 해야 한다. (㉣)

〈보기〉

아이들이 일방적인 조언이나 충고를 듣게 되면 마음의 문을 닫아 버려 오히려 관계가 악화될 우려가 있다.

① ㉠　　② ㉡　　③ ㉢　　④ ㉣

40.

자외선의 유해성 논란이 일면서 '자외선을 쐬어야 할까, 피해야 할까'로 고민하는 사람들이 많다. (㉠) 사실 우리 인체에는 자외선이 필요하다. (㉡) 자외선은 뼈를 튼튼하게 유지시키는 역할을 하는 비타민 D를 생성해 준다. (㉢) 또한 자외선은 살균 효과를 갖고 있으며, 우울증을 예방하는 데에도 도움을 준다. (㉣) 결국 이러한 주장의 핵심은 이점을 인정한다손 치더라도 득보다는 실이 많으므로 자외선은 피하는 것이 상책이라는 것이다.

〈보기〉

자외선의 이러한 이점에도 불구하고 여전히 많은 사람들이 자외선으로 인한 피해 사례가 더 많다고 주장하고 있다.

① ㉠　　② ㉡　　③ ㉢　　④ ㉣

41.

대학생들에게 과학 강의를 하는 도중 우연한 기회에 초등학교 학생들을 가르칠 기회가 있었다. (㉠) 대학생은 도대체 질문하는 사람이 없는 데 반해 초등학생은 끊임없이 질문을 해 댄다는 사실이다. (㉡) 질문하는 시간을 제한하지 않으면 도무지 끝낼 줄을 모른다. (㉢) 인간을 더 인간답게 특징짓는 것 중의 하나가 바로 이 '호기심' 일진대, 어렸을 때 그렇게 많던 호기심은 자라면서 다 어디로 간 것일까? (㉣) 아마도 그 이유는 과다한 공부의 양 때문에 지쳐 지적 호기심이 다 죽어 버린 탓인지도 모르겠다.

〈보기〉

그런데 이 두 집단의 사이에서 정말 놀라운 차이를 발견했다.

① ㉠　　② ㉡　　③ ㉢　　④ ㉣

※[42~43] 다음 글을 읽고 물음에 답하십시오. (각 2점)

지난 해 한국에서 사온 뒤로 손목에 감아 보지도 못한 채 멈춘 시계를 오늘에야 수리하러 가지고 나갔다. 고장보다는 배터리가 다 했을 거라는 심증(?)이 갔지만 차일피일 미루게 된 이유는 분명 '배보다 배꼽이 더 큰 경험' 을 할지 모른다는 두려움 때문이었다. 아니나 다를까, 고장은 아니고 배터리를 갈아야 된단다. 배터리 값은 15달러. 우리 돈으로 약 1만 2천 원 꼴이니 결국 배보다 배꼽이 또 한 번 커지는 순간이었다. 그 시계는 겨우 1만 원짜리였기 때문이다. 10년 넘게 호주에 살면서 한두 번 겪는 일이 아닌데도 실소가 절로 나왔다. 얼마 전 아들애의 구두를 수선하러 갔을 때도 역시 비슷한 경험을 했다. 갈라진 밑창을 떼내고 새로 가는 데 4만 8천 원 가량이 든다고 했다. 그 구두를 1년 전에 6만 원에 샀으니 그 값이면 조금 더 보태 차라리 새 것을 사는 게 나을 게 아닌가. '해도 너무 하는구나' 하고 몇 번 푸념하고는 결국 새 구두를 사 주고 말았다.

실상 호주에서는 어이없기로 치면 이보다 더한 일이 적지 않다. 일전에는 잔디 깎는 기계가 고장나 수리를 의뢰하자 약 100달러 정도가 들 거라는 견적이 나왔다. 기계 자체를 120달러에 산 걸 비교하면 수리비가 너무 비싸 그만두겠다고 하자, 고장 난 부분을 체크하는 데 든 비용이라면서 20달러를 따로 청구하는 게 아닌가. 자기들로서는 헛수고를 한 셈이니까 들인 시간만큼 인건비를 물어내야 한다는 논리이다. 말인즉 옳지만, 어디 한 군데 손본 데도 없는데 공연히 돈만 없애야 하는 게 나는 억울했다.

42. 밑줄 부분에 나타난 나의 심정으로 알맞은 것을 고르십시오.

① 처량하다 ② 겸연쩍다
③ 허전하다 ④ 황당하다

43. 이 글의 내용과 같은 것을 고르십시오.

① 시계가 멈췄지만 수리비가 비싸서 수리점에 갈 엄두가 안 난다.
② 호주에서는 구두 밑창이 고가라서 수선을 맡기는 사람이 거의 없다.
③ 호주에서는 수리비가 새 것과 별 차이가 없어 어이가 없을 때가 많다.
④ 고액의 수리비 탓에 물건이 고장나면 버리고 새로 산다.

※[44~45] 다음을 읽고 물음에 답하십시오. (각 2점)

대기업은 어느 순간부터 고객 만족을 넘어서 고객 감동을 추구하기 시작했다. 소비자는 세심한 배려를 받을 때 감동을 받는다. 자신이 잊고 있던 기념일을 애인이 챙겨 주거나 친구가 꼭 필요한 것을 선물해 줄 때 감동을 느낀다. 이런 감동은 사적인 영역의 것이었으나 자본주의의 상품화가 발달하면서 감동이 (   ) 사용되기 시작했다. 하지만 상품을 사고파는 관계를 넘어 애인이나 가족에게서나 얻을 수 있는 감동까지 선사하려는 기업의 마케팅 이면에는 극심한 스트레스에 시달리는 감정 노동자들이 있다. 이 감정 노동자들의 어려움을 이해한다면 쓸데없는 고객 감동은 사양할 줄 아는 것이 소비자의 바람직한 자세일 것이다.

44. 이 글의 주제로 알맞은 것을 고르십시오.

① 사적인 영역의 감동은 가까운 사람에게서 얻어야 마땅하다.
② 마케팅의 수단으로서 감동을 활용할 가치가 있다.
③ 감정 노동자들도 소비자의 지나친 요구는 거부해야 한다.
④ 소비자는 불필요한 고객 감동의 제공에 응하지 말아야 한다.

45. (　　　)에 들어갈 내용으로 가장 알맞은 것을 고르십시오.

① 상품 개발을 위한 아이디어로
② 상품의 판매를 위한 도구로
③ 판매 실적을 평가하는 지표로
④ 판매 촉진을 위한 경품으로

※[46~47] 다음을 읽고 물음에 답하십시오. (각 2점)

> 국민건강보험은 나라에서 운영하는 공공보험으로 의료서비스를 제공하는 사회보장제도이다. (㉠) 이렇게 국민건강보험에는 개인에게 닥친 위험을 사회적으로 해결하는 상부상조의 정신이 깃들어 있다. (㉡) 국민건강보험은 개인의 건강이 사회적 책임이라는 관점에서 국민 누구나 혜택을 받을 수 있다. (㉢) 그리고 사회적인 연대를 기초로 의료비 문제를 해결하려는 것이 목적이므로 보험료 부담은 개인의 경제적 능력에 따라 부담한다. (㉣) 국민건강보험공단에서 매해 나라에서 보조하는 금액을 계산하여 뗀 뒤 그 나머지 금액을 모든 국민이 경제적 부담 능력에 따라 평등하게 부담한다.

46. 다음 문장이 들어가기에 가장 알맞은 곳을 고르십시오.

> 고액의 진료비로 인해 가계가 파탄되는 것을 방지하기 위해 국민이 평소에 보험료를 내서 서로 위험을 분담한다.

① ㉠　　② ㉡　　③ ㉢　　④ ㉣

47. 이 글의 내용과 같은 것을 고르십시오.

① 경제적 능력에 따라 보험료 부담과 의료서비스 제공에 차등이 있다.
② 국민건강보험은 상부상조의 의료서비스이지만 미가입자는 예외이다.
③ 병이 나면 누구나 혜택을 받을 수 있는 제도가 국민건강보험이다.
④ 경제적 능력에 따라 보험공단에서 나오는 의료비 보조금이 달라진다.

5 模擬試験編

※[48~50] 다음을 읽고 물음에 답하십시오. (각 2점)

> 공연 예술 기관들이 그동안 관행으로 진행해 왔던 무료 초대권 배부를 중단하기로 했다. 초대권을 마구 남발하는 것은 공연 예술의 미래를 암울하게 만들 뿐이라는 자각이 일었기 때문이다. 관객 수를 중요시하는 공연계의 특성상 공연 기획자는 당장의 (　　　) 관객 유치를 포기할 수 없기에 무료 초대권으로라도 객석을 채우려 든다. 그런데 무료 관객은 작품 수준이 기대에 못 미쳐도 무료이기 때문에 까다롭지 않다. 따라서 공연 기획자는 수준 높은 작품으로 관객을 만족시키려는 노력을 별로 하지 않게 된다. 결국 무료 초대권은 작품의 질을 떨어뜨리게 되고 급기야 작품 수준에 만족하지 못하는 관객은 공연장에 등을 돌리고 말 것이다.

48. 위 글을 쓴 목적으로 알맞은 것을 고르십시오.

① 관객 수와 작품수준의 상관관계를 설명하기 위해
② 관객 수를 중요시하는 공연계의 실정을 알리기 위해
③ 공연 예술 기관들의 관행을 이해시키기 위해
④ 공연계의 무료 초대권 남발의 문제점을 지적하기 위해

49. (　　　)에 들어갈 내용으로 알맞은 것을 고르십시오.

① 수익을 포기할망정　　② 수익을 확보하려면
③ 관객수를 늘리려면　　④ 성공을 위해서는

50. 밑줄 친 부분에 나타난 필자의 태도로 알맞은 것을 고르십시오.

① 초대권 남발에 의한 관객수 증가를 비난하고 있다.
② 작품의 질보다 관객수에 매달리는 실태를 비판하고 있다.
③ 무료초대권이 초래하는 악영향에 대해 염려하고 있다.
④ 작품수준이 형편없는 공연의 미래에 대해 절망하고 있다.

TOPIKⅡ 模擬試験の正答と配点表

[読解]編

問題番号	1回模擬試験正答	2回模擬試験正答	配点
1	④	④	2
2	③	③	2
3	④	④	2
4	②	③	2
5	③	②	2
6	②	③	2
7	①	④	2
8	②	④	2
9	③	③	2
10	③	③	2
11	④	④	2
12	④	④	2
13	③	④	2
14	①	③	2
15	②	③	2
16	①	①	2
17	①	④	2
18	②	②	2
19	③	③	2
20	②	④	2
21	②	④	2
22	③	②	2
23	②	③	2
24	④	③	2
25	④	①	2

[読解]編

問題番号	1回模擬試験正答	2回模擬試験正答	配点
26	③	④	2
27	②	②	2
28	③	③	2
29	④	④	2
30	②	②	2
31	③	③	2
32	③	③	2
33	②	④	2
34	④	①	2
35	②	①	2
36	④	③	2
37	③	④	2
38	②	③	2
39	①	③	2
40	④	④	2
41	③	①	2
42	③	④	2
43	④	③	2
44	③	④	2
45	③	②	2
46	③	①	2
47	④	③	2
48	③	④	2
49	①	①	2
50	③	③	2

第6章
解説編

第１章　読解編（1）…………………………… 274

第２章　読解編（2）…………………………… 302

第３章　読解編（3）…………………………… 320

第４章　読解編（4）…………………………… 337

第５章　模擬試験編…………………………… 352

第1章 読解編（1）

合格資料 2 既出の広告・案内文などの情報の意味を問う問題例…p.24

37回

・涼しい場所に保管してください。
・使用後は蓋をしっかり締めてください。

❶ 注意事項　② 材料案内　③ 購入方法　④ 製品の問い合わせ

36回

しっ！ 相手の声まで聞こえます。
公共の場所では小さな音も騒音になる可能性があります。

① 歯科　② 書店　❸ 美術館　④ 眼鏡店

35回

痛いですか。 我慢しないでください。
ご相談から手術まで親切にお手伝いいたします。

① 塾　❷ 病院　③ 博物館　④ 大使館

34回

涼しい風がびゅうびゅう！
暑さよ。去れ！

① ラジオ　❷ エアコン　③ 電話機　④ 掃除機

33回

★★★★★　この価格でこれほどの商品なら最高だと思います。
とても満足　使ってみたら軽くて丈夫です。デザインも気に入りますし。

❶ 使用後の感想　② 商品説明　③ 利用方法　④ 問い合わせ事項

32回

「早くきれいにいつでも新しい服のように」
30 分なら乾燥まで終わり～

① 掃除機　② 冷蔵庫　③ 加湿器　❹ 洗濯機

31回

1. 出てくるところが前を向くようにつかんでください。
2. 取っ手を引っ張って撒きたい所に撒いてください。

① 購入案内　② 効果説明　③ 問い合わせ事項　❹ 使用方法

30回

見れば見るほど素敵なデザイン、乗れば乗るほど乗り心地の良い感じ
最高をめざして走るあなたのために！

① ベッド　② 登山服　❸ 自動車　④ 運動靴

29回

紙一枚で見る広い世界！
キムミノ教授を迎えて世界地図の歴史を学んでみましょう。
日時：4月3日（水）　14：00 ～ 16：00
場所：302 号

① 公演の招待　② 旅行の広告　❸ 授業の紹介　④ 会員の募集

28回

若さを塗ってください！
1週間だけ使うだけでお肌が真っ先にわかります。

① 服　② 眼鏡　❸ 化粧品　④ 携帯電話

27回

1. 口の中をきれいにして口臭を無くしてくれる。
2. 歯を白くし、虫歯を無くしてくれる。

❶ 製品の効果　② 使用の順序　③ 修理方法　④ 注意事項

26回

ひどく渋滞した道路がきらいですか。
約束の時間を心配しないでください。
早くて安全な市民の足になります。

❶ 地下鉄　② 自転車　③ 自動車　④ 飛行機

25回

乾燥した空気のせいで鼻と喉が痛くないですか？
一度水を入れると一日中お部屋の空気が乾きません。
「チョクチョギ」で健康を守りましょう。

① 冷蔵庫　② 洗濯機　③ 掃除機　❹ 加湿器

24回

今まで感じたことのない最も心地よい休息！
これでパートナーが動いても目が覚めません。

① テーブル　② たんす　③ 机　❹ ベッド

23回

「ハンサラン会」では一緒にお茶を飲み、韓国茶についても学びたい方をお待ちしています。お茶好きな方ならどなたでも歓迎します。

① 授業紹介　② 活動の問い合わせ　③ 職業紹介　❹ 会員募集

22回

わからない単語がポケットの中に！
いつでもどこでも手軽に引いてください。

① 地図　② かばん　③ 腕時計　❹ 電子辞書

21回

美術旅行
300 枚を超える写真と楽しい絵！
1ページめくるごとに楽しさいっぱいです。
チェ・ヒョンギョン著 /45000 ウォン

❶ 本の紹介　② 公演案内　③ 美術館の紹介　④ 展示会の案内

20回

音もなくきれいに！
家中のホコリをきれいさっぱり吸い取ってくれる「サクサギ」

① ティッシュ　② 洗剤　③ 洗濯機　❹ 掃除機

19回

夢と幻想の世界に皆様をご招待します。
家族の皆様ご一緒にお楽しみください。

① ホテル　② 郵便局　③ デパート　❹ 遊園地

18回

雪岳山＋正東津
宿泊先　雪岳ホテル
49,000 ウォン
☎ 02-1234-5678
＊15 名以上の団体予約時 10%割引

❶ ツアー商品　② 旅行の予約　③ イベント招待　④ イベント日程

1 短文の空所語句補充問題 …………… p.70

※(　　　　)에 들어갈 가장 알맞은 것을 고르십시오.
(　　　　)に入る最も適切なものを選びなさい。

1. チュノさんは成績が (　　　　　　) 奨学金はもらえなかったようです。
① 良かったせいで　② 良かったが (その結果)
③ 良かったせいで　❹ 良いのに

2. 急ぎの仕事を (　　　　　　) ヨンミンにまだ電話をしていません。
① しようとするところに　② するかと思って
❸ していたので　④ していた途中で

3. 昨日窓を開け (　　　　　　) 寝たんです。それで風邪を引きました。
① ておいても　❷ たまま
③ ておくので　④ ておくことに

4. ミニョンにさっき何が (　　　　　　) 聞いてみたいですね。
❶ あったのか　② あるので
③ あってこそ　④ あるかと思って

5. 職場で担当している仕事が適性に (　　　　　　) 勤めることはできなさそうです。
① 合わないかわりに　② 合わないからと
❸ 合わなかったら　④ 合わないとしても

6. 最近ちょっと (　　　　　　) サークルの集まりがあるのをついうっかりしてしまいました。
① 忙しいというので　❷ 忙しくて
③ 忙しいというが　④ 忙しいほど

7. 電話がひっきりなしに (　　　　　　) 仕事が全部終わってないんです。
❶ かかってきたので　② かかってきたところ
③ かかってくるかと思って　④ かかってくるだろうから

8. 飲酒 (　　　　　　) 交通事故が起きたようです。
① 運転によって (相違)　② 運転のおかげで
❸ 運転によって (原因)　④ 運転に比べて

9. 今回の誕生日にはプレゼントで花を (　　　　　　) 服を買ってあげました。
① 贈るとか　❷ 贈ろうとしたが (やめて)
③ 贈ったせいで　④ 贈ったせいで

10. 引っ越し祝いは洗剤と石けんを（　　　　　）しましょう。
① 買おうかと思い　② 買おうとするなら
③ 買おうか　❹ 買うことに

11. 引っ越し祝いの時にトイレットペーパーを贈るのは物事がうまく（　　　　　）意味です。
① いったという　❷ いくようにという
③ いくという　④ いくというから

12. 彼に会えば（　　　　　）もっと好きになるような気がします。
① 会ってみても　② 会うように
③ 会っていたら　❹ 会うほど

13. ミンスは（　　　　　）6 ヶ月で彼女と別れたそうです。
❶ つきあってから　② つきあうとか
③ つきあったせいで　④ つきあっているうちに

14. 朝遅く（　　　　　）急いで出勤したんです。
❶ 起きたので　② 起きる途中
③ 起きるか　④ 起きてすぐ

15. 服が（　　　　　）ちょっと高いですね。
① 可愛いほど　❷ 可愛いのは可愛いけれど
③ 可愛いというから　④ 可愛かったので

16. 気分転換もして写真も（　　　　　）海辺に行ってきました。
① 撮るので　② 撮ったついでに
❸（ついでに）撮ろうと　④ 撮ってみたら

17. 物価が思ったより（　　　　　）生活するのが大変です。
❶ 高いからなのか　② 高いうえに
③ 高い反面　④ 高くはあるが

18. 観客が皆（　　　　　）悲しい映画でした。
① 泣いていたが　❷ 泣くほどの
③ 泣くかと思って　④ 泣くからには

19. ミンスさんに明日の午後は会合が（　　　　　）伝えてください。
❶ あると　② あるかと
③ あるとか　④ あるより

20. 肉を（　　　　　）野菜を入れてもう少し炒めてください。

① 炒めるように　　② 炒めるとか
❸ 炒めてから　　④ 炒めるよりは

21. 今週末はとても忙しいです。宿題が（　　　　）試験勉強もしなければなりません。
① 多いせいで　　❷ 多いうえに
③ 多いので　　④ 多いので

22. 誕生日だと前もって（　　　　）プレゼントを用意したのに。本当にごめんなさい。
① わかっているのに　　❷ わかっていれば
③ わかってみれば　　④ 実は / 実際は

23. お腹がものすごく（　　　　）海苔巻を買いにコンビニに行ってきました。
① 空いたのか　　② 空いたのに
③ 空いたと　　❹ 空いたので

24. ソウルは最近（天気が）（　　　　）雪まで降って道が滑ります。
① 寒いのに　　② 寒いのか
❸ 寒いうえに　　④ 寒いから

25. 絵（　　　　）よくご存知ですね。もしかしてご専門は美術じゃありませんか。
① のために　　❷ について
③ に比べて　　④ によって

26. 今日は時間がありません。授業が（　　　　）家に帰らないといけません。
❶ 終わり次第　　② 終わったせいで
③ 終わってこそ　　④ 終わるから

27. かしこまりました。お客様が注文書に（　　　　）ご用意いたします。
① お書きいただく前に　　② お書きになるなら
③ お書きになるだろうのに　　❹ お書きになったとおりに

28. いくら頭が（　　　　）努力しなければだめですよ。
① 良いがゆえ　　❷ 良いとしても
③ 良いというより　　④ 良いから

29. 料理が美味しくてお腹が（　　　　）たくさん食べました。
① 破裂したせいで　　② 破裂しても
❸ 破裂するほど　　④ 破裂するだけ

30. あの二人は毎日一緒に（　　　　）恋人の間柄のようです。
❶ いるのをみると　　② いるのに

③ いるうちに　　④ いたので

31. 今度の試合は（　　　　　）1 対 0 でドイツが勝ちそうです。
① 見ての通り　　② 見るというので
❸ 見るまでもなく　　④ 見た通りに

32. これは小さくて持ち歩くのに良さそうですが、パソコンは（　　　　　）高いですね。
① 小さいからこそ　　② 小さいといったって
③ 小さいせいで　　❹ 小さいほど

33. 天気予報（　　　　　）今日の昼は気温が 30 度まで上がるそうです。
① に関して　　② によって
❸ によると　　④ に比べると

34. 明洞に行って友達に（　　　　　）デパートに寄ろうかと思います。
❶ 会うついでに　　② 会ったままで
③ 会うので　　④ 会うやいなや

35. この歌手は男性や女性の（　　　　　）皆に人気があります。
① するだけでなく　　② しようかしまいか
❸ 区別なく（問わず）　　④ しようがしまいが

36. 何に乗って（　　　　　）交通費が大きく違ってきます。
① 行ってみたところで　　❷ 行くかによって
③ 行こうが行くまいが　　④ 行くといっても

37. 一人暮らしは（　　　　　）いまはだいぶ慣れました。
① 大変である分　　② 大変だったとしたら
③ 大変であるほど　　❹ 大変だけれども

38. 30 分だけ早く（　　　　　）遅刻しなかっただろうに。
① 起きて　　② 起きようとすれば
③ 起きるとしても　　❹ 起きたならば

39. 息子は（　　　　　）結婚してしまうと役に立ちませんよ。
① 育てようと　　② 育てるどころか
❸ 育てたところで　　④ 育てるついでに

40. 子供達はお菓子を（　　　　　）誰かが来たのも気づいていない。
❶ 食べていて　　② 食べていたが
③ 食べている途中　　④ 食べているうえに

41. 私（　　　　　）ここにいるすべての人はその意見に反対です。
① を通じて　　❷ をはじめとして
③ によって　　④ に対して

42. チュソク（秋夕）の時はただ家でテレビ（　　　　　）見ようかと思っています。
① に　　② でなければ（〜ない）
③ のように　　❹ でも

43. 元日にミンスさんのご両親に新年の挨拶をしてお年玉（　　　　　）もらいました。
❶ まで　　② しか　　③ すら　　④ でも

44. 三万ウォン貸してほしいですって？私今一万ウォン（　　　　　）ないんですけど。
① どころか　　❷ しか　　③ も　　④（人）に

45. まり子さんを見ているとすっかり韓国人になった（　　　　　）見えますね。
① でも　　② とか　　③ として　　❹ ように

46. 目上の人の前でお酒を飲む時（　　　　　）顔をそむけて飲みます。
① でも　　② さえ　　❸ だけ　　④ のみ

47. チュンスさんは何でもよく食べてどこ（　　　　　）よく寝ますね。
❶ ででも　　②（人）に　　③ こそ　　④ にしては

48. 就職して給料はもらっているけど、貯蓄（　　　　　）生活費も足りません。
① に　　② ほど　　❸ どころか　　④ 通り

49. 昨日一時間（　　　　　）雨に濡れたので、ちょっと風邪気味なんです。
① でも　　❷ も　　③ でも　　④ から

50. ここは誰でも入ることはできません。青少年（　　　　　）入ることができます。
① ほど　　② さえ　　❸ だけが（であってこそ）　　④ のみ

51. トイレの掃除（　　　　　）面倒なことはありません。
① こそ　　② だけ　　③ に　　❹ ほど

52. 今やっていることは計画（　　　　　）うまく進んでいますか。
① さえ　　② として　　③ すら　　❹ 通り

53. 心配（　　　　　）してないで、今からでも勉強したらどうだ。
❶ ばかり　　② 以外に　　③ でも　　④ だけ

54. 今日は雲一つ（　　　　）ない晴天だった。
❶ さえ　② しかに　③ こそ　④ でも

55. 今年も去年（　　　　）商売がうまく行ったらと思う。
① だけ　❷ ほど　③ に　④ だけ

56. あんなに痩せているのをみると、この間の風邪でとても（　　　　）。
❶ 具合が悪かったようだ　② 具合が悪いようだ
③ 具合が悪かったそうだ　④ 具合が悪いと思った

57. 今日会おうと言われたので、忙しいから明日（　　　　）。
① 見る価値はあると言った　② 見るようにした
③ 会いなさいと言った　❹ 会おうと言った。

58. 徹夜したらあまりにも眠たくて（　　　　）。
① 死のうと思いました　❷ 死にそうでした
③ 死んだんです　④ 死んだりしました

59. 車が動かないのを見ると、道路がだいぶ（　　　　）。
❶ 渋滞しているようです　② 渋滞していましたよ
③ 渋滞していましたよ　④ 渋滞したほうです

60. まり子さんは来年大学院に（　　　　）。
① 進学しようとしていたところです　② 進学するつもりです
❸ 進学するそうです　④ 入学したそうです

61. あそこに新しくできた食堂は料理も美味しくて値段も（　　　　）。
① 安いとしましょう　② 安いはずですが
③ 安いだなんて　❹ 安かったですよ

62. 慶州は歴史的な遺跡が多くて（　　　　）。一度行ってみてください。
① 行ってみたんでしょう　② 行ってみるだけです
③ 行ってみるなんて　❹ 行ってみる価値があります

63. 今回引っ越したところは学校も（　　　　）。そこが気に入りました。
① 近いですとも　② 近いですね
❸ 近いです　④ 近いそうです

64. 使わないものを全部片付けたら部屋が前よりずっと（　　　　）。
① 広くなければなりません　② 広いほうです
❸ 広く見えます　④ 広いわけです

65. ミンスが財布を（　　　　　）。それで急いで走って行きました。
❶ なくしたようです　　　② なくすところでした
③ なくしたのか知りませんでした　　　④ なくすか心配です

66. 良かったですね。私も昼食を（　　　　　）。一緒に行きましょう。
① 食べるはずですが　　　② 食べますよ
❸ 食べようとしていたところです　　　④ 食べようと言いました

67. 髪を茶色に染めたら似合うでしょうか。— もちろんです。（　　　　　）。
❶ 似合いますとも　　　② 似合うじゃないですか
③ 似合っていましたよ　　　④ 似合いますね

68. チヨンさんは自分の趣味は料理だから、ただ来て（　　　　　）。
❶ 食べてと言っています　　　② 食べるそうです
③ 食べるつもりだそうです　　　④ 食べていましたよ

69. 夜勤は健康によくないですよ。仕事もいいけれど、健康も（　　　　　）。
① 考えるでしょう　　　② 考える価値があります
❸ 考えないといけませんよ　　　④ 考えるようにと言っています

70. 今回新しく公開された映画、本当に（　　　　　）。
① 見ればよかったです　　　② 見るなんて
③ 見るようです　　　❹ 見応えがあります

71. ほっそりしてきたけど、どんな運動をしたんですか。—毎日 30 分ぐらい散歩を（　　　）。
❶ しただけですよ　　　② したつもりです
③ したはずです　　　④ したじゃないですか

72. ミンスさんから聞きましたが、最近（　　　　　）。
❶ 忙しいそうですね　　　② 忙しいほうです
③ 忙しそうに見えます　　　④ 忙しいでしょう

73. この女優さんももうおばあさんになったね。人は誰でもみんな（　　　　　）。
① 年を取るようです　　　② 年を取るだけですよ
❸ 年を取るものですよ　　　④ 年を取ったふりをしますよ

74. 昨日サッカーの試合を見たそうですね。両チームの実力は（　　　　　）。
① どうだったそうですか　　　② どうでしょうか
③ どうでしょうか　　　❹ どうだったでしょうか

75. 昨日友だちの結婚式に行って来たが、新郎新婦がとても（　　　　　）。

① 似合うわけがない　❷ お似合いだったよ
③ 似合う　じゃないか　④ 似合うはずだけど

76. 少し待っても来ないからと言って先に（　　　　　）。
① 行くものですよ　❷ 行くわけにはいかないでしょう
③ 行くはずがないでしょう　④ 行くようにということはないでしょう

77. 気に入らないわけではないが、似た服があるから（　　　　　）。
❶ 替えようかと思います　② 替えるようです
③ 替えますとも　④ 替えるようです

78. どこに行っても就職しようとすると、英語は（　　　　　）。
① 必要なだけです　② 必要なわけがありません
❸ 必要でしょう　④ 必要だったんですね

79. その通りです。コンピューターがこんなに（　　　　　）。
① 便利だったそうです　② 便利だなんて
③ 便利だからです　❹ 便利だとは知らなかったです

80. 私は最近食欲がなくてほとんど（　　　　　）。
① 食べていなかったようです　❷ 食べていなかったです。
③ 食べていなかったそうだ　④ 食べていないようです

81. 試験が終わった昨日はずっと（　　　　　）。
❶ 寝ていました　② 寝るものです
③ 寝たいと思います　④ 寝ようとしていたところです

82. まさか、あんなに勉強もしないのに 1 位に（　　　　　）。
① するしかないです　② なったかも知れません
③ するものです　❹ なるわけがありません

83. 先ほど階段を走って降りてくるとき（　　　　　）。
① 転ぶかも知れないです　② 転ぶわけがないです
❸ 転ぶところでした。　④ よく転んだりしました

➡ 1～41番問題までに出てくる選択肢の連結語尾・連結表現の機能と用例は、合格資料6「よく出る連結語尾・連結表現リスト」(pp.35～52) を参照。

➡ 42～55 番問題までに出てくる選択肢の助詞の機能と用例は、合格資料5「中級出題の助詞リスト」(pp.32～34) を参照。

➡ 56～83 番問題までに出てくる選択肢の終結語尾・終結表現の機能と用例は、合格資料7「よく出る終結語尾・終結表現リスト」(pp.53～67) を参照。

2 類似表現選択問題 ………………………… p.84

※다음 밑줄 친 부분과 의미가 비슷한 것을 고르십시오.
次の下線を引いた部分と意味が似ているものを選びなさい。

1. チュノがさっきから機嫌が悪いようだけど、何があったのか聞いてみたい。
① あったから　② あろうとしても
❸ あったのかと　④ あったから

2. 息子に仕事が忙しければ来ないようにと言ったのに来ると言っています。
① 来ないだろうと　② 来ないのかと
③ 来ないと　❹ 来なくてもいいと

3. 昨日窓を開けておいたまま寝ていたが、風邪をひいたようだ。
① 開けておいたあげく　② 開けておくより
③ 開けておくので　❹ 開けておいてそのまま

4. さっきデパートに寄ったが、時計が気に入ったので一つ買った。
❶ 寄ったが　② 寄ろうとしたところに
③ 寄ったせいで　④ 寄りがてら

5. 皿洗いをしている途中、皿を割ったので新しい皿を買おうと思っている。
① しようと思うが　❷ している途中に
③ しようかと思ったが　④ しようがしまいが

6. 私は外国旅行どころかまだソウルにも行ったことがありません。
① 旅行だけでなく　❷ 旅行は言うまでもなく
③ 旅行のつもりで　④ 旅行はやめて

7. 忙しくても少し時間を作っていただけますか。
① 忙しいから　② 忙しくしていたが
③ 忙しかったけど　❹ 忙しくても

8. 私は明日の韓国語の試験が最後だから、ほぼ全部終わったようなものです。
① 終わるものです　❷ 終わったも同然です
③ 終わるでしょう　④ 終わるものです

9. 大丈夫だよ。あんまり気にするなよ。もともとあの人の性格はそうなんだから。
① 安心する　❷ 気にする
③ 心を痛める　④ いらいらする

10. この仕事が終わり次第ここから去るつもりです。

❶ 終わったらすぐ　② 終わりさえすれば
③ 終わっても　④ 終わるだろうから

11. さっき事務室に行ってみたらチュノはもう帰ってたよ。

① 帰ったようだ　② 帰るつもりだって
❸ 帰って、いなかったよ　④ 帰ったって

12. ソウル研修旅行はみんな期待しているはずだから全員参加するだろう。

❶ いるだろうから　② いるうえに
③ いるだけだから　④ いるとおり

13. チヨンさんは最近結婚準備のために大忙しでしたよ。

① 準備するついでに　② 準備しようと
❸ 準備のために　④ 準備によって

14. ご存知の通り韓国も景気が良くないので就職するのが大変です。

① わかりそうで　② ご存知である分
③ 知っているつもりで　❹ ご存知のように

15. 朝起きるやいなや慌てて出てきたのでスマホを家に置いて出て来た。

① 起きようと　❷ 起きてすぐに
③ 起きるせいで　④ 起きようが起きまいが

16. 道が渋滞して約束の時間に遅れるかと思って早く出発した。

① 遅れるところだったので　❷ 遅れそうで
③ 遅れたせいで　④ 遅れるたびに

17. たまったレポートを作成していたので予習する時間がなかった。

① 作成したとしても　❷ 作成していたら
③ 作成するから　④ 作成したうえに

18. お客さんが来るときは料理が足りなくならないように準備しなければならない。

① 足りなくないはずだが　② 足りないところだったので
③ 足りないようでも　❹ 足りなくならないように

19. 今度の夏休みには船で済州島旅行に行くことにしました。

❶ 行くつもりです　② 行くそうです
③ 行くはずですけど　④ 行くつもりだそうです

20. 就職試験が私の人生の最後の試験だと思ったがそうではなかった。
① 試験であるようだが　❷ 試験だと思ったが
③ 試験だといいて　④ 試験であるせいで

21. ここでは写真を撮っても良いと思った。
❶ いいと思った　② よさそうだ
③ いいわけがない　④ いいことがある

22. もしかしてメールが届かなかったかと思ってもう一度同じメールを送った。
❶ 届かなかったかも知れないので　② 届かなかったとしても
③ 届かなかったとしても　④ 届かなかったとして

23. チュニが宿題を全部やったと言うので出て行って遊ぶようにと言いました。
① やったといったり　② やったせいで
③ やったというが　❹ やったというので

24. 安くて性能の良いものはどこの国でもよく売れるに決まっている。
❶ 売れるものだ　② 売れるわけがない
③ 売れると言う　④ 売れるようだ

25. 子供達の笑顔を見るたびに幸せになる。
① 見るように　❷ 見るだけで
③ 見るまでもなく　④ 見るのは見るが

26. 本を読んでみたところで実際に経験してみなければ分からないことが多い。
❶ 読んでみても　② 読まなければならないはずだが
③ 読んでみるついでに　④ 読むつもりで

27. 外国でうまく適応するにはその国の言語と文化を知ることが重要だ。
① 適応さえすれば　② 適応すると言っても
❸ 適応するためには　④ 適応することはするが

28. 布団を干すと決まってにわか雨が降るので腹が立つ。
① 干してみたところで　② 干すやいなや
❸ 干すたびに　④ 干すとすぐ

29. その子は聞いてみるまでもなく参加すると言うと思うよ。
① 聞いてみなくては　② 聞いてみるのか
③ 聞いてみると言うから　❹ 聞いてみなくても

30. 一日中ご飯どころか水も飲めなかったです。

① ご飯ではなく　② ご飯こそ

③ ご飯は除いて　❹ ご飯は言うまでもなく

31. 卒業をして留学に行くか行くまいか悩んでいるところです。

① 行こうがいくまいが　❷ 行くかどうするか

③ 行こうがいくまいが　④ 行くのもそこそこに

32. ちょっとお金を貸してちょうだい。急いで出てきたので財布を持って来なかったの。

① 出てくるから　② 出てきたうえに

③ 出てきても　❹ 出てきたので

33. 韓国語の実力を伸ばそうと韓国の新聞と放送をよく見た。　（既出 41 回）

❶ 伸ばすために　② 伸ばすや否や

③ 伸ばす代わりに　④ 伸ばす一方で

34. 後輩が犯したミスを知っていたが、申し訳ないと思うかもしれないので知らんぷりをした。　（既出 37 回）

❶ 知らない振りをした　② 知らないようだった

③ 知らないほうだ　④ 知らないに決まっている

35. 二人は長い間の知り合いではあるが、職場の同僚の間柄に過ぎない。　（既出 35 回）

❶ 間柄に過ぎない　② 間柄なら良いと思う

③ 間柄かも知れない　④ 間柄だとは思えない

➡この類似表現問題で頻出する類似表現の用例は、合格資料1「よく出る類似表現リスト」(pp.19～21) を参照。
また各選択肢に出てくる連結表現、終結表現の機能と用例の確認は、合格資料6「よく出る連結語尾・連結表現リスト」(pp.35～52)、合格資料7「よく出る終結語尾・終結表現リスト」(pp.53～67) を参照。

❸ 情報の主題選択問題 p.90

※다음은 무엇에 대한 글인지 고르십시오.
次は何についての文なのかを選びなさい。

1.

腰が痛くてお困りですか。
・皆さんに座り心地の良い座席をご用意します。
・長く座っていても腰が痛くなりません。
・私どもの**ピョナニ**で一日を快適にお過ごしください。

① 机　② テーブル　③ ベッド　❹ 椅子

2.

世界各地の建築を訪ねて
人気建築家が聞かせてくれる世界各地の建築の話
世界各地の独特な建築物の姿と歴史に出会えます。
ミン・ヨンジュン著。　定価 20,000 ウォン

① 旅行　② 建築物　❸ 本　④ 写真

3.

人間の身体工学をもとに開発された「**タルリミ**」
ガソリン高騰の時代、環境にもやさしく通勤通学にも便利な「**タルリミ**」
軽くて壊れにくいので長くご使用いただけます。

① 運動靴　② 自動車　❸ 自転車　④ 運動着

4.

楽々お探しできます！
駐車場、バス停、観光施設が一目でわかります！

① 翻訳機　② 電子辞書　❸ 地図　④ イヤホン

5.

きれいにしっとりと！
ストレスでダメージを受けたお肌に活力を！

❶ 化粧品　② 洗剤　③ 目薬　④ ビタミン

6.

こびりついた垢もシミもすっきり！
少し入れるだけで新品のようにきれいになります。

① タンス　② 洗濯機　③ 掃除機　❹ 洗剤

7.

腕で輝く洗練されたデザイン！
あなたの大切なスケジュールを正確にお守りします。

① パソコン　② 電子計算機　❸ 時計　④ ノートパソコン

8.

虫歯予防！口臭の心配さようなら！
歯を清潔に白く！

① 洗剤　❷ 歯磨き粉　③ せっけん　④ 歯ブラシ

9.

最新曲完備！清潔で安らぐ雰囲気！
ここ「**プㇽロブㇽロ**」で楽しいひと時をお過ごしください。

❶ カラオケ　② 美容院　③ 映画館　④ デパート

10.

新鮮な材料！ あっさりとした上品な味！
一皿一皿に心を込めています。

❶ 飲食店　② 食器店　③ 食料品店　④ コンビニエンスストア

11.

パーマとカラーリングのお客様歓迎！
午前 11 時前まで 10%引！

① 衣料品店　② クリーニング店　③ ゲームセンター　❹ 美容室

12.

結婚式、トルパーティー（1歳の祝宴）など各種記念行事
あなたの大切な思い出を残します。

① 文具店　② ホテル　❸ 写真館　④ 飲食店

13.

> 広くて探しやすい分野別売場。
> **国内新刊出版物をすべて取り揃えて**皆様をお待ちしています。

❶ 書店　② デパート　③ 食料品店　④ コンビニエンスストア

14.

> 幻想的な日の出と新鮮な海の幸!!
> 東ソウルターミナル — 正東 — 江陵 — 東ソウルターミナル（一泊二日）
> 毎週金曜日午後 10 時出発　₩ 95,000

① 公演案内　② 映画紹介　③ 行事案内　❹ 旅行ツアー紹介

15.

> **生活陶磁器とインテリア小物作り**
> 　陶芸教室「ウリ」で自分だけのものを作ってみませんか。
> ・毎週水曜日 10：00 ～ 12：00
> ・毎回4万ウォン（材料費込）

① 展示案内　❷ 授業案内　③ 本の紹介　④ 演劇の紹介

16.

> **『雪岳山の四季』**
> 写真作家キム・ジョンスが最近5年間アングルに収めてきた
> 雪岳山の四季の姿をご覧ください。
> ・日時　20.3.23. ～ 3.31.
> ・場所　中区文化館1階

① 作家の紹介　❷ 展示の案内　③ 公演の案内　④ 旅行の紹介

17.

> 年末を迎え、中学時代の仲間が一同に会する機会を設けました。
> 忙しくても時間を作って皆さんの元気な姿を見せてください。
> 日時：12 月 20 日午後5時
> 場所：韓国料理店「故郷」
> 会費：5万ウォン

❶ 忘年会の案内　② 食堂開業の案内　③ 送別会の案内　④ 行事日程案内

18.

成人のためのサッカークリニック

サッカーを基本技から習いたい方ならどなたでも歓迎いたします。

日程：4月～11月毎週土曜日（一回90分）

申込受付：3月5日～15日まで

お問い合わせ：仁川サッカー団　032-123-4567

① 活動の問い合わせ　② 職業の紹介　③ 試合案内　❹ 会員募集

19.

年末年始は2時間短縮して午後7時まで営業いたします。

（ただし、食品売り場は年末年始も午後10時まで正常営業いたします。）

ソウルスーパーマーケット

① 開業案内　❷ 営業時間　③ 営業場所　④ 営業内容

20.

豚肉の超カンタン料理法、焼かずにゆでよう！

料理が苦手な方でもどなたにでも簡単に真似できる豚肉料理レシピ

〈超カンタン豚肉料理〉が間もなく出版されます。ご期待ください。

① 料理紹介　② 料理法　❸ 本の紹介　④ 飲食店案内

21.

1. 保管時にはふたをしっかり閉めて異物が入らないようにする。
2. 開封後1カ月以上が過ぎたものは使用しないことが望ましい。

① 使用方法　② 利用場所　❸ 注意事項　④ 製品の特長

22.

1. ご購入になった商品とレシートを持ってお越しください。
2. 商品をお買い上げ後一週間以内まで可能です。
3. 在庫がない場合には1～2週間お待ちいただきます。

❶ 交換方法　② 購入案内　③ 製品の特長　④ 中古品販売

23.

1. 切れ味が長持ちするので頻繁に研ぐ手間がかかりません。
2. 手首に無理がかからず少ない力で効果的に切れます。

① 購入案内　② 利用方法　❸ 製品の特長　④ 注意事項

24.

1. 汚れはコールドクリームを柔らかい布につけて拭いてください。
2. 水にぬれた時は風通しの良い日陰に干してください。

① 製品の紹介　② 使用説明　③ 保管方法　❹ 手入れの方法

25.

・お肌の露出している部分にたっぷり塗ってください。
・2～3時間の間隔で重ね塗りをしてください。

❶ 使用方法　② 商品説明　③ 注意事項　④ 購入案内

26.

・小銭か紙幣を入れる。
・ご希望の料理を選んでボタンを押したあと食券を取り出す。

① 準備物　② 選択基準　❸ 利用方法　④ 注意事項

➡この形式の問題によく出る選択肢例は、合格資料3「よく出る広告などの情報の選択肢」(p.27)、合格資料4「よく出る案内文·説明書·掲示文などの情報の選択肢」(p.27)を参照。

4 情報文の内容把握問題 ……………… p.96

※다음 글 또는 그래프의 내용과 같은 것을 고르십시오.
次の文章、またはグラフの内容と一致するものを選びなさい。

1.

ミュージカル　**お腹すいた！**
期間：20××年4月8日〜4月30日
時間：平日（月〜金）午後5時、7時
　　　週末（土〜日）2時、4時、6時（休演日無し）
場所：忠武路小劇場（地下鉄3、4号線忠武路駅3番出口より徒歩4分）
入場料：10,000ウォン（前売9,000ウォン）
公演お問い合わせ　☎ 02-1234-5678

① 期間中の休日には公演がない。
② 期間中には1日2回ずつ公演をする。
❸ 劇場は地下鉄駅から近い所にある。
④ 15日間休まず公演をする。

2.

書道教室会員募集
期間：4月〜9月　毎週木曜日午後7時〜9時
対象：書道に興味がある方（初心者も歓迎）
受付：20××年3月1日午前9時から。先着順20名まで。
受付方法：中区文化会館の文化講座ホームページでオンライン受付
※書道教室会員として希望者は定期書道展示会参加可能

① 会員申し込みは文化会館に行ってする。
② 会員は初心者の中から20名を選ぶ。
③ 会員になると書道展示会に参加しなければならない。
❹ 教室は4月から毎週木曜日の夜に開かれる。

3.

〈木かげ〉ソウル店
すべてのお飲物10%引き　　テイクアウト時30%引き
◆期間：3月1日〜3月31日（期間内使用に限り有効）
◆本クーポンはソウル店に限り使用可能
◆他のクーポンとの併用はできません。

① ソウル店以外でも使用できる。
❷ 決められた期間内で使用できる。
③ 割引はテイクアウトに限り使用できる。
④ クーポンは2枚以上使用できる。

4.

「ソウル写真スタジオ」では一緒に働く方を募集します。
・募集分野：撮影、撮影アシスタント、編集、お客様担当
・資格要件：経歴及び性別制限なし（写真を習いながら勤めたい方）
・給与条件：会社規定による（面接後決定）
・提出書類：履歴書、自己紹介書
・提出方法：Eメール（insakua@seoulsajin.com）
・提出期間：6月10日～6月24日まで
※1次書類審査後、個別的に面接日程を連絡

① 面接を通して給料の額が決まる。
② 履歴書と自己紹介書は郵便で送らなければならない。
❸ 男女の区別なしに初心者でも応募できる。
④ 経歴のない人は撮影アシスタントとして採用する。

5.

職員募集

⊙ 分野及び人数：経理1名
⊙ 志願資格：大学卒業以上、該当経験3年以上
⊙ 提出書類：履歴書、自己紹介書
⊙ 受付方法：電子メールで受付
⊙ 受付期間：6月1日（月）～6月12日（金）7時まで
⊙ 選考方法：1次書類 / 2次面接
※ 面接は1次の書類合格者に限る。

ウリ出版社

① 出版社の経験があれば志願することができる。
② 書類は郵便でも提出することができる。
❸ 経理として働く社員を求めている。
④ 面接時に自己紹介書を持参しなければならない。

6.

市民会館体育施設利用案内

●利用可能種目：バレーボール、卓球、バドミントン（室内体育館）
サッカー、バスケットボール、バドミントン（野外運動場）
●利用可能時間：平日09：00～18：00、週末08：00～20：00
●利用申込方法：ホームページで利用申込書を作成
※団体利用は5日前の電話予約必須（02）1234-5678

① 団体で申し込めば優先的に利用することができる。
② 週末に利用する時は前もって電話で予約をしなければならない。
❸ バドミントンは室内と野外の両方でできる。
④ 市民会館に行って申し込めばすぐ利用することができる。

7.

子供との同居理由（単位：%）

本人の独立生活が不可能　35.4%
子供の独立生活が不可能　24.8%
孫の養育及び子供の家事を手伝うため　12.6%
みんな独立生活が可能だが一緒に住みたいので　19%
子供が学生または未成年者なので　5.9%
その他　2.2%

① 自分より子供の生活能力がなくて同居するケースが多い。
② 孫、孫娘が未成年者なので同居するケースが 20%に近い。
③ 子供の家事を手伝うために同居する比率が高く表れた。
❹ 両親も子供も生活能力がなくて同居するケースが多い。

8.

小・中・高校生の生活調査

週 1 回以上ファーストフード	小 57.71%、	中 64.39%、	高 66.32%
週 3 回以上激しい運動	小 51.72%、	中 31.65%、	高 22.08%
一日 6 時間以内睡眠	小 3.64%、	中 9.97%、	高 43.24%

❶ 学年が上がるにつれ運動量も睡眠時間も急減している。
② 学年が低いほどよく遊びファストフードもよく食べる。
③ 学年が下がるほど運動を少ししてたくさん寝る。
④ 中学生や小学生に比べ高校生が健康的な生活をしている。

9.

韓国男性と結婚した外国女性

中国 37%　ベトナム 37%
フィリピン 7%　日本 4%
カンボジア 4%　アメリカ 2%
その他 9%

韓国女性と結婚した外国男性

日本 29%　中国 27%
アメリカ 19%　カナダ 5%
オーストラリア 2%　イギリス 3%
その他 15%

❶ 韓国男性の国際結婚の相手は圧倒的にアジアの人が多い。
② 韓国女性が結婚した外国人の半数は欧米の人だ。
③ 韓国女性が結婚した外国男性は中国と日本の順に多い。
④ 韓国男性が結婚した外国人はすべてアジアの人だ。

10.

結婚有無別健康管理状態（単位：%）

	〔未婚女性〕	〔既婚女性〕
健康診断	33	67
規則的な運動	28	36
適正な睡眠	70	80
朝食	55	76

① 未婚女性は若いので健康診断を受けない人が多い。
② 未婚女性より既婚女性のほうが食事と睡眠時間が長い。
③ 既婚女性より未婚女性のほうが運動と睡眠時間が多い。
❹ 未婚女性に比べて既婚女性のほうが健康に気を使っている。

11.

男女別読書分野の調査

	〔男性〕	〔女性〕
経済	49%	31%
科学	20%	9%
歴史	12%	16%
文学	10%	42%
その他	9%	2%

① 男性たちは歴史分野の本を最も少なく読む。
❷ 男性たちは文学より科学分野の本をより多く読む。
③ 女性たちは経済分野の本を最も多く読む。
④ 女性たちは男性たちより歴史分野の本をより少なく読む。

（既出 60 回）

12.

老後に最もやりたいこと

	〔男性〕	〔女性〕
経済活動	58%	35%
趣味活動	27%	42%
ボランティア活動	9%	16%
宗教活動	4%	6%
その他	2%	1%

調査対象：40 ～ 50 代の男女各 500 名

① 宗教活動をしたがっている比率は男性が女性より高い。
❷ 女性はボランティア活動より趣味活動をもっとしたがっている。
③ 男女ともに経済活動がしたいという回答が半分を超えている。
④ 経済活動よりボランティア活動をしたがっている男性たちが多い。

13.

「第3回芋掘り体験イベント」が来る16日（土）ハクチョン村で開催される。今回の体験イベントは午前10時から午後2時まで行われ、参加費用は6,000ウォン、参加者が自分で掘ったじゃがいも2キロとじゃがいもで作った手打ちうどんを昼食に提供する。参加希望者は開催日前日までにハクチョン村事務所に電話で申し込めばよい。

① 参加費を払った人はじゃがいも2キロを自分で掘れる。
❷ 15日まで参加申し込みが可能だ。
③ 芋掘りイベントは今年初めて開催される。
④ じゃがいも2キロを掘った人には昼食が提供される。

14.

「第1回丹陽全国マウンテンバイク大会」が来る9月14日（日）午前10時に丹陽デソン山、山林浴場にて開かれる。今回のマウンテンバイク大会は10キロと20キロの2部門に分けて行われる。参加費はそれぞれ1万ウォン、2万ウォンだ。参加申し込みは大会が始まる1週間前までに「丹陽全国マウンテンバイク大会」事務局ホームページでできる。

❶ 参加費用は参加者が選んだコースにより差がある。
② 大会が始まる前の1週間に参加申し込みができる。
③ 参加者は大会当日に大会事務局に来ればよい。
④ 一人2部門に参加できる。

15.

22日（木）午後2時に大邱デパート前でエネルギー節約イベントが開かれる。この日のイベントではエネルギー節約に対する市民運動開始を宣言し、市民が簡単に実践できるエネルギーの節約方法を紹介する。また通行人を対象にエネルギー節約を呼びかける街角キャンペーンも実施する予定だ。

① このイベントはデパート主催で開かれる予定だ。
❷ エネルギー節約を呼びかけるために街角キャンペーンを行う。
③ 市民運動を通じてエネルギーの節約方法を募集する。
④ 通行人も簡単に実践できる節約方法を紹介する。

16.

10月7日から一週間、慶尚北道豊基で人参フェスティバルが開かれる。年に一度開かれる今回のフェスティバルではいろんな人参料理や人参キムチを味わうことができ、展示されている各種人参製品も割引価格で買うことができる。それ以外にミス人参娘コンテストや人参堀り大会も開かれるなど様々なイベントが用意されており、観光客に人気を呼ぶものと予想される。

❶ 豊基人参フェスティバルは毎年開かれる。
② 人参掘り大会は今回初めて開かれるイベントだ。
③ 人参キムチ作りには観光客が直接参加できる。
④ 人参娘コンテストには観光客も参加が可能だ。

17.

> 我が国の成人の10人の中7～8人は紙の新聞やPC・スマートホンなど多様な媒体を通じて新聞記事に接していることがわかった。この中で20～30代が新聞記事を読んだ割合が95%で一番高かった。特に20代の人だちは去年TVでニュースを利用する割合は減った一方、紙の新聞を読む割合は増加したことがわかった。言論振興財団の調査によるとスマートホンなど多様なメディアを通じた新聞記事の閲読率は成人で平均78%だった。年齢別では20代が94.3%、30代が95%で一番高かった。

❶ 成人の中では2～30代の人が一番多く新聞記事を読む。
② 成人の中で7割以上は紙の新聞を読む。
③ 9割以上の2～30代の若者たちは紙の新聞を読んでいる。
④ 20代の若者たちはTVニュースを見ないことがわかった。

18.

> 毎年インターネット書店の利用客数が大きく増えている。去年1年間のインターネット書店利用客は一昨年に比べ7.3%増えた。これは一般の書店の利用客が7%減ったことと対比される。インターネット書店がこのように人気を集めている理由は、一般の書店に比べ、多様な書籍を揃えているうえに購入時に適用される割引き率も高いからだと分析される。

① インターネット書店の利用客は去年より大きく増えた。
❷ 一般書店の利用客は1年前に比べ7%程度減少した。
③ インターネット書店では人気のある書籍が確実に買える。
④ 一般書店の人気がない理由は割引率が低いためだ。

19.

> ソウル市は市民の文化施設利用拡大のために4月から入場料の割引制度を導入して実施している。この制度はソウル市の文化施設を利用してから14日以内に再びソウル市の文化施設を利用すると30%割引いてくれる制度だ。この制度が実施されてから、市立美術館とソウル歴史博物館を訪れる人が増えていることがわかった。

① 文化施設をたびたび利用するほど割引率が高くなる。
② この制度は全国のすべての文化施設に適用される。
❸ たびたび文化施設を使用する人は入場料の負担が少なくなる。
④ この制度により美術館や博物館のような文化施設が増えた。

20.

「花よりはプレゼントが…」。卒業と入学シーズンを迎えた学生たちの希望だ。中高、大学入学予定者を対象に入学祝いで欲しいものを調べた結果、1位はノートパソコン、2位はスマートホン、3位はタブレット PC であることがわかった。学生別に分けてみると中高生の場合はスマホを、大学生はノートパソコンやタブレット PC が最ももらいたい入学プレゼントとして挙げた一方、文房具類、本、辞書、時計など昔は一般的だったプレゼントを希望した学生はほとんどいなかった。

① 入学予定者がもらったプレゼントの1位はパソコンだった。
❷ 大学生はスマホよりノートパソコンをもっともらいたがっている。
③ 入学祝いは昔から時計や文房具類が一般的だ。
④ 中高生が入学祝いで最も多くもらったものはスマホだ。

21.

江原道によると江原道の人口は現在 150 万人で全国の市道別人口順で 12 番目だという。この人口数値は江原道の半分の面積である忠清北道よりも少なく、毎年少しずつ減少している。江原道はこのように人口が減少する原因として青年層の大都市志向を挙げている。

① 江原道は大都市がないので人口が増えない。
② 江原道の面積は全国で 12 番目の忠清北道より小さい。
③ 江原道に比べて忠清北道の人口がもっと減っている。
❹ 江原道より忠清北道が面積は小さいが人口はもっと多い。

(既出 41 回)

22.

手を動かすことは脳と関連がある。それで手をよく動かすと脳機能がよくなる可能性がある。特にあまり使わない手を動かす時脳がもっと効果的に刺激される。普段右手を多く使うのだったら左手を、左手を多く使うのだったら右手を使う。ドアを開け閉めすることのように簡単なことをそのようにやるだけでも脳機能を維持するのに役に立つ。

① 脳の健康と手を動かすことはお互いに関係がない。
② 我々の体と違って、脳は簡単なことでは刺激を受けない。
③ 脳の活動のために慣れた方法で手を使うのがもっと良い。
❹ あまり使わなかった手を使うと脳の動きが活発になる。

第2章 読解編 (2)

合格資料 8 既出の文整序問題例 ………………………………… p.110

37回

(가) そのような過程が繰り返されることによって自然に広告になる。
(나) オンラインで新しい広告技法が注目を集めている。
(다) これは製品を直接紹介しないで面白い動画を利用する方法だ。
(라) 動画を見て面白ければ人々は親しい人たちにその動画を伝える。

【正答】 ❷ (나)－(다)－(라)－(가)

36回

(가) ネオンサイン、商店街の明りなどで街路が明るいので不必要だというのだ。
(나) そういうことに費用をかけるより他の代案はないのか模索したほうがもっと良い。
(다) 街灯がその役割を果たしていないので無くそうという意見が出ている。
(라) しかし、すでに設置してある公共施設物を無くすことだけが最善ではないだろう。

【正答】 ❸ (다)－(가)－(라)－(나)

35回

(가) すると男性は片方のくつも脱いでそのそばに落とした。
(나) 男性はくつを拾おうとしたが、列車が動き始めた。
(다) くつの両方がそろえば誰かが履くこともできると思ったからだった。
(라) 男性が列車に乗ろうとした瞬間片方のくつが脱げて下に落ちた。

【正答】 ❹ (라)－(나)－(가)－(다)

34回

(가) それで兄弟はそのロボットを川に投げ捨ててしまった。
(나) ある日仲の良い兄弟が一緒に遊んでいるとき素敵なロボットを一つ拾った。
(다) そのうちふとロボットのせいで良かった仲が悪くなりそうだということに気付いた。
(라) 最初はそのロボットを持って一緒に遊んでいた兄弟がだんだん自分一人でロボットを持って遊びたいと争い始めた。

【正答】 ❷ (나)－(라)－(다)－(가)

33回

(가) すると女性は水を入れた器に木の葉を一つ浮べて男性に渡した。
(나) 女性の心づかいに惚れた男性は彼女を妻に迎え入れようと決心した。
(다) これは水を早く飲むと胃もたれするかも知れないと思ってゆっくり飲ませようとした心づかいからだった。
(라) 昔ある男性が道を歩いている途中のどが渇いてある女性に水をくれと頼んだ。

【正答】 ❸ (라)－(가)－(다)－(나)

32回

(가) だからたくさん所有しているということが良いとは限らない。
(나) しかし、時々そのもののためにかなり気を遣ったりする。
(다) 私たちは必要に応じてものを所有するようになる。
(라) 何かを所有するということはその分自由にならないということだ。

【正答】 ❷ (다)－(나)－(라)－(가)

31回

(가) 人々はたびたびいたずらで何かを書く落書きをする。
(나) ところが落書きには悪くて荒っぽい言葉もたくさん現われる。
(다) 落書きをすればストレスを解消するのに役に立つ。
(라) 自分だけが読むと思って気を付けないで書くからだ。

【正答】 ❶ (가)－(다)－(나)－(라)

30回

(가) 食品が互いを冷たくしてくれて容易に解けないからだ。
(나) 保管された食品の量によって冷蔵室と冷凍室の効率が変わってくる。
(다) しかし、冷凍室は反対に食品をいっぱい入れたほうが良い。
(라) 冷蔵室に食品を入れすぎると冷たい空気がうまく流れなくなって効率が落ちる。

【正答】 ❸ (나)－(라)－(다)－(가)

合格資料 9 既出の空所補充問題例 …………………………… p.113

34回

銀メダルは銅メダルより大きい賞だが、普通銀メダルの受賞者はメダルを取った喜びより金メダルが取れなかった悔しさのほうが大きい。一方銅メダルの受賞者は銀メダルが取れなくて悔しがるよりも銅メダルでも取れたことが幸いだと感じる。結局幸せは（　　　　）よって変わってくる。

① 持っているものがどのくらいあるかに　② いつ成功を成したかに
❸ 比較対象をどこに置くかに　④ 今までどのように生きてきたかに

33回

身体の各部分は（　　　　）違う。普通 50 代になると眼鏡なしに新聞は読みにくい。しかし聞くことには何ら問題がない。これは目が耳より早く老化が進むからだ。一方鼻のように年を取っても機能が全然弱くならないところもある。

❶ 老化が進むスピードが　② 区別になる特徴が
③ 皆が持っている才能が　④ 自分が受け持った役割が

32回

風邪薬には睡眠薬の成分が入っている場合がある。それで薬を飲んだ後時々眠くなるとか反応速度が落ちることがある。運転をしたり（　　　　）場合には風邪薬を飲まないほうが良い。

① 消化がうまくできない　② 不眠症で苦労する
❸ 集中力が必要な仕事をする　④ 風邪の症状がひどくない

31回

水とグラスを利用すれば演奏もできる。水がたくさん入っているグラスをたたくと空気が震動しにくいので低い音がする。反対に水が少なく入っているグラスをたたくと高い音がする。すなわち（　　　　）グラスでする音の高低が変わるのである。

① 音の高さによって　② グラスの模様によって
③ 震動する時間によって　❹ 入っている水の量によって

30回

住所変更サービスを利用すれば変わった住所を自分が加入した保険会社などに手軽に知らせることができる。一回の申し込みで新しい住所が複数の会社に一度に伝わっていちいち（　　）。また変更された住所を案内文とともに周りの人たちにも送ることができる。

① 使うことがない ❷ 連絡しなくてもすむ
③ 予約をしなくても良い ④ 料金を払わなくても良い

29回

海外旅行に行きたいが、一度にたくさんのお金を払うのが難しい時は「後払い制旅行」の商品を利用すれば良い。この商品を利用すると旅行費の半分を先に払い、残りの費用は旅行から帰ってきてから払っても良い。この商品は（　　　　）海外旅行に行くことができなかった人たちの注目を集めている。

❶ 費用が負担になって ② 日程が合わなくて
③ 旅行商品が不足して ④ 海外経験があまりなくて

28回

野球の試合では選手の（　　　　）非常に重要だ。投手は短い時間に球をどのように投げるか決めて打者が打ちにくい球を投げなければならない。反対に打者は早いスピードで飛んで来る球を見て短時間に打つか打たないかを決めなければならない。

① 生まれつきの能力が ② 強い精神力が
❸ 瞬間的判断が ④ 十分な演習が

27回

サボテンの花は色が明るく鮮やかでとても目立つ。これはサボテンの花が咲く時期が一定しないし、咲いたとしてもごく短い時間で落ちることと関連がある。サボテンは（　　　　）蜂や蝶を誘惑して必ず受粉しなければならないからだ。

① 花が咲かないので ② 毎年花を咲かせるため
③ 花の色が派手で ❹ 花が咲いている短い間に

26回

大きい魚の餌になる小さい魚はたいてい群れをなして泳ぐ。群れの中の小さい魚数匹が大きい魚を見つけて急に方向を変えると、群れの中の残りの魚も同じ方向に向かって動いて危険を避けるようになる。こういうことから小さい魚の群れは（　　　　）のと同じだと言える。

① ダンスをする ② 互いに争う
③ 恐ろしい姿をした ❹ 数多くの目を持っている

25回

寒くなると服を重ね着したり靴下を何枚か履くことが多い。ところがこの時忘れてはならないのが帽子だ。体の熱はおもに服の外に露出している首の上の方から抜け出ていく。そのため体の熱が簡単に出ていかないようにするには（　　　　）ならない。

① 体の中で熱が出なければ　　② 厚い靴下を履かなければ
❸ 頭を暖かくしなければ　　④ 汗の排出をちゃんとしなければ

24回

左目と右目に見えるものの形は完全に同じではない。両目に映ったものの形には少しずつ違いがある。私たちの脳はこのような違いをもとに二つの形を合わせてものをリアルに立体的に感じさせてくれる。だから人は（　　　　）階段を上り下りしたり飛んでくる球をとったりするのが難しくなる。

❶ 片方の目を隠すと　　② 目を閉じてから開くと
③ ものをちゃんと見ないと　　④ 二つのものを一緒に見ないと

23回

にんにくと玉ねぎは味とにおいが強い。だからにんにくと玉ねぎを食べるのを避ける人が多い。にんにくと玉ねぎの味とにおいが強いのはアリシンという成分が入っているためだ。この成分は（　　　　）火を通せばなくなる。したがってにんにくと玉ねぎを焼くか蒸すかすれば、強い味とにおいが嫌いな人でも難なく食べることができる。

❶ 熱に弱いので　　② 水によく溶けるので
③ 互いにくっついているので　　④ 光を見ると消えるので

22回

適度な温泉浴は健康に良い。体温が上がると血液循環を助けるだけでなく、体と心を安定させて疲労とストレスを解消してくれる。しかし突然体の温度が上がるのは心臓に良くない。したがって（　　　　）ためには温泉に入るとき冷たいタオルで顔などを覆えばよい。

① 血液循環を助ける　　② 体を安定させる
❸ 体温が早く上がるのを防ぐ　　④ ストレスがたまらないようにする

21回

昔から言い伝えられている言葉の中に「鳥が低く飛ぶと雨が降る」という言葉がある。雨が降る前には空気中の湿度が高い。湿度が高いと虫は雨が降ることを知って雨を避けるために木の葉の下へ移動する。だから虫を取って食べる鳥は（　　　　）低く飛ばなければならないのだ。

① 休む場所を探そうと　　② 虫が隠れないように
❸ 虫をよく探すため　　④ 湿度のために羽が重くて

1 文整序問題 ………………………………… p.138

※다음을 순서대로 맞게 배열한 것을 고르십시오.
次を順序通りに正しく配列したものを選びなさい。

1.

(가) これはおそらく朝食を食べない人が多くなったのが原因のようだ。
(나) それで米の消費量が大きく減ったのだと思う。
(다) 2005年に比べ2015年には韓国の一人当たり米の消費量が約10キロ減った。
(라) そして最近の若い人たちはパンが好きな人が多い。

【正答】 ❹ (다)－(가)－(라)－(나)

2.

(가) 即ち出会いそれ自体が社会的な生き方の原因と結果になるのである。
(나) 私たちはいつも誰かと、または何かと出会う。
(다) このように私たちの人生は絶え間ない出会いの中に存在している。
(라) 従って私たちはこの出会いから離れて生きていくのは難しい。

【正答】 ❷ (나) － (다) － (가) － (라)

3.

(가) インターネットで綿のシャツを買ったが、色がインターネットで見たものと違っていた。
(나) カスタマーセンターではタグを取っていないので払い戻しができると言った。
(다) それで払い戻しをしようとカスタマーセンターに電話をかけた。
(라) そして宅配の配達員に返品する服を渡してくれと言われた。

【正答】 ❶ (가) － (다) － (나) － (라)

4.

(가) 紙に書いた文章は消えたり無くなったりしやすいが、パソコンはそうではない。
(나) まずパソコンに文章を書くと自分の考えを長く残すことができる。
(다) またパソコンは簡単に編集もできるので便利だ。
(라) 原稿用紙よりパソコンで文章を書くといろいろと効率的だ。

【正答】 ❸ (라) － (나) － (가) － (다)

5.

(가) 眼鏡の間違ったかけ方をすると目がさらに悪くなる可能性がある。
(나) 従って目の健康のためには正しい眼鏡の選択とかけ方をよく知っておくことが大切だ。
(다) 眼鏡をたくさん使用している分、誤った眼鏡の使い方も多い。
(라) 韓国の国民の約45%は眼鏡をかけているという。

【正答】 ❹ (라) － (다) － (가) － (나)

6.

(가) 社会人は日曜日にたくさん寝るが、これは間違った習慣だ。
(나) 適当に7 時間から８時間ぐらい寝るのが一番良い。
(다) なぜならたくさん寝るのも健康によくないからだ。
(라) ９時間以上寝るのと６時間未満寝るのとでは両方とも認知力テストで問題があった。

【正答】 ❶ (가) – (다) – (라) – (나)

7.

(가) だから現代人に古典を読ませるには新しい翻訳が必要だ。
(나) 現代の人たちが古典を読まない理由は古典に難しい文章が多いからだ。
(다) しかし現代人は古典を読まないようだ。
(라) 古典は長い間多くの人々に感動を与えてくれた本なので読む人にとって有益だ。

【正答】 ❶ (라) – (다) – (나) – (가)

8.

(가) 統計庁の資料によると毎年国際結婚が増加している。
(나) 資料を見ると2000年に比べて2015年には３倍以上増加した。
(다) 国際結婚に対する韓国人の考え方が変わってきているようだ。
(라) このような国際結婚の急増は韓国人の結婚に対する認識が変化していることを示す例だ。

【正答】 ❷ (다) – (가) – (나) – (라)

9.

(가) 勿論ニュースの属性である迅速性とこれとは矛盾することではある。
(나) 誤った報道は間接的な言葉を直接聞いたように伝えるからだ。
(다) そうだとしてもマスコミは与えられた制約の中で最大限の努力をしなければならない。
(라) ニュースの正確性のためには確認する手続きを怠ってはいけない。

【正答】 ❸ (라) – (나) – (가) – (다)

（既出 41 回）

10.

(가) このように幸せを感じる時もあるが、たまに辛くて大変な時もある。
(나) しかし私は彼らを教える度に私が国家代表だと思う。
(다) 韓国語で他の文化圏の学生たちと交流するのは本当に幸せなことだ。
(라) 私は彼らを通じて世界を見て、彼らは私を通じて韓国を見ているからだ。

【正答】 ❶ (다) – (가) – (나) – (라)

（既出 37 回）

11.

(가) 新しい考えはそれまでに積まれた幅広い知識から出る。
(나) しかし、ただぼうっとしていれば奇抜な考えが浮かんでくるわけではない。
(다) 多様な知識が互いに繋がって創意的な考えになるのである。
(라) 休憩を取っている時に創意的な考えが浮んでくると主張する人たちが多い。

【正答】 ❸ (라) – (나) – (가) – (다)

❷ 文の空所補充問題 ……………………… p.142

※다음을 읽고 (　　)에 들어갈 내용으로 가장 알맞은 것을 고르십시오.
次を読んで（　　）に入る内容として最も適切なものを選びなさい。

1.

冬の時期に家で暖房を続けながら窓を開けて換気をしないと、家の中にほこりと汚染物質がたまるようにになる。（　　　　）悪い物質は呼吸を通じて体の中に入って皮膚病や呼吸器疾患を引き起こす。きれいな室内の空気のためには時々換気をさせることが必要だ。

① 換気ができないと　❷ このようにたまった
③ このような不要な　④ 次第にほこりに汚染された

2.

秋は私たちに喜びを与えてくれる。秋は恋人たちには歩きながらデートができる良い天気を与え、農民には穀物が収穫できるようにしてくれる。しかし秋は季節の変わり目なので風邪を最もひきやすい季節でもある。したがって（　　　　）ないよう注意しなければならない。

❶ 風邪をひか　② 無理に働か
③ 病気がひどくなら　④ 予防注射を打た

3.

ごみを捨てるのにかかるお金も主婦には負担になることがある。ところがこういうものはリサイクルセンターやリサイクルショップに無料で譲ったり売ったりすることもできるし、インターネットに載せて販売する方法もある。また周りの人たちに知らせて必要な人が（　　　　）するのも良い。

① 集まって抽選できるように　② 先着順で使えるように
❸ 互いに交換して使えるように　④ 共同で直せるように

4.

私の妹は背が高くてほっそりしているうえに顔も小さくかわいいのでまるで映画女優のようだ。しかも声もとてもきれいだ。ところが私はそんな妹とはまるで見た目が違うので、友だちから（　　　　）話をよく聞く。その話を聞くたびにブスだということを間接的に聞いているようで不愉快だ。

① 顔が厚いという　❷ 本当に姉妹なのかという
③ 正気ではないという　④ 彼女が誰かという

5.

私たちは環境を保護するために使い捨て用品の使用を減らさなければならない。ビニール袋やカップラーメンの容器のようなものは（　　　　）だけでなく、焼却する場合は人体に致命的な影響を与える物質が排出されるという。マスコミなどで報道されている毒性物質であるダイオキシンもこのとき排出される。

① 危険にさらされる　② 非常に害を与える
③ 膨大な費用がかかる　❹ 永遠に腐らない

6.

私は最近少し歩くだけでもつらいし、少し寒いだけでも風邪をひく。なぜこのように体調が悪くなったのだろうか。健康になるにはどうしたらいいのか。考えたあげく私は酒とたばこをやめることにした。この決心をちゃんと守ることができるだろうか。(　　　　)私は必ずこの決心を守るだろう。

① 世の中にただはないが　② 本当に苦しいので
❸ 少し心配になるが　④ たとえやめられなくても

7.

人生で一度も失敗せずに自分の目標を成し遂げることがどれほど難しいか誰もが知っている。目標を成し遂げる過程で努力と同じく重要なのは(　　　　)ことだ。なぜならミスが続くと自信を失うようになり、ますます成功しにくくなるからである。

① 運がなければならない　② 失敗を繰り返さなければならない
③ 成功を体験する　❹ ミスを繰り返さない

8.

子供たちに整理整頓する習慣をつけるためには時間と空間に対する区分をしてやらなければならない。時間的には子供がおもちゃを持って思いきり遊ぶようにし、一日一回時間を決めて片付けさせる。そして空間的には遊びの空間を(　　　　)、そこで気持ちよく遊べるようにしなければならない。

① きれいに片づけてやって　② 整理整頓してあげて
❸ 別に用意してあげて　④ 誰でも利用させて

9.

人は一般的に不平を言うのは良くない行動だと考える。しかし何かに対して批判する視点もなく何もかも受け入れるとしたら個人や社会にこれ以上の発展はないだろう。常に今のところに安住せずにより良い方向への(　　　　)肯定的な不平は、個人や社会の発展に寄与することができる。

① 問題点を非難する　② 批判を模索する
❸ 改善点を探す　④ 発展を拒否する

10.

ふつう男はなかなか泣くことができない。男らしくないという理由からだ。しかし、これからは男も悲しいことがあれば泣こう。 泣くという行為が男らしくないのではない。(　　　　)のは健康に悪い。思い切り泣けば気が晴れて心の健康にも良い。

❶ 涙をこらえる　② かえって男らしい
③ 大声で泣く　④ 目が乾燥しすぎる

11.
昨年は全体の食中毒患者のうち半分以上が 4 月から 6 月に発生したことが分かった。春の時期に食中毒が特に（　　　　）のは野外活動が増え、日中の温度差も大きいので食中毒菌が発生しやすく、すぐ増殖するからだ。したがって外出後は必ず手足を洗い、食べ物は調理後早いうちに食べなければならない。また水は必ず沸かして飲まなければならない。

① 多く発見される　　② 問題になる
③ ゆっくり動く　　❹ 多く発生する

12.
ジェシカは韓国ドラマをよく見る。最初は悲しい場面があまりにも多くて嫌だったが、いまはジェシカもドラマを見ながら涙を流す。昨夜も主人公が死ぬ場面を見てさめざめと泣いた。朝、起きてみると（　　　　）。

① 目頭を赤くした　　❷ 目がぷっくりと腫れていた
③ 目の前がまっ暗だった　　④ 顔が厚いようだった

❸ 文の内容把握問題（1） ………………… p.146

※다음을 읽고 물음에 답하십시오.
次を読んで問いに答えなさい。

[1]

テレビは私たちになくてはならない生活必需品だ。しかしテレビの視聴は良い趣味になる場合もあるが、私たちの生活に悪い影響を与えることもある。テレビでは青少年たちに良くない内容も放送される時があるが、青少年たちはそれを見て分別もなく悪い言葉と行動まで真似しやすい。（　　　　）テレビばかり見ていると他の人と話し合う時間も少なくなり、考える力も弱くなる。テレビを正しく見ると薬になるが、間違って見ると毒になる。

1. （　　　　）に入る適切なものを選びなさい。
① むしろ　② あまりにも　③ ひょっとしたら　❹ また

2. この文の内容と同じものを選びなさい。
① 青少年たちにとってテレビ視聴は百害あって一利なしだ。
② テレビの否定的な影響を考慮して視聴を制限しなければならない。
③ 青少年たちの対話不足と思考力の低下はテレビにその原因がある。
❹ テレビがもたらす否定的な側面もよく理解して視聴する必要がある。

[2]

あるアンケート調査の結果によると、最近恋愛と結婚に対する若い世代の視点が昔とだいぶ変わってきたと言う。まず「恋愛したい人と結婚したい人が同じなのか?」という質問に対して70%を越える未婚の男女が「そうではない」という回答をしたと言う。(　　　　)、昔は恋愛をすると必ず結婚をしなければならないと思ったのとは違い、今の新世代の人たちは恋愛と結婚を完全に別々のこととして考えているという意味である。

1. (　　　　)に入る適切なものを選びなさい。
① まったく　❷ すなわち　③ たとえ　④ しかも

2. この文の内容と同じものを選びなさい。
① 新世代の人たちは恋愛相手と結婚しようとする場合がほとんどである。
❷ 若い人たちは恋愛と結婚相手は別だと考えている場合が多い。
③ 親たちは子供の恋愛と結婚を同一視する場合が多い。
④ 若い人たちは結婚は必ずしなければならないとは思わない。

[3]

他の人に自分が間違いを犯したと率直に話すのは簡単ではない。しかし(　　　　)自分の間違いをありのまま受け入れる行動が間違いのために生じた問題を解決できる一番良い方法だ。しかも、自分の間違いを認めてその間違いを通じて新しいことを学ぼうと努力するのはあなたの間違いに対する他人の悪い印象を一番早く「取り除くことができる」方法でもある。

1. (　　　　)に入る適切なものを選びなさい。
① はじめて　② まんべんなく　❸ かえって　④ わざわざ

2. この文の内容と同じものを選びなさい。
① 間違いを通じて得ることが多いほど間違いを認めやすい。
② 自分の間違いを否定したがることは当然だ。
❸ 間違いを認めるのがそれによる問題を解決する一歩になる。
④ 間違いを犯した時は反省する姿勢を見せることが必要だ。

[4]

重要な仕事と急ぎの仕事がある時、何を先にするのかと質問をすれば大抵の人たちは急ぎの仕事を先に処理すると答える。しかし活動範囲が広くやるべきことが多い現代社会では急ぎの仕事だけを追っていると本当に重要なことができなくなる場合が多い。(　　　　)急ぎの仕事よりは重要な仕事を先に処理するのが望ましい。

1. (　　　　)に入る適切なものを選びなさい。
❶ したがって　② はなはだしくは　③ どうせ　④ 相変らず

2. この文の内容と同じものを選びなさい。
① 社会生活では毎日の急ぎの仕事を処理するだけでも手一杯だ。
❷ 仕事を処理しなければならない時は重要な仕事を優先した方が良い。
③ 仕事をする時は急ぎの仕事と重要な仕事の前後関係を把握しなければならない。
④ 急ぎの仕事を先にしておけば重要な仕事も余裕を持って処理することができる。

[5]

　ついに企業にも職員の子供たちの面倒を見てくれる社内保育所が登場し始めた。(　　　　　)子供のことで会社をやめなければならなかった女性たちはこの施設のおかげで仕事を続けることができるようになった。ここでは子供たちが情緒的な不安感を感じないように特別に気を遣っていると言う。社内保育所こそ働く女性が増加している現代社会になくてはならない重要な施設だ。

1. (　　　　　)に入る適切なものを選びなさい。
① ついに　② せっかく　③ かろうじて　❹ 特に

2. この文の内容と同じものを選びなさい。
① 社内保育所の登場で働く女性が増加している。
② 社内保育所では職員たちが子供たちの面倒を見てくれる。
③ 社内保育所は子供たちに情緒的な安定感を与える。
❹ 社内保育所のおかげで育児をしながらも仕事を続けることができる。

[6]

　すべての国にはその国なりの文化がある。それで人々は知らず知らず自国の文化が一番良いものだと思うようになり、それを基準で他の国の文化を評価する場合が多い。(　　　　　)文化というのは固有の価値を持っているものなので優劣をつけることはできない。他の文化が良いとか悪いとかを評価するよりは違いを認めて尊重する姿勢が必要ではないだろうか。

1. (　　　　　)に入る適切なものを選びなさい。
① どうせ　② あまりにも　❸ しかし　④ その分

2. この文の内容と同じものを選びなさい。
❶ 異なる文化に対しては違いを認めて尊重しなければならない。
② 文化の優劣をつけるより自分の文化を正しく認識しなければならない。
③ 国ごとに文化的に評価しにくい固有の価値が多い。
④ 自分の国の文化が最高だという考えは捨てなければならない。

➡この形式の空所補充問題で頻出する副詞は、合格資料10「よく出る副詞リスト」(pp.121～122)を参照。

❹ 文の内容把握問題（2） ………………… p.150

※다음을 읽고 물음에 답하십시오.
次を読んで問いに答えなさい。

[1]

芸能人の中でも色々な仕事をする人たちが多くなっている。本来の職業が歌手であっても映画やドラマに出演することもある。そのようにして、さらなる人気を得て、長い期間活動する。人は誰しも自分が発見できなかった能力があるだろう。「（　　　　）」という言葉があるにはあるが、自分の新しい能力を発見するためには、様々な仕事にも挑戦してみる価値があると思う。

1. （　　　　）に入るのに適切なものを選びなさい。
① 本末転倒　② 灯台下暗し
❸ 井戸を掘るにしても一つの井戸を掘れ（何事でも一つの事に励めば成功する）
④ 火のない所に煙は立たぬ

2. この文の中心となる考えを選びなさい。
① 歌手が人気を得ようとするなら映画俳優のように演技もうまくなければならない。
❷ 様々なことに挑戦して自分の可能性を模索してみるのも良い。
③ いまは何事でも一つだけやっていては成功することができない。
④ 自分の能力が最大限発揮できる仕事を見つけなければならない。

[2]

私は勤勉で誠実だという話をよく聞く。学校を欠席したことは一度もなく、一度やると決心したことは最後までやり通し、責任感が強いほうだ。しかし気が弱い面もあって人とうまく付き合えず一人で生活することにも不慣れなほうだ。だからこのような短所も直し、（　　　　）にならないように留学することを決心した。

1. （　　　　）に入るのに適切なものを選びなさい。
① 始まりが半分だ（一度始めれば半分成就したも同じだ）
❷ 井の中の蛙（大海を知らず）
③ どんぐりの背比べ
④ 表と裏が違う（表裏がある / 陰ひなたがある）

2. この文の中心となる考えを選びなさい。
① 誠実さと責任感も重要だが、積極性と自立心も育てなければならない。
② 心に決めたことは責任感を持って終わらせなければならない。
❸ 広い世の中を見ながら積極的で自立的な生活がしたい。
④ 個人の短所を克服するためには留学が良い。

[3]

産業が発達するにつれて川や湖、海が汚れ、空気が悪くなり、ごみがますます増えるなど、環境汚染が深刻になっている。あわせて地球の温度も高くなり、オゾン層が破壊され、森が破壊されるなど環境問題は（　　　　）。社会と企業が力を合わせ、ますます深刻になる環境問題を解決するべき時だ。

1. （　　　　）に入るのに適切なものを選びなさい。
   ① 心配性も定め（自分に関係ないことまで心配をする）
   ❷ 行けば行くほど大山が立ちふさがる（一難去ってまた一難 / ますます状況が悪くなる）
   ③ 火事の家をうちわで煽ぐ（火に油を注ぐ / 事態を悪化させる）
   ④ 病気にさせて薬を与える（困らせた相手を助けるふりをする）

2. この文の中心となる考えを選びなさい。
   ① 産業が発達すれば環境汚染がひどくなるものだ。
   ❷ 環境問題の解決のために企業と社会が協力しなければならない。
   ③ 地球温暖化問題は緊急に解決されるべき課題だ。
   ④ 企業と社会は環境汚染問題をより深刻に扱わなければならない。

[4]

乾燥した天気のせいで最近山火事が多く発生しているようだ。昨日も登山客が捨てたタバコの吸殻が原因で山火事が起きたという。一度焼けてしまった山に木が再び育つには長い歳月がかかる。（　　　　）前に常に前もって注意をすべきだろう。火の用心はいくら強調してもし過ぎることはない。

1. （　　　　）に入るのに適切なものを選びなさい。
   ① 空の星を取る（高嶺の花）
   ② 冷めた粥を食べる（朝飯前）
   ③ 泣きながらからしを食べる（嫌なことをやむなくせざるを得ない）
   ❹ 牛を失ってから牛小屋を直す（後の祭りになる）

2. この文の中心となる考えを選びなさい。
   ① 山火事の防止のために山での禁煙を徹底的に実施しなければならない。
   ② 登山客に山火事の被害の重大さを周知させなければならない。
   ③ 登山客がタバコの火に注意するように広報しなければならない。
   ❹ 乾燥したときは山火事が起こらないように最大限の注意をしなければならない。

[5]

私は野菜が本当に嫌いなのに、毎朝母が野菜ジュースを作ってくれる。無理に飲むのは飲むけれど、苦くて本当につらい。父も（　　　　）と言いながら健康に良いから我慢して飲めばそのうちに平気になると言うが、相変わらず飲むのが苦しい。

1. (　　　　) に入るのに適切なものを選びなさい。

① 甘ければ飲み込み、苦ければ吐き出す (自分に利益になることだけをする)
❷ 良薬口に苦し
③ 蚤の肝を取り出して食べる (貧しい人から物を搾り取る / 非常に貪欲だ)
④ 小さい唐辛子が辛い (山椒は小粒でもぴりりと辛い)

2. この文の中心となる考えを選びなさい。

① 嫌やがるものを無理に勧めることは望ましくない。
② ジュースは味が苦くて飲みにくいものが体に良いものだ。
③ 父も野菜ジュースを我慢して飲んだ結果元気になった。
❹ いやなものは我慢して飲むからといって慣れてくるわけではないようだ。

[6]

健康に対する関心が高まるにつれて老若男女区別なくダイエットに対する関心が高い。しかし高い関心ほど間違った情報や思い込みも多いようだ。運動は夜にするとやせると信じる人たちが多いが、これは事実と違う。タバコをやめれば太るということも間違った常識だ。このような間違った話を信じてダイエットをするとむしろ (　　　　) あるので気を付けなければならない。

1. (　　　　) に入るのに適切なものを選びなさい。

① 身につく可能性も　　② 太る可能性も
③ 体が固くなる可能性も　　❹ 体を壊す可能性も

2. この文の中心となる考えを選びなさい。

❶ ダイエットに対する正しい知識が求められる。
② ダイエットを通じて健康に対する関心を高めなければならない。
③ ダイエットは健康を損なうので気を付けなければならない。
④ 健康に対する誤った情報を正しく訂正しなければならない。

[7]

携帯電話はいつでもどこでも使うことができるので便利だ。しかし携帯電話は根本的な欠点がある。電話がかかって来ようが来まいがいつも (　　　　) ということだ。電話がかかってくれば通話をしなければならないのが大変だし、電話がなければどうしてかかって来ないかを心配しなければならない。たまに携帯電話を切っておいて過ごしたほうが精神健康によさそうだ。

1. (　　　　) に入るのに適切なものを選びなさい。

① 胸を痛めなければならない　　❷ 気を使わなければならない
③ 気持ちをほぐさなければならない　　④ 怒らなければならない

2. この文の中心となる考えを選びなさい。
① 精神健康に悪いので携帯電話の使用は避けなければならない。
❷ 緊張をもたらす携帯電話からたまに自由になる必要がある。
③ 携帯電話の長所・短所を理解して注意しながら使わなければならない。
④ 不便であっても携帯電話の使用を遠ざけたほうが良い。

[8]

私たちは生きて行く間、他人の力を借りなければならない時がある。誰でも頼みごとを一度もしたことがないと言ったらそれは嘘だろう。しかし、頼みごとはすることも難しいし、断ることも難しい。無理な頼みごとをすると人を困らせるし、うまく断らないと誤解を招きかねないからだ。とにかく（　　　　）頼むことができる人がいるというのは幸せなことだ。

1. （　　　　）に入るのに適切なものを選びなさい。
① 頭を下げて　　② タメ語で
❸ 安心して　　④ 心を無にして

2. この文の中心となる考えを選びなさい。
① 難しい問題があれば迷わず他の人の力を借りなければならない。
② 頼みごとを断る時は誤解されないように気を付けなければならない。
③ 無理な頼みごとで人を困らせてはいけない。
❹ もしもの場合、気安く頼ることができる人間関係の形成が必要だ。

[9]　　（既出 37 回）

運動選手がミスに対するプレッシャーを感じるようになると競技で良い成績を収めにくい。だから監督は選手を指導する時、ミスを連想させる直接的な言葉を（　　　　）ないようにしなければならない。例えばスケート選手たちは転んではいけないというプレッシャーが大きい。だから監督は選手に転ぶなと言う代りにバランスを取ってスケートをしなさいと注意を与えたほうが良い。

1. （　　　　）に入るのに適切なものを選びなさい。
❶ 口に出さ　　② 目をつぶら
③ もっとひどくなら　　④ うわの空で聞か

2. この文の中心となる考えを選びなさい。
① 監督は選手がミスを繰り返さないように指導しなければならない。
❷ 監督は選手を指導する時、言葉を慎重に選ばなければならない。
③ 選手は転んでも何度もまた起きようとする意志がなければならない。
④ 選手は肯定的な考え方をもって競技に対するプレッシャーを無くさなければならない。

➡1.の穴埋め問題によく出る慣用句、ことわざは合格資料 11·12（pp.123～134）を参照。

5 文の内容把握問題 (3) ………………… p.156

※다음을 읽고 물음에 답하십시오. 次を読んで問いに答えなさい。

[1]

妻に会ったのは今から10年前にアマゾン地域の原住民を対象とした環境ドキュメンタリーを製作した時だった。アマゾンでの撮影が終わる頃、現地の通訳が私たちを自分の長女の卒業パーティーに招待した。耳を裂くようなラテン音楽ときらびやかな踊りが満載のパーティーだった。目のやり場に困りおろおろしていると、大変な美人が目についた。すらりとした体に大きな目、やさしい笑顔、彼女も私を見ていた。そばにいたボリビアの友人が目の色が変わった私に気づいたのか踊りでも誘ってみろと私をけしかけた。幸い彼女は私の誘いを断らなかった。しかし話が通じなかったので名前が「レイラ」ということだけがやっとわかった。その日を境にさらに何度か彼女に会った。そしてしばらくして名残惜しさを大いに残したまま私は韓国に帰って来た。韓国に戻ってからも彼女に対する思いが頭から離れなかった。

1. 下線部に表れた私の心情として適切なものを選びなさい。
   ① やかましい　② めまいがする　③ 恥ずかしい　❹ 当惑する

2. この文の内容と同じものを選びなさい。
   ① 妻になる人は通訳の長女で原住民出身の女性だった。
   ② 妻になる人は彼女の卒業パーティー取材のときに初めて会った。
   ❸ 妻になる人と初めて会った時は互いに言葉が通じなかった。
   ④ 妻になる人はボリビアの友人の紹介で出会った。

[2]

軍隊で勤務地に初めて配属されたとき私が最も心配したのは好きなギターが弾けるか弾けないかだった。それで室内に入るとすぐに私はギターがあるかをまず確認した。しかし目をこすって見てもギターは見当たらなかった。これから生きていくのが絶望的に感じられた。趣味は何かという質問に「ギターを弾くのが好きです」と答えると、誰かがある人を連れてきた。 彼の手にはギターがあった。 彼は除隊を数カ月後に控えた人だった。彼は私に何でも演奏してみたい曲を弾いてみるようにと勧めた。私は特に思い浮かぶ曲がなかったのでわかりやすいブルース曲を弾いた。その曲が気に入ったのか、彼はその日から時間が空くたびに私を呼んでギターの演奏ができるようにしてくれた。私たちは音楽に関する話をし、共に演奏する時もあった。

1. 下線部に表れた私の心情として適切なものを選びなさい。
   ① 空しい　❷ 憂鬱だ　③ つまらない　④ 残念だ

2. この文の内容と同じものを選びなさい。
   ❶ 勤務地でギターが弾けないかもしれないと思って大変心配した。
   ② 軍隊にギターを持って行けないので絶望的な気持ちになった。

③ 私はわかりやすいブルース曲を演奏するのが好きだ。
④ 除隊を控えた人にギターを貸してほしいと頼んだ。

[3]

「来週の月曜日にテストをしますから、勉強頑張ってください。」授業が始まってから3週間でテストをするというからみんなため息をつく。それと同時に学生たちの顔にはどのように試験の準備をすべきか困った表情が現われる。それもそのはず２年生になって初めて韓国人の先生から試験を受けるようになったので彼らなりに気になることが多いだろう。学生たちは知っているすべての韓国語を使ってしきりに質問をする。気になっていることに詳しく返事をしてから、もう一度勉強を頑張るようにと話す。学生たちは「怖さ半分、期待半分」の表情で教室を出る。このような感情は学生たちだけではない。教える私としても学生たちが「ちゃんと理解してくれているだろう」という期待感と、もし「試験点数があまりに低く出るとどうしよう。」という不安にかられるようになる。だから「期待半分、怖さ半分」と言う言葉は私にもあたる言葉でもある。

1. 下線部に表れた私の心情として適切なものを選びなさい。
① うらやましい　② うろたえている　③ 腹が立つ　❹ 不安だ

2. この文の内容と同じものを選びなさい。
① 学生たちは試験に対して韓国語で流ちょうに質問をした。
② 学生たちは授業が始まってからまもなくテストをすると文句を言う。
❸ 学生たちも先生も試験に対して心細いのは同じだ。
④ 初めて授業を受ける先生の試験は緊張するものだ。

[4]　（既出 35 回）

私が経営している会社の状況がますます厳しくなった。工場に火災が起きて被害を被ったところに売上げまで大きく減少したのだ。仕方なく社員を減らさなければならなかった。私は社員たちを一か所に呼び集めてからもしばらく何も話すことができなかった。目をじっと閉じて話し始めようとした瞬間、「社長！」とある社員が私を呼んだ。その社員は白い封筒を私の前に差し出しながら言った。「これまで厳しい会社経営のためにご苦労様でした。厳しくなった会社に役に立てばと思って私たちが給料の 10 パーセントずつを集めました。少ない金額ですが、会社経営に役に立ったらと思います。」その瞬間、私はまるで天下を得たように心強くなった。

1. 下線部に表れた私の心情として適切なものを選びなさい。
❶ 困っている　② さびしい　③ 恥ずかしい　④ 慌てる

2. この文の内容と同じものを選びなさい。
① 火事が発生した後、会社の状況がよくなった。
② 私は会社で働く新しい社員たちを採用した。
❸ 社員たちが給料の一部を集めて会社を助けた。
④ 白い封筒の中には社員たちが書いた手紙が入っていた。

第3章　読解編 (3)

合格資料 14　新聞見出しの意味把握問題の既出例 …………… p.164

既出	問題文
37回	【問】中部地方の雨降ったりやんだり、明日まで続く 【答】中部地方は明日まで雨が降ったり止んだりを繰り返すだろう。
	【問】映画『愛』、期待の中公開初日の観客数五万人超える 【答】映画『愛』に対する期待感が高く、五万人が鑑賞した。
	【問】大型スパーは不況、在来の市場の売上げは単独で「伸び伸び」 【答】大型スパーは売上げが厳しいが、在来の市場は売上げが上がった。
36回	【問】ミュージカルで出会うドラマ、見るべきものが多くなる 【答】ドラマがミュージカル化されて楽しめるものが多くなった。
	【問】バレーボールチーム「若い服」に着替えて軽やかに飛び上がる 【答】バレーボールチームが若い選手に変わってから試合結果がよくなった。
	【問】新しい不動産政策、効果について見解分かれる 【答】新しい不動産政策の効果に対して人々の見解が分かれた。
35回	【問】片方でかけるかばん、腰の健康に「赤信号」 【答】かばんをずっと同じ方向でかけると腰の健康に良くない。
	【問】独特な形の看板、通り過ぎる人たちの目をひく 【答】変わった形の看板が人々の注目を集めている。
	【問】就業率三ヶ月続けて足踏み、政府の現実的な対策が必要 【答】就業率を高めることができる政府の実現可能な対策が求められる。
34回	【問】凍りついた春、患者らで病院混みあう 【答】肌寒い春の天気で病院を訪れる患者が増えている。
	【問】農繁期の農村の人手不足、都市民が積極的に協力 【答】都市民が積極的に参加して農村の足りない人手を助けている。
33回	【問】徒歩旅行大流行、休日の旅行客増加 【答】歩きの旅行が人気を集めるにつれて休日の旅行客が増加している。
	【問】奇抜な商品名、消費者（の心）をとらえる 【答】個性的な名前を持った商品が消費者に選択される（買ってもらえる）。
32回	【問】牛乳の値上げ、乳製品の価格に相次ぎ影響 【答】牛乳が値上げになって乳製品の価格も相次いで上がっている。

	【問】産廃、リサイクル家具として生まれ変わる 【答】産業廃棄物が家具に作り変えられて活用されている。
31回	【問】新鮮な素材でドラマ視聴率大幅アップ 【答】新しい素材のおかげでドラマを見る人が大きく増えた。
	【問】旅行のピークシーズン、航空券購入「非常に困難（空の星を取るようなもの）」 【答】多くの人が旅行に行く時期なので航空券を入手するのが非常に難しい。
30回	【問】久々の恵みの雨、農民たちの心配終り 【答】待ちに待った雨が降ったので農民たちの心配がなくなった。
	【問】白菜の出荷量減少、価格が大きく上昇 【答】市場に供給される白菜の量が減って白菜の価格が大幅に上がった。
29回	【問】ゴールデンウィーク、世界博覧会観覧客であふれる 【答】連休が続き、世界博覧会を訪れる人が多かった。
	【問】パパの影響力で玩具市場に変化 【答】おもちゃ市場の変化にパパたちの意見が大きい影響を与えている。
28回	【問】サッカー代表チーム、休みも返上、訓練に没頭 【答】サッカー代表チームの選手たちは休みもあきらめたまま訓練に専念している。
	【問】今年の雪岳山紅葉祭り53万人来場、歴代最高の人出 【答】雪岳山紅葉祭りが始まって以来、今年は過去最高の53万人が訪れた。
27回	【問】恵まれない人たちのための募金、瞬く間に1億ウォン突破 【答】恵まれない人々を助けるための募金があっという間に1億ウォンを超えた。
	【問】堅苦しい卒業式はもうさようなら、異色の行事が花ざかり 【答】形式的だった卒業式が様々な特別なイベントで多彩になっている。
26回	【問】例年より暖かい天気、春の花の開花早まる 【答】平年に比べて気温が高くて春の花の開花時期が早くなった。
	【問】ガソリン価格急騰、物価管理 に「赤信号」 【答】ガソリンの価格が急激に上がって物価の管理は難航が予想される。
25回	【問】韓国映画相次ぐ興行作、映画館賑わう 【答】韓国映画が相次いで興行に成功して、映画館が（観客で）込み合っている。
	【問】政府の保険料引下げの要求に保険業界は泣き顔 【答】政府から保険料の引き下げを求められて保険業界が非常に困惑している。
24回	【問】一足早い暑さ、夏向け商品の売上げは連日上昇曲線 【答】夏の暑さが早く始まったことで夏向け商品の販売量が日増しに増えている。
	【問】建設会社のマンション割引分譲、需要者の反応冷ややか 【答】建設会社がマンションを安く売りだしたが、需要者はそっぽを向いた。

❶ 新聞見出しの意味把握問題 … p.172

※다음 신문 기사의 제목을 가장 잘 설명한 것을 고르십시오.
次の新聞記事のタイトルを最もよく説明したものを選びなさい。

1.

暑さ変わらない臨時公休日 … 全国でにわか雨の便りも

① 暑さによる臨時の休日が設けられた中、にわか雨が予想される。
❷ 臨時公休日の今日、全国でにわか雨の便りが聞こえるが、暑さは相変わらずだ。
③ 臨時休日の今日は暑さの影響で全国的ににわか雨が降るだろう。
④ 臨時公休日の今日、暑さがひどいせいで全国的ににわか雨が降っている。

2.

「かちんかちん」凍りついた消費者心理 … 宿泊・飲食店「苦況」

① 寒さが続き、消費者が旅行や外食を抑制している。
② 消費者の消費が萎縮して、ホテルや飲食店の倒産が増えている。
❸ 消費者心理が萎縮して宿泊業や飲食店の経営が厳しくなっている。
④ 寒波の影響で消費が縮まってホテルや飲食店の景気が良くない。

3.

オフィステル*の高まる人気 … 取引価格は急落

① オフィステルの人気が上昇するに従って取引価格も大きく上がっている。
② オフィステルが高層化されるほどに人気が高くなり、価格も高くなる。
③ オフィステルの人気が高まっているが、価格は特に変動がない。
❹ オフィステルの人気に反して取引価格は大きく落ちている。

*オフィステル：オフィス+ホテルという意味。オフィスとしても住居としても使うことが出来る。

4.

よく売れてさらに値上がり … 小型マンションの人気相変わらず

① 小型マンションの人気に便乗して売るたびに価格をあげている。
② 小型マンションの人気が高まって、売買が増加し、価格が上昇している。
③ よく売れるせいで価格が高くなって小型マンションの人気に陰がさしている。
❹ よく売れて、価格も上昇するなど小型マンションの人気が続いている。

5.

「お客様、やめないでください」銀行、破格待遇の商品!

❶ 顧客を引き留めようと銀行が条件の良い金融商品を用意した。
② 銀行は顧客が離れないように高級な景品を提供している。
③ 顧客の離脱を防ぐために銀行が破格の利率を提示している。
④ 銀行の破格的な待遇にもかかわらず顧客の離脱が続いている。

6.

売買は爆発的、住宅価格は静か … 不動産どうしたのでしょう。

① 爆発的な売買によって住宅価格が急騰して不動産の景気が悪くなった。
❷ 不動産が、売買は活発だが価格は上がらない変な状況にある。
③ 活発な売買にもかかわらず値段が上がらなくて不動産市場が低迷している。
④ 不動産の需要が増えて価格が高騰する意外な現象が起きている。

7.

タクシー、バス・乗用車に追突 … 電柱倒れて停電

① タクシー、バス、乗用車が電柱にぶつかって停電になった。
② 自動車の衝突事故で電柱が折れ、停電が発生した。
③ 電信柱が倒れて停電になったせいでタクシーが前の車に追突した。
❹ タクシーがバスと乗用車に追突した拍子に電柱が倒れて停電になった。

8.

5月の全国の家賃足踏み … 6カ月連続横ばい

① 5月も全国的に家賃が下落して6カ月間下落の流れが続いている。
② 5月から連続6カ月間家賃が上がらないで下落している。
❸ 5月まで6カ月間続けて家賃に大きな変動がない状態だ。
④ 5月まで6カ月の間全国的に家賃の延滞が増えている。

9.

「数学放棄者」防ぐ … 小学生の複雑な計算、教科書から除外

① 数学に興味のない小学生に複雑な計算問題を強要してはいけない。
❷ 数学を諦める生徒をなくすために小学校の教科書を改訂する。
③ 数学を嫌がる小学生には複雑な計算問題を免除しなければならない。
④ 小学生が数学に興味を持てるように教科書を作らなければならない。

10.

住宅景気が回復したと言われるけど … この業界、「苦況」相変わらず

① 住宅景気とは関係なくこの業界の経営には問題が多い。
② 住宅景気がよくなるほどこの業界は困難な問題が多くなると言う。
❸ 住宅景気はよくなったが、この業界は相変らず経営が厳しい。
④ 住宅景気が活性化されてもこの業界は相変らず非効率的だ。

11.

ソウル、初の猛暑警報 … 全国大部分で猛暑猛威

① 全国で初めてソウルが猛暑に対する警報を発令した。
❷ ソウルをはじめ、全国で暑さが猛威をふるっている。
③ ソウルで警報が発令されることによって全国が本格的に夏入りした。
④ 猛暑によってソウルをはじめ、全国に猛暑警報が発令された。

12.

薬代削るばかりなら新薬の開発は誰がする?

① 薬代を削らないとより安い新薬は開発できない。
② 薬代を減らせるように安い新薬を開発しなければならない。
③ 新薬を開発するまでは薬代を削ってはいけない。
❹ 新薬開発のためには適正な薬代を維持する必要がある。

13.

猛暑よりもっといらっとする … マンションの室外機の騒音

① 猛暑も嫌いだが、室外機の騒音も疲れる。
② マンションの室外機から出る騒音のために夏が苦しい。
❸ 暑さも暑さだが、室外機の騒音が何よりもいらいらさせる。
④ 暑さに疲れたときは室外機のようなちょっとした騒音でもいらいらする。

(既出 41 回)

14.

村のお年寄りたちが「守り」の役割をしっかり、住民に笑顔がいっぱい

① 年寄りたちは村の住民たちの助けに満足している。
② 年寄りたちは村の住民たちの助けで楽しく働いている。
❸ 住民たちは安全のために頑張っている村の年寄りたちのおかげで気持ちが良い。
④ 住民たちは仕事を頑張ろうと努力する年寄りたちに感謝している。

❷ 文の空所補充問題 ……………………… p.176

※다음을 읽고 (　　)에 들어갈 내용으로 가장 알맞은 것을 고르십시오.
次を読んで（　　）に入る内容として最も適切なものを選びなさい。

1.

体で起きる変化は心の能力も低下しかねない。代表的な事例は脳の中で（　　）現象だ。水が十分ではなければ脳細胞が縮み、脳の組織が収縮されて情報をきちんと処理することができなくなる。若者は記憶や集中力が損傷されるが、年を取った人は物忘れや言語障害が現われる。10 歳前後の子供の場合、試験を受ける前に水を一杯飲むだけでも試験の成績がより良くなるという実験結果が発表された。

① 脳細胞が次第に収縮される
② 情報の処理がうまくできない
❸ 水が足りない時発生する
④ 脳の組織の損傷が進行する

2.

森は鳥と野生動物が気楽に住めるねぐらとえさを提供し、都市の人々にはきれいな空気とゆったりとくつろげる憩いの場を作ってくれる。森の木は家や家具などを作る時に使う木材の原料になるだけでなく紙を作るパルプの原料にもなる。さらに森は（　　　）干ばつにも地が乾かないようにする役割をし、雨が一度に降っても山から土が流出されるのを防いで山崩れを防止する。

① 霧を通じて絶えず水分を蓄積するので
② 木の葉と根っこに雨水を蓄えて
③ 日光を遮断して水が蒸発しないので
❹ 雨水を含んでからゆっくり流して

3.

海水の淡水化技術の原理は意外に簡単だ。海水から塩分と不純物をとり除くためにまず海水を沸かす。この時出る（　　　）淡水になる。寒い日に自動車の窓ガラスに水滴ができることと同じ原理だ。このような方式に必要な蒸発機は大きな規模を誇るのだが、大体サッカー場一つ位の大きさになる。

① 塩分を取り除いて水分だけを残すと
② 不純物と塩分を分離すれば
③ 蒸気で不純物を濾過すると
❹ 水蒸気をまた凝縮すると

4.

人工降雨は人為的な方法を利用して雨を作ることだが、いつでも可能なわけではない。雲一つないからっと晴れた日には人工降雨は絶対に不可能だ。(　　　　)急に作り出すことはできないからだ。人工降雨は雲の中の水分を氷粒や雨粒に変換させることなので人工降雨のためには十分な量の水分を含んでいる雲がなければならない。

① 水分なしで雲を
② 雨粒や氷粒を
❸ 大気中になかった水分を
④ 雨が降るほどの十分な水分を

5.

気温と湿度が高い夏には食中毒が発生しやすい。気象庁が提供した食中毒指数を参考にすると夏場の疾病を効果的に予防することができる。食中毒指数は過去の食中毒発生地域の温度と湿度をもとに(　　　　)可能性を数字で表したものだ。食中毒指数が高い日には食べ物の保管にもっと注意しなければならない。

① 温度別湿度別季節別の食中毒発生
❷ 特定温度と湿度で食中毒が発生する
③ 特定食べ物で食中毒にかかる
④ 温度と湿度別に食べ物が傷む

6.

私たちの体の中の細胞が生きて行けるのは血液のおかげだ。血液は全身に広がっている血管に乗って体内を回って小腸と肺で得た栄養素と酸素を各細胞に運ぶ。また体内の細胞のあちこちで生じた老廃物と二酸化炭素を排泄器官に運ぶ。血液を(　　　　)器官はまさに心臓だ。心臓は自分のこぶし大の大きさだが、ポンプ作用で全身に血液を送る。

① 送って血管と細胞を活性化させる
② 濾過してきれいな血液に変えてくれる
③ 作って体内の細胞に供給する
❹ 全身に循環させる役割をする

7.

職業柄長期間座って働かなければならないとしたら、日課の後は毎日30分～1時間ぐらいゆっくり歩くことを勧めたい。一日中働いた後、筋力運動やジョギングのような高強度運動をするのは負担になる。しかしゆっくり歩くことは頭を使いすぎて疲れてくたびれた状態でもその気になればできる。驚くべきことに一日数十分歩くだけでも翌日注意・集中力が好転する。頭を使う職業に就いているなら(　　　　)歩かなければならない。

❶ 仕事で疲れているほど
② 高強度の運動を避けるよりは
③ 仕事が終わった後は必ず
④ 気楽に散歩する気持ちで

8.

動物の世界は一般的に「弱肉強食」の世界だと言われる。弱い動物が自分より力の強い動物に食われるからだ。ところが弱い動物だからといって（　　　　）わけではない。弱い動物も自分を保護するための自分なりの方法があるからだ。力の強い動物が現われると死んだ振りをする動物もいるし、嫌な臭いで大きい動物が近寄らないようにする動物もいる。また体の色を変えて他の動物が自分に気づかないようにする動物もいる。だから弱い動物も強い動物とともに生きて行くことができるのだ。

① 力が強い動物と生存競争ばかりする
❷ 力が強い動物にいつも食われる
③ 力が強い動物に負けてばかりいる
④ 力の強い動物が勝ってばかりいる

（既出 37 回）

9.

強い紫外線から目を保護するためにサングラス着用の必要性が強調されている。サングラスが初めて開発された時はその用途が今と違っていた。サングラスは元々裁判官たちが自分の目を隠すために使っていたものだった。冷静に審問をしなければならない裁判官たちが目を通じて自分の感情が読まれることを防ぐ目的で使った。すなわち審問をする時自分の（　　　　）犯罪人の意中を把握するための道具だったのである。

① 地位を表に出さないで
② 感情を誇張して表現しながら
③ 判断が正確であることを証明しながら
❹ 心理を露出しないで

❸ 文の内容一致問題 ……………………… p.180

※다음을 읽고 내용이 같은 것을 고르십시오. 次を読んで内容が同じものを選びなさい。

1.

睡眠薬の濫用は正常な睡眠を邪魔して不眠症を悪化させるので必ず避けなければならない。睡眠薬を使い続けると耐性ができて効果が減少し、使用中断の時には逆に不眠症が現れて睡眠状態は睡眠薬を服用する前よりもっと悪くなる。しかし、睡眠薬に対する否定的な側面が強調され過ぎて何となく睡眠薬の投薬を拒否することは正しい態度ではない。睡眠薬は専門家と相談しながら慎重に使わなければならない。

① 睡眠薬の副作用はいくら強調しても足りないぐらいだ。
❷ 睡眠薬は副作用を考慮して注意して服用しなければならない。
③ 睡眠薬は耐性ができる前に使用を中断したほうが良い。
④ 睡眠薬を服用するとむしろ不眠症が悪くなる場合が多い。

2.

人口住宅総調査（国勢調査）とは5年に一回ずつ統一された基準によって人口と世帯、住宅の規模と地域別分布を調査するものだ。たとえばどの地域に何名の人々が集まって住んでいるのか、変化はどの位なのかを調べる。結果を総合して国家と地方自治体は道路を新たに造り、さらに家を建てるなど国民が暮らしていくうえで必要な事業にとりかかるようになる。このように人口住宅総調査とは国の資源を効率的に使おうというのが調査の最大の狙いで、国を経営するにはなくてはならない貴重な統計資料を作ることだ。

① 人口住宅総調査を通じて国の資源の分布を把握することができる。
② 道路と住宅建設はすべて人口住宅総調査の結果によって実行される。
③ 地方自治体別に5年に一回ずつ人口と住宅調査をする。
❹ 人口住宅の統計資料は国を効率的に経営するのに使われる。

3.

ピサの斜塔が建てられるまでほぼ200年がかかった。イタリアの都市国家であったピサがサラセン艦隊から収めた大勝を記念するために工事に入ったのが1174年。3階まで出来たところで地盤沈下で塔が傾いて中断されてから今の姿に完工されたのが14世紀後半だ。斜めに傾いたこの塔がくしくも倒れなかった理由は現代科学を総動員しても説明しにくいと言われる。そこであるイタリアの科学者は「ピサの斜塔は神の意志で傾いている」と語った。地球滅亡に対する暗示だという主張だろう。

① ピサの斜塔は 200 年にわたって徐々に傾いた。
❷ ピサの斜塔は完工される前から傾いていた。
③ ピサの斜塔は建築途中に傾いて完工されなかった。
④ ピサの斜塔は地盤沈下が中断されて倒れなくなった。

4.

> 地球滅亡の原因はそもそも核戦争だけだろうか。世界で4番目に大きい内陸海からいきなり砂漠に変わったアラル海はすでに「水のない人類」を警告している。一日に百種余りずつ絶滅する生態系、名前も聞き慣れないエルニーニョ、ラニーニャなど環境災難…。一様に終末を暗示する証拠ではないか。「文明が文明を破壊する」と言うアール・ゴア前アメリカ副大統領の警告はだからこそもっと切実に感じられる。

❶ 核戦争以外にも地区を破壊し得る危険要因が多い。
② 核戦争は文明の破壊だけではなく地球の滅亡をもたらす。
③ 海の砂漠化で文明に脅威を与える環境災難が頻発している。
④ 水不足によって一日に百種余りずつ生態系が絶滅している。

5.

> 冷蔵庫は細菌の活動を完全に防ぐことができないので冷蔵庫を過信しすぎると食中毒にかかる危険が生じるようになる。冷蔵庫は食べ物を冷たくし、若干の新鮮度を維持させてくれるが、細菌を無くしたり腐敗を防止したりするわけではない。したがって冷蔵庫に食べ物を長く保管しないようにしなければならない。

① 食べ物を間違って保管すると食中毒にかかる危険が大きくなる。
② 冷蔵庫に食中毒菌を抑制してくれる機能がある。
③ 冷蔵庫は腐敗を防止して新鮮度を維持してくれる。
❹ 冷蔵庫に食べ物を保管しても腐敗は防止することができない。

6.

> 過去4世紀の間西欧が世界史を主導して来た根源的な力は軍事力でも経済力でもない知識の力であった。16 ～ 17 世紀にベーコン、ニュートーン、デカルトなどから始まった科学革命とホーブス、カント、ベンダム、ミルなどで続いてい来た哲学思想が結局ヨーロッパで産業革命を起こして合理的な社会制度と効率的な市場を定着させた。今日アジアに押されて経済力が衰退しているにも関わらず知識に基盤を置くソフトパワーが相変らず西欧に国際機関の運営、世界安保及び環境、貿易、通貨と金融の秩序を主導させる背景になっている。

① 経済力を背景に西欧は 4 世紀の間世界史を主導した。
② 産業革命によって合理的で効率的な市場が定着された。
❸ 西欧が世界の各種秩序を主導する力の源泉は知識にある。
④ アジアに押されてヨーロッパのソフトパワーと経済力が衰退している。

7.

　スマートベルトはベルトにセンサーを附着する方式で作られたウェアラブル器機だ。スマートベルトは着用者の胴回りを自動で測定し、ベルトの長さの変化をリアルタイムで確認して食べ過ぎか否かと肥満の危険度を知らせてくれる。使用者が肥満の危険がある状態ならこれ以上胴回りが増えないように警告メッセージを送る。スマートベルトは健康情報をスマートフォンアプリに送って着用者が健康状態を確認できるようにしてくれる。

① スマートベルトの着用者は肥満の危険が高い人が多い。
❷ スマートベルトは胴回りが増えると警告をしてくれる。
③ スマートベルトは食べ過ぎないようにベルトの長さを調整する。
④ ウェアラブル機器は健康状態を確認してくれるアプリだ。

（既出 41 回）

8.

　朝鮮時代には歴史を記録する史官がいた。王の周辺で起きるすべての事を記録する史官は誰の干渉も受けなかった。甚だしくは王でも自分と関係のある記録すら決して見ることはできなかった。また史官は記録に自分の名前を残さないので政治的にいかなる責任も負わなかった。朝鮮で史官の役目は王が自ら自分の言行に気を付けるようにし、結果的にそれは王が権力を勝手に使うことができないようにする装置として機能をした。

① 歴史を記録する本には史官の名前が書かれていた。
② 王は必要な時史官の記録内容を参考にすることができた。
❸ 史官の記録のために王は自分の言行に気を付けるようになった。
④ 王は周辺で起きるすべてのことを史官から報告を受けた。

（既出 36 回）

9.

　よく宇宙科学は投資費用に比べて我々の生活に寄与するところが少ないと思われている。しかし宇宙に向けた人間の努力は通信、医療などの分野は勿論、日常生活にも大きな影響を及ぼした。宇宙飛行士の飲み水の解決のための装置が浄水器になったし、宇宙飛行士の食事用で開発された凍結乾燥食品が水さえ入れれば食べられるインスタントスープになった。このように日常の中に入って来た宇宙科学は人類の生活をより便利で豊かにしている。

① 浄水器が宇宙飛行士の飲み水を解決してくれた。
② 凍結乾燥食品は忙しい一般の人のために開発された。
③ 通信、医療分野で開発された技術が宇宙飛行士のために使われた。
❹ 宇宙科学技術のおかげで生活に便利な製品が開発された。

4 文の主題把握問題 ……………………… p.184

※다음 글의 주제로 가장 알맞은 것을 고르십시오.
次の文の主題として最も適切なものを選びなさい。

1.

人生の目標がはっきりしている人にとって生きることとは山登りをすることと違わないという話がある。どの道をどのように歩くべきか計画さえよく立てれば目的地に到達することができるというのだ。しかし生きることは必ずしもそうではない。生きているうちに全く見当がつかず、どの辺にいるのか自分が置かれている状況が分からない瞬間がある。生きることを山登りに例えた人たちはその瞬間をよく谷間に置かれた状況として説明しようとするが、それは間違いだ。その言葉は絶望から抜け出すのに決まった公式があるという話と同じだ。しかし、実情はそうではないということを我々は経験で分かっている。

① 人生で難関にぶつかった時のために経験を積まなければならない。
❷ 人生は計画どおりに進めば目的地に到達できる山登りとは違う。
③ 人生の目標を成し遂げたいなら山登りをするように根気強く歩かなければならない。
④ 人生も谷間でもがく時に備えて目標をよく立てなければならない。

2.

人命を殺傷するために作られた各種武器に人道主義的な規制を加えようとする動きが起きている。戦争でよく使われる一般の在来式武器の効果を科学的に分析して残酷に人体に苦痛を与えるものを規制しようという趣旨だ。生物学戦や化学戦に動員される武器だけではなく銃弾などの在来式武器に対しても国際的に規制を加えて戦争による人類の苦痛を最大限減らさなければならない。

① 残酷に人体に苦痛を与えない武器を開発しなければならない。
② 武器別に殺傷効果を測定して選別的に規制しなければならない。
③ 人命を殺傷する各種武器を廃止して戦争を防止しなければならない。
❹ 人命殺傷用の武器は種類を問わず規制を加えなければならない。

3.

私たちの社会はいま発展途上にある。だから政治と経済で、学問と芸術で、そしてその他のあらゆる分野で成長を続けるための努力が必要である。私たちが着実に成長を続けるためには科学者がそうであるように新しい情報を尊重して常に自分を修正しなければならないし、民主主義者がそうであるように独断と独善を捨てていろんな人の意見を尊重しなければならない。

❶ 持続的な成長のために社会のあらゆる分野で努力しなければならない。
② 着実な成長のためには科学と民主主義が定着されなければならない。
③ いろんな人の意見を尊重して民主主義を定着させなければならない。
④ 成熟した市民社会に発展しようとするなら独断と独善を捨てなければならない。

4.

> 複雑な現代社会になってから私たちには何かを選択しなければならない瞬間がさらに多くなった。このような時代にはやらなければならない多くのことの優先順位を素早く決める能力がより一層力を発揮する。人間の時間と能力には限界があるからだ。限定された資源を持ってすべての事に同じく最善を尽くすとしたらどれも満足にやり遂げることはできないだろう。

① 与えられた時間と能力には限界があるということを知るべきだ。
② 社会で能力を認めてもらうには仕事を人より先にやりこなさなければならない。
❸ 複雑な時代であるだけに仕事は迅速に優先順位を決めて処理しなければならない。
④ ある仕事をやり遂げるためには資源を1ヶ所に集中しなければならない。

5.

> 韓国の伝統文化で今日に生かして守っていくべき価値のあるものとしてはどんなものがあるだろうか。数多くのものがあると思うが、親を大事にする親孝行が一番ではないかと思う。親孝行とは自分を生んでくれた親に真心を込めて尽くす人間としての道理である。このような親孝行の概念を現代的な感覚に合うように生かすことが現在我々がやらなければならないことだと思う。

① 現代にも生かすことができる伝統文化を見つけ出さなければならない。
❷ 現代的な感覚に合わせて親孝行の伝統を生かして行かなければならない。
③ 親孝行の伝統を維持するためには社会的な支援が必要だ。
④ 親孝行の概念が時代に合わない部分は適切に修正しなければならない。

6.

> 最近になって社員の業務能率を高めるために服装の自由化を取り入れる企業などが増えている。情報化時代になるにつれて、先端技術企業を中心に新しい服装文化が登場するようになったのだ。以前は業務の特性と関係なく企業の社員は一般的にスーツを着用した。しかし、コンピュータープログラムを開発する人たちのように個別的に作業をするとか勤務時間が一定しない人たちには仕事をする時自由な服装がはるかに効率的なので当然の流れだと見るべきである。

① 服装の自由化によって各種企業で業務の能率が向上している。
② 情報化時代には先端技術企業が服装文化も先導する。
❸ 業務の特性による服装の自由化は当然の流れだ。
④ 勤務時間が不規則な人にはスーツは非効率的だ。

7.

過去何年かの間に愛犬の数が大きく増加した。そしてそれとともに捨て犬の数も大きく増加している。最初は大事に心を込めて育てていても途中で病気になったりトラブルを起こしたりすると犬を捨ててしまうのである。これにより捨て犬保護所さえあふれる捨て犬でどうしようもない状態にある。家に犬を入れる前にまず犬を一つの家族として受け入れて責任を果たすことができるかを慎重に考えてみなければならない。

① 無責任な社会人の増加に比例して捨て犬の数も急増している。
② 捨て犬保護所の収容能力を大きく増やす必要がある。
③ 捨て犬は保護所だけではなく各家庭でも収容しなければならない。
❹ 最後まで責任を負うという決心なしに犬を飼ってはいけない。

（既出 36 回）

8.

自動車業界でだけ共有されていた部品の価格が消費者の知る権利と流通の透明性を高めるために公開されている。国内のすべての自動車会社は義務的に会社のホームページに部品の価格を掲示する。ところが自動車会社の中には初期画面ではないところに価格情報を公開したり会員の加入をしなければ情報が見られないようにしたりして消費者の不信を招く場合がある。これに対してこの制度が企業に対する消費者の信頼を取り戻すきっかけになることができるように業界の自省が必要だという声が大きくなっている。

① 価格の掲示を通じて流通過程が公開されている。
② 部品価格の公開は消費者の知る権利と関係がある。
③ 業界はホームページに部品価格の情報を掲示しなければならない。
❹ 企業は正直な部品価格の公開で信頼を回復しなければならない。

（既出 37 回）

9.

技術競争力が重要な時代になるにつれて無形資産に対する金融業界の資金の支援が拡大されている。この際、重要なのが理工系出身の人材の役割だ。彼らは先端技術に対する知識をもとに普通の人たちにはよく分からない無形資産の価値を判断する役割をする。したがって企業の成長可能性に対してきちんと評価するためには金融業界内で理工系出身の専門人材の占める比重が高くならなければならない。

❶ 金融業界で理工系出身人材の採用が拡大されなければならない。
② 金融業界内で従業員に対する再教育が実施されなければならない。
③ 無形資産に対する金融業界の資金支援が増えなければならない。
④ 金融業界で職員を再教育させる方法が変わらなければならない。

❺ 脱落文挿入問題 ………………………… p.188

※다음 글에서 〈보기〉의 문장이 들어가기에 가장 알맞은 곳을고르십시오.
次の文で〈보기〉の文章が入るのに最も適する場所を選びなさい。

1.

(㉠) 保健福祉省は解熱鎮痛剤、風邪薬、消化剤、湿布の中で供給量が多い製品を「スーパー販売可能一般医薬品」として分類するという立場を明らかにした。(㉡) 大部分の製薬会社は専門医薬品の薬価引き下げのためにぐんと落ちた売上げが増加することを期待して、一般薬のコンビニ販売を喜ぶ雰囲気だ。(㉢) しかし薬剤師らは「国民の健康権を脅かす性急な措置だ」と反発している。(㉣)

〈보기〉

麻薬類の成分があるか副作用の恐れが大きい薬はコンビニ販売対象から除かれる。

① ㉠　❷ ㉡　③ ㉢　④ ㉣

2.

韓国社会に独身世帯が増加している。(㉠) 結婚しない人を指していた「独身」という言葉がその範囲を広げつつある。(㉡) 家庭問題研究所によると離婚、死別などによって独身になる人が数年の間にコンスタントに増加していると言う。(㉢) また社会が高齢化社会になるにつれて年寄りの独身世帯がますます増えている。(㉣)

〈보기〉

これによって独身世帯を狙った商品開発が熱気を帯びている。

① ㉠　② ㉡　③ ㉢　❹ ㉣

3.

文化とは何か。(㉠) 文化と言うのは人間が自然状態で一定の目的と理想を実現しようとする過程であり、その過程で作り出した物質的・精神的な所得だ。(㉡) 文化は歴史的な産物なので、ある一瞬に簡単に変えられる性質のものではない。(㉢) しかし、このような文化は各民族や国の独特な生活様式と習慣を表してくれるだけであって各民族の優秀性や未開性を比較する基準ではない。(㉣)

〈보기〉

また文化はその民族や国の生活様式と習慣を最もよく見せてくれる。

① ㉠　② ㉡　❸ ㉢　④ ㉣

4.

国によって言語が違い、人が違うように食べ物も違う。気候が違い、生活習慣が違うからだ。(㉠) 初めて韓国に来た時、韓国の食べ物が口に合わなくて生活するのが不便だった。(㉡) そして我が国の食べ物とはあまりにも違ったので驚いた。(㉢) 韓国の食べ物は西洋の食べ物より辛くてしょっぱいほうだ。おかずも多くて何を食べればいいのか分からない時も多かった。(㉣) 韓国の食べ物には韓国だけの特性があるということを理解したら自分の国の食べ物と違って驚くことはないだろう。

〈보기〉

初めは大変だったが、いまは慣れてきて韓国の食べ物をよく食べ、好きだ。

① ㉠　② ㉡　③ ㉢　❹ ㉣

5.

人々が占いをすることにはいくつかの理由があるが、まず未来に対する不安感からだ。(㉠) 文明が発達したと言っても人間は相変らずすぐ次の瞬間に起きる事さえわからない。(㉡) また他の理由は人生はすでに神によって決まっているという思い込みからだ。(㉢) すなわち、すでに運命が決まっているので自分の運命を神に聞いた後、それに従って生きるために占ってもらうのである。(㉣)

〈보기〉

だから生きて行く間、将来どんなことが起きるか非常に不安にならざるを得ない。

① ㉠　❷ ㉡　③ ㉢　④ ㉣

6.

あらゆる芸術はお互いに密接な関連を持って影響し合いながら発展している。(㉠) 音楽をする人は詩を知らなければならないし、美術をする人は小説を知らなければならない。(㉡) 遠い国を旅行して紀行文を書く人は建築を知らなければならない。(㉢) こうした状況を考慮する時、お互いに違う方式を通じて同じ意味を表現したものを比べてみることは、ある対象を幅広く理解する上で大いに役立つ。(㉣)

〈보기〉

このようにジャンルの隔たりを飛び越えなければ本当に深みのある世界はわからないからだ。

① ㉠　② ㉡　❸ ㉢　④ ㉣

7.

高血圧を下げる方法は良い食習慣と規則的な運動などの生活習慣を改善することだ。(㉠) 高血圧を下げるためにはナトリウムを少なく取らなければならない。(㉡) 塩で摂取するナトリウムが一番多いが、塩を摂取しすぎると体内塩分濃度を下げるために血液の量が多くなって血管が収縮する。(㉢) だから頻繁に外食をしたり調理済みの料理を食べたりすると高血圧になる可能性が大きくなる。(㉣) 料理を直接作るときは味付けを薄くし、汁ものの料理は具だけを食べて汁は残すのが血圧の健康には良い方法だ。

〈보기〉

外で買って食べる料理や加工食品にはナトリウムの含有量が相対的に高い。

① ㉠　　② ㉡　　❸ ㉢　　④ ㉣

(既出 41 回)

8.

(㉠)「メディチ効果」は互いに関係のない分野が結合して、以前になかった創意的な結果を創り出す現象を言う。(㉡) 当時メディチ家は互いに異なる力量を持った芸術家と学者たちの共同作業を後援した。その結果でフィレンツェ地域の文化水準がいっそう高くなった。(㉢) 革新的な技術と芸術家の品格のあるデザインのコラボの事例は国内でも目にすることができる。(㉣) その例でインジュ電子の最尖端技術とヨーロッパのブランド品のデザイン社が共同で発売した「エンゼルフォン」がある。

〈보기〉

この用語はルネサンスの誕生と発展に大きな役割を果たしたメディチという家門の名前から来由した。

① ㉠　　❷ ㉡　　③ ㉢　　④ ㉣

第4章 読解編（4）

❶ 人物の心情把握と文の内容一致問題 p.212

※다음을 읽고 물음에 답하십시오.
次を読んで問いに答えなさい。

[1]

世の中で対人関係ほど複雑で微妙なことは多分ないだろう。下手をすれば他人のうわさにのぼるし、場合によってはこちらの思いとは反対に誤解を受けることもある。それなのに周りに自分を理解させようと日常の私たちは忙しい。理解と言うのは本当に可能なのか。愛する人たちは互いに相手を理解しているとまことしやかに嘘をつく。そしてそういう瞬間を永遠に生きたがる。しかし、その理解が真実のことなら不変でなければならないだろうにいつも誤解の奈落に落ちてしまう。私はあなたを理解していますという言葉はあくまでも言論の自由に属する。他人が私を、また私が他人をどうやって完全に理解することができるだろうか。ただ理解したいだけだろう。だから私たちは皆が他人だ。人はそれぞれ自己中心的な固定観念を持って生きるものだ。だからこそある物事に対する理解ももとはと言えばその観念の伸縮作用に過ぎない。一つの現象を持ってああだこうだうるさいのを見てもそれぞれ自分なりの理解をしているからだ。

「自分なりの理解」と言うのはすなわち誤解の足場だ。私たちは一つの色覚異常に過ぎない存在だ。ところが世の中にはその色覚異常がまた他の色覚異常に対して理解してくれないとやきもきする。恋人たちは自分だけが相手を隅々まで理解しようとする熱気によって誤解の霧の中をさ迷う。そうしてみると愛するということは理解ではなく想像の羽に便乗した輝かしい誤解だ。「私はあなたを死ぬほど愛しています」という言葉の正体は「私はあなたを死ぬほど誤解しています」かも知れない。

1. 下線部に表れた私の心情として適切なものを選びなさい。
   ❶ とんでもない　　② くだらない
   ③ 複雑な気持ちだ　　④ 気乗りしない

2. この文の内容と同じものを選びなさい。
   ① 相手が誤解をしても理解してかばってあげるのが愛だ。
   ② 他人を理解するためには彼が持っている固定観念を把握しなければならない。
   ③ 周りに自分を理解させるためには暇でなければならない。
   ❹ 人の考えはそれぞれなので互いに完全に理解するのは難しい。

[2]

もう何日も少女は、学校から帰って来る途中に水遊びをしていた。ところが、昨日までは小川の岸でやっていたが、今日は飛び石の真ん中に座ってやっている。

少年は土手に座ってしまった。少女が退いてくれるのを待とうというのだ。

幸い通り過ぎる人がいて、少女が道をあけてくれた。

翌日は少し遅く川辺に出てきた。この日は少女が飛び石の真ん中に座って顔を洗っていた。ピンクのセーターから見える首筋がとても白かった。しばらく顔を洗っていたが、今度は水の中をじっとのぞいている。顔でも映してみているのであろう。急に水をつかみ出した。小魚でも取っているように。少女は少年が土手に座っていることを知ってか知らぬかただ素早く水だけつかみ出している。しかし、いつも徒労に終わる。そのまま面白いように、繰り返し水だけをつかむ。昨日のように小川を渡る人がいなければ道を退きそうにない。そうするうちに少女が水の中から何かを一つつまみだす。白い小石だった。それからぱっと立ち上がってぴょんぴょんと飛び石を走って渡る。

全部渡り切ってからくるっとこちらに向きを変えて、「この馬鹿。」小石が飛んで来た。

少年は思わずぱっと立ち上がった。

おかっぱの髪をなびかせながら少女がひた走る。葦原のわき道に入った。

後は清涼な秋の日ざしの下、輝く葦の花だけ。そろそろ向こうの葦原の端辺りに少女が現われるだろう。かなり長い時間が経ったと思った。ところが少女は現われなかった。背伸びをした。それからも相当な時間が経ったと思った。あちらの葦原の端から葦の花が一束動いた。少女が葦の花を抱えていた。

1. 下線部に表れた少年の心情として適切なものを選びなさい。

① けしからん、癪に障る　　② ほろ苦い

❸ ばつが悪い　　④ もの悲しい

2. この文の内容と同じものを選びなさい。

① 少女は毎日小川で水遊びをしながら魚を取っている。

❷ 少年は少女が飛び石から退いてくれるまで土手に座って待つつもりだ。

③ 少女は少年が土手に座って自分を見ていることに腹が立った。

④ 少女は少年に謝ろうと葦の花を折りに行った。

[3]

一昨年だったか、目が痛くてしばらく病院に通っていたことがあった。その頃経典翻訳の仕事にずっと没頭していたら右側の目が充血して具合が悪く、とても不便だった。目薬を入れても効かなかった。ずるずると延ばしていたが、ある日一大決心をして新聞によく出てくる眼科を訪ねて行った。私のように要領が悪く世に疎い人のほとんどがそうであるように広告の誘導を受けたのであった。

その眼科は非常に混んでいて診察を受ける時間より待っている時間のほうが何倍も長かった。医者はたくさん待っている患者のためか競技場から出てきたばかりのスポーツ選手のようにはあはあいいながら私の目を調べた。視力には異常がなかった。投票

記載所のように幕が張られた隅っこを指した。待機していた看護師がプツッと尻に注射針を刺した。そして目薬 1 本。極めて簡単で迅速な診療だった。毎日来るようにと言われたが、私はその医者の招待を断った。毎日訪ねていく誠意も余裕もなかったが、何よりその医者が信頼できなかったからだった。行きがかりで翌日はそこの道向こうにある眼科を訪ねて行った。雰囲気は落ち着いていた。もちろんはあはあ言わなかった。病名は球結膜の浮腫。平凡な言葉に言い換えると目の白目が少し腫れたということだった。視力には影響がないから心配しないで目をゆっくり休ませるようにと言われた。しかし、出刊予定日のため目を休ませることができなかった。やるべきことは山ほどあるのに体が追いつかない、そのような状況だった。

1. 下線部に表れた私の心情として適切なものを選びなさい。
   ① 薄情だ　　② 照れくさい
   ③ 気まずい　　❹ もどかしい

2. この文の内容と同じものを選びなさい。
   ① 広告に出た病院で信頼できるようなところはほとんどない。
   ② 世に疎い人ほど病院の広告を額面通りに受け入れる。
   ❸ 目を酷使したので眼科の世話にならざるを得なかった。
   ④ 球結膜の浮腫と言うのは眼科の医者によって治療法が大きく異なる。

[4]　　(既出 37 回)

私は午前に自転車を押して人がいない運動場（校庭）に行った。コンクリートの階段の隣に自転車を止めた後、サドルに座って足で演壇を蹴る力で自転車のスタンドが解除されて前に進むようにした。タイヤが二回も回る前に自転車は止まり、私は転んだ。同じ形の試行錯誤が数百回繰り返された。すねと太ももにあざができ、腕と手の皮が擦りむけた。あとは自転車を起こすことさえつらかった。最後に転んだ時、夕闇が押し迫っているのがわかって絶望的な気持ちで自転車の横にしばらく寝転んだ後に起き上がった。（中略）

それにもかかわらず私は石を踏んで自転車に乗った。どうせ行かなければならない道。私は体を前後に振って自転車を出発させた。自転車は前に進み始めた。ペダルを踏まなくて加速が付いた。私は生まれて初めて春を迎えるキジのように思わず変な声を張り上げながら自転車と一体になって駆け降りた。胸が裂けんばかりに膨れあがり、くらくらとしたスピード感におそわれた。

1. 下線部に表れた私の心情として適切なものを選びなさい。
   ❶ 喜びを感じる　　② 期待に浮き立つ
   ③ 胸がつかえる　　④ 心が軽い

2. この文の内容と同じものを選びなさい。
   ① 自転車の車輪が故障して家に押して行かなければならなかった。
   ② スタンドが解除されて階段の横に停めておいた自転車が倒れた。
   ❸ 私は自転車に乗れなかったので遅い時間まで練習を繰り返した。

④ 私はほかの人の自転車とぶつかって全身に怪我をした。

[5]

（既出 36 回）

子どもの頃、あの子は本当に頑としてイネに付きまとっていた。女の子と遊ぶと友だちからありとあらゆるからかいを受けながらも朝になると決まってイネの家のブリキの門を叩いて「オイネ、学校へ行こう！」を叫んだのであった。すました顔のイネが三つ編みの髪を肩の後ろに回してさっと先に歩くといつの間にか付いて来てそっとイネのかばんの持ち手を引っぱって自分のかばんに重ねて持って行ったりしていたイヒョンソク。

だから学校のトイレの壁にはイヒョンソク、オイネ恋愛大将云々という落書きが消える日がないのもうなずける。５年生のときだったか。ヒョンソクが引っ越して行った日は梅雨の雨がしとしとと降っていた。引越荷物を運ぶために忙しい後ろの家の気配を全部聞きながらもイネは部屋にこもってじっとしていた。やがてトラックがぶるんとエンジンをかける音が聞こえると思わずどきっとしてイネは路地のほうに付いた窓を慌てて開けた。するとすぐそこに、雨に濡れながらヒョンソクがイネの窓を見上げて立っていたのだ。いつもごわごわした髪が雨に濡れたせいかヒョンソクの表情は子供らしくなく憂愁が滲んでいた。

1. 下線部に表れたヒョンソクの心情として適切なものを選びなさい。

❶ 切ない　　② けしからん

③ 淡々としている　　④ むなしい

2. この文の内容と同じものを選びなさい。

❶ ヒョンソクは毎朝イネと一緒に登校をした。

② ヒョンソクの家は５年生の時にイネの家の前の家に引っ越して来た。

③ 友だちはヒョンソクはイネが好きだということを知らなかった。

④ ヒョンソクはイネにかばんを持ってあげるという話をよくした。

[6]

（既出 35 回）

小学校３年生くらいに見える男の子が一番高い飛びこみ台に登った。大人すら勇ましく登ってもそのまま降りてくるようなところだった。少年は怖くて飛び込むことも、引き返して降りることもできないで、飛びこみ台の先と階段の間をしばらく行ったり来たりした。すると親に見える人が下りて来いという合図をした。子供はずっとためらった。プールのすべての人がこの姿を見守っていた。その時だった。スピーカーからプールの管理者と思われる人の声がし始めた。私は当然子供の親に「早く子供を連れて下りて来るように」と言うと思った。ところが、彼は全然違ったことを言った。

「君はできる！私がサポートするから。これから三つ数える。怖がらずに飛びおりれば良い！」そして大きな声で数字を数え始めた。プールにいたすべての人もスピーカーの声に従って大きな声で数字をカウントした。（中略）

子供は飛びこみ台の先を強く蹴って空中に手を振り回しながら飛びおりた。子供が水に落ちる何秒間の間、すべてのものはしばらく息を殺した。風も空気も木の葉の揺れまで。やがて「どぼん」という音とともに世の中はまた蘇った。拍手の音がプールに響き渡った。私も手だけではなく心底から拍手を送った。

1. 下線部に表れた人たちの心情として適切なものを選びなさい。

❶ 励ましている　　② 慰めている

③ 安堵している　　④ 恨んでいる

2. この文の内容と同じものを選びなさい。

① 子供が登った飛びこみ台は子供専用で作られた。

❷ 子供が飛びおりて水中に入って行くと人々が拍手をした。

③ 放送を通じて子供の親が子供に下りて来るようにと叫んだ。

④ 子供の親は管理者に子供を連れて来てほしいと頼んだ。

➡ この形式の問題の選択肢に頻出する人物の心情を表わす形容詞は、合格資料 15「心情・態度を表わす語彙の既出の選択肢例」(p.197)、合格資料 16「よく出る心情・態度を表わす語彙のまとめ」(p.198)、合格資料 17「その他参考になる心情·態度を表わす語彙リスト」(p.199)を参照。

❷ 文の主題把握と空所補充問題 ……p.218

※다음을 읽고 물음에 답하십시오.
次を読んで問いに答えなさい。

[1]

財政健全性は韓国経済の最後のとりでだ。豊富な外貨準備高とともに外国経済の影響を防ぐ防波堤になって来た。グローバル金融危機以後、返って韓国の国家信用等級が上がったのも海外でこれを高く評価したからだ。しかし、家計負債が臨界点に達したという指摘が続く中で、国の借金さえ早く増えると経済が頼る安全弁が消えるわけだ。青年世代のために既成世代が犠牲にならなければならないといいながら労働改革を強調する政府が（　　　　）のは矛盾だ。政府は国家債務が政権ではなく国家の問題だという認識を強く持たなければならない。予算の無駄使いを防ぐ財政改革と福祉の効率性を高めるのに全力を傾けなければならない。来年の予算審議の過程で不必要な緊急でない支出を削減する国会の役割も重要だ。総選挙を控えた国会が久しぶりに自分の役割を果たしたという評価を受けることを期待する。

1. この文の主題として適切なものを選びなさい。
① 青年世代の負担軽減のために過度な福祉予算を減らさなければならない。
② 財政健全性を阻害する家計負債は至急帳消しにしなければならない。
③ 財政改革と十分な福祉の提供は矛盾するものではない。
❹ 財政健全性が確保できるようにさらによりいっそう適正な予算編成が求められる。

2.（　　　　）に入る内容として適切なものを選びなさい。
① 国家債務もまともに把握できていない
❷ 未来世代の負担である国の借金を大きく増やす
③ 青年世代より既成世代をもっと優遇する
④ 若者のための働き口を増やさない

[2]

教育人的資源省が立案した「非適格教員解雇案」はその範囲と審査手続きなどで概ね納得できる。事案の核心だった非適格教員の範囲に金品授受、試験問題の流出及び学業成績のねつ造、性犯罪、常習的な暴力、精神的疾患者などが含まれたことは合理的な水準であるようだ。解雇手続きにおいても父兄や学生の実名申告、市・道教育庁の監査担当部署で事実の確認、「教職服務審議委員会」の非適格に該当するか否かの審議、市・道教育長の懲戒決定、該当教師の再審の要求などの手続きは万が一納得しがたい解雇がないようにするという点で大きな無理はなさそうだ。そういう点を考慮すると教員団体がむやみに反対ばかりすべきことではない。もちろん教員団体であるだけに（　　　　）のは理解できなくもない。しかし、無理な注文が続くと現実を無視した集団エゴイズムとして見られやすい。非適格教師の解雇は教育の質を高めるためで父兄など教育の需要者が供給者である教師らに望む重要な懸案だ。

1. この文の主題として適切なものを選びなさい。
   ❶ 教育の質的向上のために非適格教員の適切な解雇が必要だ。
   ② 教員不適格者の解雇判定問題は慎重を期さなければならない。
   ③ 非適格教員問題は担当官署と教員団体の協議の下に解決しなければならない。
   ④ 非適格教員の範囲と解雇手続きは厳密に決めなければならない。

2. （　　　　）に入る内容として適切なものを選びなさい。
   ① 解雇案の廃棄のための署名活動をする
   ② 教員を弁護し、再審を代行する
   ③ 教員の士気高揚のために努力する
   ❹ 教員に負わされる不利益に反対する

[3]

景気が悪い時、各国が一番先に増税カードとして取り出すのがいわゆる「罪悪税（sin tax）」だ。たばこ・お酒・賭博のように反社会的な商品とサービスに課税すると「税金で社会悪を減らす」と言う名分を立てることができるからだ。グローバル金融危機以来、財政が苦しかった国々はたいていタバコ・酒に対する消費税を引き上げた。ニューヨークでは炭酸飲料にも肥満税を付けた。韓国も今年の初めにタバコの価格を 2000 ウォンも引き上げた。政府は値段を上げれば今年のタバコの消費が 34% 減ると言った。しかし、たばこをやめた愛煙家たちがまたタバコを手にしている。

たばこの価格を中途半端に引き上げると（　　　　）結局税収の穴を埋めようと庶民から（税金を）絞り取ったという話が出るしかない。政府はたばこの箱の警告写真のように画期的な禁煙対策を追加で始めなければならない。このままで行くと国民の健康は放置して税金ばかり取ろうと「いかさまの増税」をしたという話を聞くのがおちだ。

1. この文の主題として適切なものを選びなさい。
   ① 反社会的な商品を追放するために力強い措置を取らなければならない。
   ② 社会悪の軽減のための消費税の引き上げは当然だ。
   ❸ 増税だけが目的ではない効果的な禁煙対策を講じなければならない。
   ④ 喫煙率を減少させるためにある程度のたばこ代の値上げは必要だ。

2. （　　　　）に入る内容として適切なものを選びなさい。
   ① 税収の増加は期待できないので
   ② 愛煙家の混乱ばかりあおるようになるので
   ❸ 喫煙率はさほど落ちないので
   ④ 罪もない庶民だけが被害をこうむることになるので

[4]

2010年国際宇宙ステーション（ISS）が完成されると6ヶ月から1年ぐらいずつ宇宙に滞在することができるようになった。しかし、その期間を滞在しようと食品を山のように積んで行ったら費用が馬鹿にならない。食品の有効期間も問題だ。それで宇宙飛行士は主に軽い冷凍乾燥食品やチューブ型の食品を食べる。しかし、簡易食品だけを持って長時間の宇宙旅行をするのは不可能に近い。米航空宇宙局（NASA）は去年から宇宙植物栽培装置「ベジ（Veggie）」をISSに送って食用植物を栽培する実験をしている。数日前ISSの宇宙飛行士たちが「ベジ」で育てたサニーレタスを初めて食べる姿がインターネットで生中継された。NASAは「一人間には一口、人類には巨大なはっぱ」という文をインターネットに載せた。単にレタスを一口食べたのではなく長期間の宇宙旅行に行く（　　　　）意味だ。NASAは宇宙に長い間滞在するのに必要な植物でレタス・トマト・ブルーベリーを挙げている。はるかに遠い宇宙探険の道程で食糧自給という扉がもう一つぽっかり開いた。

1. この文の主題として適切なものを選びなさい。
   ① 宇宙での完全な食糧自給ができなければならない。
   ② ベジの性能改善を通じて宇宙探険が成功することを願う。
   ③ 植物の自給自足だけが宇宙旅行の門を開いてくれることができる。
   ❹ ISSでの食用植物栽培の成功が与えてくれる意味は大きい。

2. （　　　　）に入る内容として適切なものを選びなさい。
   ❶ 重要な一歩を踏み出したという
   ② 道程で食糧の自給を解決したという
   ③ 人々に野菜を提供するようになったという
   ④ 要員も新鮮な葉っぱを味わうことができるようになったという

❸ 脱落文挿入と文の内容一致問題 … p.222

※다음을 읽고 물음에 답하십시오.　次を読んで問いに答えなさい。

[1]

健保審査評価院の資料によると分娩を受ける医院級産婦人科の数が毎年減少していることがわかった。(㉠)分娩医院級の産婦人科の減少は過重な労働量、低い分娩報酬、医療事故及び紛争の危険性に対する負担及び低出産の現実などに起因する。(㉡)適正な産婦人科数の維持は国家的な次元でも将来韓国の未来を背負う人口の質を決めるという点においても何よりも重要だ。(㉢)地域社会で産婦と新生児の生命と健康を担う医院級産婦人科の減少は農漁村など医療脆弱地域の医療接近性の悪化、高齢出産者の健康リスクの増加、新生児集中治療に必要な病床不足などの問題を引き起こしている。(㉣)

1. この文が入るのに最も適切な場所を選びなさい。

> 福祉省は安全な分娩環境の造成と妊婦たちの医療接近性の強化のための具体的な支援方法を講じなければならない。

① ㉠　　② ㉡　　③ ㉢　　❹ ㉣

2. この文の内容と同じものを選びなさい。

① 産婦人科数の減少は医療脆弱地域の増加によるものだ。
❷ 安全分娩が可能になるように産婦人科の減少に対する対策が必要だ。
③ 地域社会が産婦と新生児の健康に責任を負う態勢を取り揃えなければならない。
④ 地域による分娩環境の差が医療紛争を引き起こしている。

[2]

野良猫による苦情で頭を悩ましていたソウルの江東区は地域内キャットママ（野良猫にえさを与えて面倒を見る人）団体が提案したいわゆる「野良猫給食所」を地方自治体の中で初めて設置した。(㉠)江東区役所の担当者は「食べるのが十分であれば猫たちが生ごみの袋を漁らなくなり、住民の不便が解消されると言う提案が説得力があった」としながら、「無条件追い出すよりは給食所を用意して野良猫を管理しようという逆発想」と説明した。(㉡)給食所設置後の管内の野良猫をめぐるトラブルはかなり減ったという評価を受けている。(㉢)担当者は「過去には野良猫がごみ袋を破くことに苦情が多かったが、給食所を設置してからは大分減った」と言った。(㉣)ある住民は「鳩は有害動物で分類してえさを与えないようにと広報しながら野良猫にはどうしてえさを与えるのか理解できない」と言って、「昼は鳩たちが給食所を占領してえさを食べている」と指摘した。

1. この文が入るのに最も適切な場所を選びなさい。

> しかし、「区が乗り出して野良猫にえさを与えることは問題がある」と給食所の設置に反対する声も根強い。

① ㉠　② ㉡　③ ㉢　❹ ㉣

2. この文の内容と同じものを選びなさい。
① 野良猫を捕獲するためには野良猫の給食所が必要だ。
② 野良猫の給食所の設置について住民のみんなが肯定的だ。
❸ 生ごみ袋を破く野良猫に対する苦情が多い。
④ 野良猫の給食所の設置が生ごみの問題を解決してくれる。

[3]

> 秋夕を控えて祝日の料理を速く準備できるように手伝ってくれる機能性キッチン用品が人気を集めている。(㉠) オンラインショッピングモール「アイスタイル」によると販売が急増したキッチン用品の中には祝日の料理の中で一番手がかかるチョン料理に必要な製品が多かった。卵とチヂミ粉などを自動で混ぜる半自動泡立て器の販売量は 43% 増え、チヂミ料理をする時に焦げ付かないコーティングフライパンの販売量は 50% 増加した。(㉡) 一度に速い千切りを手伝ってくれる多機能スライサーと用途別の包丁が入っているキッチン用包丁セットの販売量がそれぞれ 38%、43% 増えた。肉類と魚専用の容器を含めて料理を種類別でわかりやすく分離保管できる多機能容器も先月より 72% も多く売れた。(㉢) 実際にこの期間中、機能性キッチン用品を購入した消費者の中の 58% は 30 ～ 40 代女性だった。(㉣)

1. この文が入るのに最も適切な場所を選びなさい。

> これは秋夕料理の準備にストレスを受けている主婦たちが料理が簡便にできる製品を早目に購入しているからだ。

① ㉠　② ㉡　❸ ㉢　④ ㉣

2. この文の内容と同じものを選びなさい。
① 祝日の料理は手がかかるので多機能容器がたくさん売れる。
❷ 祝日料理の準備と保管に便利なキッチン用品と容器が人気だ。
③ 祝日になると決まってキッチン用品や容器を新たに購入する女性が多い。
④ 1 年の中でキッチン用品の売上げが一番増加する時期が秋夕の時だ。

[4]

> 「フェイスブック」の利用記録を分析して個人の性格、心理だけでなく趣向まで教えてくれるプログラムが出てきて注目を集めている。イギリスのある研究チームはフェイス

ブックの「いいね！」の 記録を通じて個人の性向を分析してくれるアプリを開発した。自分のフェイスブックのユーザー IDとアプリを連動させると使用者はすぐ結果を受け取ることができる。(㉠) フェイスブック利用者の教育水準と恋愛状況はもちろん性格の特性まで個別的に測定することが可能なので結果値が多様だ。

該当のアプリの開発者は「いいね！」を押すだけでも個人に対して多くのことが把握できるという事実を見せてやりたかった」と言って開発の理由を明かした。しかし、このような SNS を活用したビックデータの分析によって個人の私生活の領域が壊れて個人情報まで流出されるという心配も提起されている。(㉡) このアプリの開発のニュースが伝わるとネチズンたちの反応は冷ややかだ。(㉢) 国内のあるネチズンは「何気なく押した「いいね！」に私の個人の性向を分析するプログラムを見ると不思議だという気持ちより怖いと言う気持ちが先に立つ」と言って、「個人情報、写真と一緒に性格、趣向さえ強制的に公開される感じだ」と評価した。(㉣)

1. この文が入るのに最も適切な場所を選びなさい。

わずか 10 秒の間に本人に対する様々な分析結果が出ることに衝撃を受けたからだ。

① ㉠　② ㉡　❸ ㉢　④ ㉣

2. この文の内容と同じものを選びなさい。

① 他人の情報を簡単に調べることができることがフェイスブックの長所だ。
❷ SNS の利用記録の分析は個人情報の流出に対する心配が大きい。
③ SNS の利用分析で抽出したデータは心理分析に大いに役に立つ。
④ フェイスブックは利用者の特性が測定できるアプリを開発した。

4 筆者の執筆の目的・態度把握と空所補充問題 ………………………… p.226

※다음을 읽고 물음에 답하십시오. 次を読んで問いに答えなさい。

[1]

大事にしていた機械が故障したら?最善の方法は二つのうち一つだ。果敢に新しいものに入れ替えるかそれともきちんと直して使うかだ。中途半端な一時しのぎの修理で故障した機械を回し続けたところで増えるのは修理費で、失うのは時間だ。不良企業の再生のためのリストラの現状がまさにこれと同じ状態だ。再建させるべき赤字企業の早い再生と無くすべきゾンビ企業の迅速なリストラという機能がほぼ故障していた。この機能がまともに作動しないということは重大な問題だ。利害関係者の苦痛が伴うのは確かだが、むしろ限定された資源を効率的に再分配して国家経済の生態系を元気に維持することができる絶好のチャンスを逃してしまう間違いを犯しかねないからだ。それに今は長期の不況と国の産業競争力の弱体化で限界企業が続出している緊迫な状況だ。だとしたらこのような問題の解決課題は何だろう。結論から言えば崩壊したリストラ市場の補償・誘引体系を(　　　　)、政界などの見えない外圧を遮断することだ。

1. 上の文を書いた目的として適切なものを選びなさい。
① 不良企業の実態と国家経済の無駄使いを告発するため
② 政府の不良企業のリストラ対策を支持するため
❸ 不良企業の選別とリストラの必要性を主張するため
④ 政界の外圧に対する警戒心を促すため

2. (　　　　)に入る内容として適切なものを選びなさい。
① 徹底的にとり除き　　② 積極的に奨励し
❸ 合理的にまた修復し　　④ 市場の自律性に任せ

3. 下線部に表れた筆者の態度として適切なものを選びなさい。
① 不良企業のリストラがもたらす混乱を心配している。
② 不良企業の閉鎖方法について批判している。
❸ 不良企業に対する迅速なリストラを主張している。
④ 不良企業の再生と整理の難しさを指摘している。

[2]

産業社会と情報化社会で「標準化」がなかったら今日のようなインターネット時代は想像もできなかったはずだ。個人用コンピューターのハードウエアとソフトウエア及びネットワーク装備などに国際標準が適用されたから製品の効率的な生産と利用が可能になった。このように標準化はそれなりに大きい利点がある反面、個人の創意力に基づいた知的生産性を阻害することもある。

斬新なアイディアに基づいた画期的な商品でも標準化の過程を通すことができなければ活用できないまま死蔵される場合が多い。これは巨大企業が集団の力を発揮して国際的な協調が得やすい反面、個人や小企業は標準化に（　　　　）ほとんど不可能だからだ。

したがって国際的な標準化が避けられないとしても、大きい枠では生産と流通を効率化するための規定を用意し、小さな枠では各個人の創意力がそれぞれ発揮するように規定を柔軟化することが賢明だろう。科学技術社会の実現の可否は自由で多様な可能性を盛ることができる様々な器をどれくらいよく準備するのかにかかっている。

1. 上の文を書いた目的として適切なものを選びなさい。
① 国際的標準化の不可避さと利点を説明するため
② 知的生産性の阻害要因を告発するため
❸ 国際的標準化による補完策の必要性を主張するため
④ 標準化がもたらす被害に対する警戒心を促すため

2. （　　　　）に入る内容として適切なものを選びなさい。
① 莫大な投資をするのが　　❷ 影響力を行使するのが
③ 柔軟に対応するのが　　④ 画期的な寄与をするのが

3. 下線部に表れた筆者の態度として適切なものを選びなさい。
① 生産性低下がもたらす小企業の混乱について心配している。
② 知的生産性を高められる標準化の方策を模索している。
❸ 標準化が個人の創意力の活用に及ぼす副作用を心配している。
④ 標準化によって生産性が低下する可能性について心配している。

[3]

保健福祉省が来年から専業主婦の０～２歳の子供に限り保育所の無料利用時間を一日７時間以内に減らす方案を推進することにした。今は０～２歳の児童はみんな無料で保育所の終日組（一日12時間）を利用することができるが、これからは親が就業したかどうかによってオーダーメイド型に変えることにしたのだ。無差別的な無料保育の問題点はずっと提起されて来たし、昨年末に仁川の保育所の児童虐待事件が起こったことによって全面改編しなければならないという声が高まった。

無料保育は導入（の段階）から拙速だった。総選挙と大統領選挙を控えて与・野党が無料福祉のポピュリズム公約を乱発し、徹底的な準備もなしに2013年から０～５歳の全面無料保育が導入された。（　　　　）無差別で受け入れたので無料保育の予算も雪だるま式に増えた。

そういうところから政府が無差別的な無料保育制度を選別的、オーダーメイド型に改めることにしたのは望ましいことだ。親の所得、就業に関係なく無差別的に保育料を支援する国は世界どこにもない。

1. 上の文を書いた目的として適切なものを選びなさい。
❶ 政府の無料保育制度の改善方案を支持するため
② 無差別的な無料保育制度の廃止を主張するため
③ 無料保育制度運用の欠点を指摘するため
④ 専業主婦の子供の保育所利用の制限を促すため

2. (　　　　) に入る内容として適切なものを選びなさい。
① 親の所得水準と関係なく　　② 保育所の実情を度外視して
③ 保育所の収容人員を増やして　　❹ 親が就業しているかどうかに関係なく

3. 下線部に表れた筆者の態度として適切なものを選びなさい。
① 無差別的な保育料支援による予算不足を心配している。
❷ 現在の無差別的な無料保育制度に対して批判している。
③ 無料保育制度の実施に対して基本的には共感している。
④ 無料保育が失敗した海外の事例を強調している。

[4]

クレジットカードも信用等級を選別して発給してくれる時代だ。それほど信用等級の管理が重要になった。信用等級が7等級以下の人は信用等級を上げるまではクレジットカードを発給してもらうことができなくなる。だから牛を失って牛小屋を直さ*ないためには金融取り引きの際、発生し得る不利益を予め防止することが望ましい。
（＊泥棒を見て縄をなう）

信用評価会社のホームページに入ると無料で信用を照会して自分の信用等級を確認することができる。そして比較的短時間で信用等級を上げる方法は信用等級の評価項目の否定的な要素を減らすことだ。信用等級に一番否定的な影響を及ぼすのは延滞だ。特に10日以上延滞した記録は5年が経過してから消される。だから自動振替をしておいた場合は通帳残高を確認して延滞することがないようにしなければならない。このように地道に（　　　　）否定的な要素を減らして行くともっと有利な条件で金融サービスを享受することができる。

1. 上の文を書いた目的として適切なものを選びなさい。
① 信用等級をあげる方法を紹介するため
❷ 信用等級管理の重要性を強調するため
③ 信用評価に否定的な要因を説明するため
④ 延滞が及ぼす否定的影響を指摘するため

2. (　　　　) に入る内容として適切なものを選びなさい。
① 通帳残高を確認しながら　　❷ 信用等級を確認しながら
③ 評価項目を確認しながら　　④ 延滞金を返しながら

3. 下線部に表れた筆者の態度として適切なものを選びなさい。
① 信用等級によって発生する不利益を予測している。

❷ 信用等級のために不利益を被らないように注意を促している。
③ 金融取り引き時の不利益防止対策を提案している。
④ クレジットカードが使用できないことによって発生する不利益に対して心配している。

[5] （既出 41 回）

現代社会は多様な利益集団の関係が複雑に絡み合っているので多くの社会的葛藤が存在する。社会文化的な要素が含まれた葛藤から経済的な要因が含まれた葛藤、日常生活と関係した葛藤まで社会的な葛藤は様々な要因によって絶えず発生する。ところがこのような社会的葛藤が妥協を通じて合理的に調整されたら社会を統合する動力として作用できるだろう。したがって社会的葛藤を合理的に解決するために社会構成員全員が合意できる解決原則を立てる必要がある。まず（　　　　）解決するのが重要だ。つまり当事者の間の自由な対話と交渉を通じて争点を解決しようとする努力が優先されなければならない。次に葛藤の当事者全員に利益になる方向で解決しなければならない。葛藤の解決による利益が一方だけにもたらされると争点をめぐる葛藤がずっと続くからだ。また国民全体の利益にかなう方向で解決されないとその解決法案は国民の支持が得られないということも忘れてはいけない。

1. 上の文を書いた目的として適切なものを選びなさい。
❶ 共通した葛藤解決の原則が必要であることを主張するため
② 国家の支持を受ける葛藤解決の方案を要請するため
③ 現代社会の多様な社会的葛藤について説明するため
④ 葛藤の当事者全員に利益がもたらされるように促すため

2. （　　　　）に入る内容として適切なものを選びなさい。
❶ 自律的に　　② 中立的に
③ 独創的に　　④ 創意的に

3. 下線部に表れた筆者の態度として適切なものを選びなさい。
① 社会的な葛藤の発生に対して警戒している。
② 妥協を通じた葛藤の解決に対して懐疑的だ。
③ 社会統合の難しさに対して共感している。
❹ 社会的な葛藤の肯定的な側面を認めている。

➡この形式の問題に頻出する選択肢のパターンは、合格資料 18「筆者の執筆の目的を問う問題でよく出る選択肢例」(p.208)、合格資料 19「筆者の態度を問う問題でよく出る選択肢例」(p.209) を参照。

第5章 模擬試験編

第1回 模擬試験 読解 …………………… p.236

※［1～2］(　　　) に入る最も適切なものを選びなさい。(各2点)

1. ミンスは今度の休みのときに語学研修に (　　　)。
   ① 行こうかと思っている　　② 行けばよかったと思った
   ③ 行ったりする　　❹ 行くようだ

2. チュノに、一杯飲みに行くところだが、一緒に (　　　) 聞いてみました。
   ① 行くつもりだと　　② 行こうと
   ❸ 行かないかと　　④ 行けと

※［3～4］次の下線部と意味が似ているものを選びなさい。(各2点)

3. 締め切りまで 1 時間しか残っていないから急ぐといっても厳しいと思う。
   ① 急ぐのなら　　② 急ぎさえすれば
   ③ 急いだ分　　❹ 急いだところで

4. 仕事は多いし時間はないしで、できるか心配だ。
   ① やろうかどうしようかと思っている　　❷ やれるかどうかわからない
   ③ やるしかない　　④ やらないわけにはいかない

※［5～8］次は何についての文なのか選びなさい。(各2点)

5.
- 食材を長期間新鮮に保管できます。
- 製品の上段に内部温度表示があります。
- 内部は透明な引出しで構成、中身が確かめやすいです。

① 扇風機　　② 食器洗浄器　　❸ 冷蔵庫　　④ 加湿器

6.
安定した老後のために！
お客様にさまざまな資産管理サービスをご提供いたします。

① 宅配　　❷ 銀行　　③ 塾　　④ 老人ホーム

7.

> 月に一度韓国料理を食べながら韓国歌謡を楽しむ集まりです。
> 韓国の歌と料理に興味のある方ならどなたでも歓迎します。

❶ 会員募集　② 授業案内　③ 活動紹介　④ 集まりの案内

8.

> ① 受験票は机の上に置いて下さい。
> ② 携帯電話、アラーム時計は必ず電源を切って下さい。

① 使用方法　❷ 注意事項　③ 公演の案内　④ 授業案内

※［9～12］次の文、またはグラフの内容と同じものを選びなさい。（各2点）

9.

> **サラダバー1名様ご利用券**
> ・使用売場：サランバン明洞店
> ・有効期間：20××年 10月 30日まで
> ・月、火曜日に限り、該当クーポンを持参時にご使用可能です。
> ・サラダバー注文に限りご使用できます。ご注文の前にご提示下さい。
> ・大人3名様以上のご来店でご使用できます。
> （3～5名様1枚、6名様以上最大2枚までご使用可）

① このクーポンは十月末までいつでも使用が可能だ。
② 食事代を支払う時にこのクーポンを提示すれば割引してくれる。
❸ このクーポン1枚で大人5人がサラダバーを利用できる。
④ このクーポンはサランバン明洞店で食事する人全員が利用できる。

10.

30～40代社会人男性が考える幸せの必要条件

経済的余裕　33.2%	幸せな家庭生活　23.1%
健康　19.4%	満足のいく職場と仕事　8.1%
社会的対人関係　5.7%	個人的なゆとりの時間、趣味活動　4.9%
自己実現　4%	宝くじ当せんなどの思いがけない幸せ　1.2%
その他　0.4%	

① 健康を犠牲にしてでも経済的な余裕を望む人が多い。
② 仕事よりは個人的な余裕のある時間を望む人が増えている。
❸ お金より健康と幸せな家庭生活が幸せの条件だという人が多い。
④ 余裕のある生活のために宝くじの当せんを望む人も一部いる。

11.

韓国語教育センターでは7月4日から4週間、外国人に韓国語を教えている先生を対象に「韓国語教師夏季研修」を実施する。参加申し込みは先着順で100名までだ。参加者は3週間パソコンを利用した韓国語教授法に関する講義を聞き、最終週には組別に分かれて模擬授業をすることになる。研修が終わると参加者は修了証をもらう。

① 外国人対象の韓国語教師は全員研修に参加できる。
② 研修期間中ずっとパソコンを利用した教授法についての授業を受ける。
③ 修了証をもらうとパソコンを利用した授業が許容される。
❹ 1週間は100人が組別に分かれて模擬授業をする。

12.

13日から17日までヨイド（汝矣島）で「第8回ヨイド春の花祭り」が開かれる。祭りの期間中、ヨイド一帯は桜の花をはじめとしてつつじ、れんぎょう、木蓮などが満開となり、「春の花トンネル」になる見込みだ。祭りの期間中、ヨイド一帯の交通が規制されるので主催側は市民らに公共交通機関の利用を勧めた。ヨイドを通る27路線 の市内バスは13日～15日まで最終バスの時間が延長されるという。

① 祭りの期間中、最終バスの時間が延長される。
② 祭りの期間には春の花を利用して春の花トンネルを作る。
③ 祭りの期間には公共交通が規制されるので歩いて行かなければならない。
❹ この祭りではいろいろな春の花を楽しむことができる。

※［13～15］次を順序通りに正しく配列したものを選びなさい。（各2点）

13.

(가) しかし、子供を産まなければ社会構成員が減り、社会構造が不安定になる。
(나) 未来の社会のためにも子供を産まなければならない。
(다) 最近の人は結婚しても子供を産みたがらない。
(라) そうなると高齢化が進行して経済も萎縮する。

【正答】 ❸ (다) – (가) – (라) – (나)

14.

(가) 穀物粉は食べるのに手軽で栄養分も多くて良い。
(나) このような人たちのために米と豆のような穀物粉が人気だ。
(다) しかし時間がないという理由で朝食を取らない場合が多い。
(라) 人々は朝食が重要だということをよく知っている。

【正答】 ❶ (라) – (다) – (나) – (가)

15.

(가) 皆さんの人生が変わることもあります。
(나) 行ったことのない世界が気になりますか。
(다) そして新しい世界と出会ってみて下さい。
(라) 本を開いてみて下さい。

【正答】 ❷ (나) – (라) – (다) – (가)

※ [16~18] 次を読んで (　　　) に入る内容として最も適切なものを選びなさい。(各2点)

16.

約180年前に「人口論」という本を書いた経済学者は人口が幾何級数的に増加するのに比べて食糧生産量はそれに追いつかないため、人類は結局 (　　　　) 滅亡すると予測した。しかしそれから180 余年が経ったが、私たちはまだ食糧不足で滅亡していない。

❶ 食糧不足により　② 人口爆発により
③ 伝染病と戦争により　④ 資源の枯渇により

17.

突然失業したら (　　　　) 心配になる。働けないばかりでなく金を稼ぐこともできないからだ。しかし失業をチャンスとして利用してみよう。これまでに本当にできなかったことに挑戦してみよう。そうすれば確実に他の道が開かれるだろう。

❶ どうやって暮らせばいいか　② どう話すべきか
③ 金を稼げるか　④ 他の道が開かれるか

18.

人はただ一生懸命働けば成功するものと思っている。しかし、具体的な目標がなければ成功はできない。成功のためにはまず就職、結婚、住宅購入などのような実際的な目標を立てることだ。次に (　　　　) 何があってもいついつまでに必ずやり遂げると決心することだ。

① お金を貯めるには　❷ 目標を立てたら
③ 目標が達成したら　④ 成功を成し遂げるためには

※ [19~20] 次の文を読んで問いに答えなさい。(各2点)

郵便配達人が道端に落ちている1,100万ウォン余りが入った財布を拾って持ち主に返した事実が最近になってわかり、話題になっている。3日釜山郵政庁によるとトンネ郵便局の配達員アンさん (49) は先月26日午前郵便物を配達している途中、道端に財布と通帳が落ちているのを見つけた。 財布を開けてみると小切手と現金など全部で1,150万ウォンが入っており、クレジットカードも３～４枚入っていた。アンさんは（　　　　）近くの交番に駆け込み、持ち主を探してほしいと届け出た。警察が財布にある身分証で連絡を取った結果、持ち主は小さな会社を経営しているAさんであることがわかった。配達員アンさんの善行はAさんが郵政事業本部ホームページ「称えます」コーナーに投稿して知られることとなった。

19. （　　　　）に入る適切なものを選びなさい。

① 勝手に　　② いつの間にか　　❸ すぐに　　④ 一日でも早く

20. この文の内容と同じものを選びなさい。

① 配達員が財布の持ち主に会ってお金を返してあげた。
❷ 配達員は財布を拾った後、交番に走って行った。
③ 警察が配達人の善行を投稿してわかった。
④ 配達員は仕事の帰りに偶然財布を見つけた。

※［21～22］次の文を読んで問いに答えなさい。（各2点）

チャレンジ精神を持っている人たちが社会を変化させて発展させる。彼らは初めて経験することに対する好奇心が大きく、ある事に失敗した場合にも挫折するどころかそういう状況を通じて困難を克服する道を探す。また彼らは大変困難な事でも「（　　　　）」という精神で挑戦する。このように諦めないで粘り強く挑戦する精神が社会発展の土台になる。

21. （　　　　）に入る適切なものを選びなさい。

① 知っている道も尋ねて行け（念には念を入れよ）
❷ 十回も切りつけられて倒れない木はない
（繰り返し努力すればついには成功するものだ）
③ 足のない言葉が千里を行く（口を慎むべきだ）
④ 三歳の癖八十まで行く（三つ子の魂百まで）

22. この文の中心となる考えを選びなさい。

① 初めて挑戦する時の失敗が大きければ挫折感が大きくなりやすい。
② あきらめない精神が失敗を乗り越えられる近道だ。
❸ チャレンジ精神こそ社会の発展と変化の原動力だ。
④ 失敗を繰り返しても粘り強く挑戦する人のみが成功を収めることができる。

※［23～24］次の文を読んで問いに答えなさい。（各2点）

結婚してから今まで家計簿をつけている。年数にすると13年を越えた。しかし、内容を調てみると家計簿というよりは「記録簿」という表現がむしろ正しい。正確な支出と収入よりは、その時その時に何を食べていくらを貯蓄して支出したかくらいのことをつけていたからだ。生活日記は別に書いたが、時々記録簿にその日起きたことや感想を数行書いておいたりもした。昨年家の中を片付けていてふとそれまでの記録簿を取り出してみた。少ない収入をしっかりやりくりした私の（苦労の）跡がそこにすべて残されていた。ある日はこんなふうに気持ちをメモしていた。『ベッドカバーを変えた。あんまりかわいいから寝たくない。このままきれいに整えておいてただ眺めていたい。』今思えば高い物でもなかったのに、小さなもの一つ変えてとても幸せに思ったあの時の純真な私の姿がほほえましく思い浮かぶ。

23. 下線部に表れた私の気持として適切なものを選びなさい。
① 空しい　❷ 懐かしい
③ つまらない　④ もどかしい

24. この文の内容と同じものを選びなさい。
① 私は13年間、几帳面に家計簿と生活日記を書いてきた。
② 私は今までにその間の支出と収入を正確に書いておいた。
③ 私は時々過去の家計簿を出して見ながら幸せな気分に浸る。
❹ 私は家計簿に時々生活のメモや感想を書いておくこともあった。

※［25～27］次の新聞記事のタイトルを最もよく説明したものを選びなさい。（各2点）

25.

物価は上がり、投資は減り … サンバ経済四面楚歌

① 物価上昇と投資減少などの三つの要因が経済を厳しくしている。
② 物価上がると投資が減ることをサンバ経済の四面楚歌だと言う。
③ 物価と投資を生かすことができなかったブラジルの経済が四面楚歌に追い込まれた。
❹ 物価は上昇し、投資は減少してブラジル経済が厳しい状況に置かれている。

26.

頻繁な事故にかかわらず、自動車会社の事故安全対策はずるずる

① 小さな事故だったが、自動車会社が事故対策の策定に全力を尽くしている。
② 頻繁な事故で自動車会社の安全対策に対する憂慮が提起されている。
❸ 事故が頻発するにも関わらず自動車会社は迅速に安全対策を立てていない。
④ 自動車会社の安全対策の不十分で事故が頻繁に発生している。

27.

猛暑、終りが見える … 台風に伴った雨雲が追い出しそう

① 猛暑が終わり、台風に伴った雨風が押し寄せて来そうだ。
❷ 台風に伴った雨風のおかげで猛暑が収まりそうだ。
③ 猛暑の後に訪れてきた雨風を台風が追い出しそうだ。
④ 台風が雨風を追い出してまた猛暑が始まりそうだ。

※［28～31］次を読んで（　　　）に入る内容として最も適切なものを選びなさい。（各2点）

28.

台風が私たちに大きな被害を与えたりするが、必ずしも悪いことばかりではない。台風は赤道地方に集中的に降り注ぐ太陽熱を（　　　）重要な役割をする。台風がなければ赤道地方は今よりずっと熱くなり、我が国は今よりずっと寒くなるという意味だ。台風は海水をかき混ぜて赤潮のような被害が発生するのを防いでくれる。

① 遮断して適当に冷やしてくれる
② 蓄積して我が国に連れてくる
❸ 地球全体に拡散させてくれる
④ 吸収して熱くなった海水を混ぜ返してくれる

29.

雪片は水分の多い低気圧が上昇しながら冷たい高気圧に出合ったときに作られる雪雲の中で作られる。冷たい雪雲の中で作られる小さい氷の片が雲の中の強い風に飛び散る過程で（　　　）作られる。そのような過程で水の分子が氷の滑りやすい面より二つの面が出合う角によくくっ付くので六角形の形で育つようになる。

① ぶつかって細く砕かれて
② ぐるぐると回ってぶつかって
③ 綿あめのように膨れ上がって
❹ 水の粒子がくっ付いて

30.

工学的な技術は科学から少しのヒントを得ればそれを数十回拡大して再生産する。そうして初めに理論を提示した科学者が（　　　）結果を作り出したりした。工学は自らの生命を持って科学の助けがなくてもこれからは無限に発展して行くことができる土台を作ったのだ。20世紀に物理学の分野ではこれといった発展がなかったにもかかわらず工学の分野では輝かしい発展が続いた。

① 予測して設計した通りに
❷ まったく予測できなかった
③ 実用的な技術も開発して
④ 技術と生産を主導して

31.

一般的に年を取るほど脳の能力が低下すると思われる。しかし、年を取るにつれて脳の能力が低下するのではなく変わってくるのだ。普通若いときは名前や電話番号のような部分的なことをよく覚える。しかし、年を取ると（　　　）代わりに全体的な状況をよく把握して理解する能力を持つようになる。年を取って人生の経験が豊かになるからだ。

① 情報を再現する能力が弱くなる
② 脳の能力が徐徐に低下する
❸ 部分的な情報がよく憶えられない
④ 新しい情報を受け入れて再生産する

※［32～34］次を読んで内容が同じものを選びなさい。（各2点）

32.

私たちの肉体は好き嫌いだけを表現することができる体と、是と非、人間の道理、やるべきことなどのみを計算する脳で構成されている。私たちは「いくら大変でも精神力さえあればできないことはない」と言う。そうすることは体は非常につらくてこれ以上働きたくないというのに、やるべきことは最後までやらなければならないという脳の計算に合わせて生きることだ。このような生活が続けば注意集中力と仕事の遂行能力が低下する。そうしているうちに仕事を望み通りにできない状況が繰り返されて、結局不安と憂鬱に至るようになる。

① 是非を判断するには精神力が求められる。
② 体がつらくなると何事もやりたくなくなる。
❸ 体と脳の均衡が崩れると注意力と集中力が低下する。
④ 精神が不安定で憂鬱になると仕事がきちんとできなくなる。

33.

人々は一般的に不平を言うのは良くない行動だと思う。しかし、少し違った見方で見ると不平を言う人だけが発展できる可能性がある。何に対しても批判する見方なしに無条件納得して受容するとしたら個人や社会にこれ以上の発展はないだろう。常に今の状況に安住しないでより良い方向での改善点を模索する肯定的な不平は個人や社会の発展に寄与することができる。

① 不平を言う人だけが発展できるという見解は偏見だ。
❷ 社会と個人の発展のためには適当に批判的な見方も必要だ。
③ 改善点を提示しないで無条件批判ばかりする人は発展することができない。
④ 肯定的な不平と批判が受容できてこそ社会は発展できる。

（既出 35 回）

34.

最近都市に蜂の数が増加して、これによる被害がたびたび発生している。ある研究チームは都市が蜂の生息するのに適した環境になったことが原因だと明らかにした。都市環境が蜂の生存に役に立つというのだ。都市の公園で多様な花と植物が育っているので豊かなえさを提供していると言う。農村に比べて都市が相対的に農薬の使用が少なくて安全だということも都市に蜂が多くなったもう一つの理由だと言う。

① 以前に比べて都市に生息する蜂の数が減った。
② 蜂を追い出すために都市の植物に薬を散布している。

③ 都市の蜂被害防止法に対する研究が進行中だ。
❹ 都市の公園は蜂が生息するのに良い環境を提供する。

※［35～38］次の文の主題として最も適切なものを選びなさい。(各2点)

35.

新年を迎えて今年こそ必ず何かをしたいという誓いを誰でもするが、運動や禁煙、ダイエットなどとても守りにくい計画を強迫的に守ろうと努力しているうちに疲れてしまって挫折感や自己卑下など自分にとってむしろより否定的な影響を及ぼすこともある。具体的にある計画を立てる時にあまり大きい目標を立てて、三日坊主と言われて自ら精神健康に害を及ぼすよりは散歩やジョギングなど自分が達成できる水準について肯定的に考えて気持ちを高める行動を実践してみることが重要だと思う。

① 達成しにくい目標は否定的な影響が大きいので三日坊主になりやすい。
❷ 新年の目標は楽しく実践可能なことから始めた方が良い。
③ 散歩やジョギングのような軽い運動が精神健康には一番良い。
④ 三日坊主になりたくなければすべてのものを肯定的に見て楽しまなければならない。

36.

今日私たちは教育と関係した多くの問題を抱えている。その中の一つは公教育に支出される費用より私教育に支出される費用がもっと多いということだ。これは単純に教育に対する情熱以上に社会全般に影響を及ぼす深刻な社会問題として捉えられている。国民が私教育に依存すればするほど公教育はますます貧弱になるだろう。したがって父兄らは公教育をさらに信用しなくなって、政府の教育政策も成果をおさめることができなくなるだろう。また私教育費が増えるほどこれを負担できない人たちの教育機会はますます減っていく。だから私教育費の支出が増えるということは教育機会の不平等を意味する。

① 教育の成果をおさめるためには私教育の容認が必要だ。
② 公教育に不信を招かないように教育政策が成果をおさめなければならない。
③ 私教育を抑制するためには公教育が復活されなければならない。
❹ 私教育の増加は公教育の貧弱さと教育の不平等をもたらすようになる。

37.

最近ある分野で実力がすぐれた人を「大家」や「権威者」、ひいては「伝説」とまで称していることがよく見られる。ところが個人の個別的な特性を無視した、このような千篇一律的な修飾がむしろその人の固有のカラーをぼかしたりする。「西洋美術の大家」や「リングの上の伝説」のような表現がその分野で最高だというのを意味するとしても、なんだか個性はないように見える。一方「色の魔術師」や「核パンチ」のような表現はすごい賛辞とまでは言えないが、その人だけが持つ固有の特性を浮き彫りにしてくれていると言える。

① 没個性的な修飾語がむしろ最高というイメージを失墜させる。
② その分野の最高である人にはそれに適した賛辞を送らなければならない。

❸ 特定の分野に秀でた人に対する称号は個性と特性が生かされなければならない。
④ 固有のカラーを無視する西洋美術家に色の魔術師と言うのは過度な賛辞だ。

（既出 35 回）

38.

未婚という言葉には結婚は必ずしなければならないことだが、まだしていないという意味が含まれている。しかし、結婚は必須ではなく選択だと思う人たちが増加するとともに未婚という言葉の代りに結婚を選択しないという意味の非婚という単語が使われ始めた。未婚、独身などの単語が非婚という単語にその座を渡すようになったのだ。

① 未婚という言葉は結婚に対する様々な意味を包括する。
❷ 非婚という言葉は結婚に対する認識の変化を見せてくれる。
③ 非婚と未婚は同じ対象を指すので意味の違いはない。
④ 未婚という言葉は結婚を計画する人々に不適切な表現だ。

※［39～41］次の文で〈보기〉の文章が入るのに最も適切な場所を選びなさい。（各2点）

39.

目が悪いからではなく目を保護するためにかける眼鏡がある。最も一般的なものはサングラスだ。(㉠) ところがより強力な紫外線とより能動的な活動性が強調される用途ではゴーグルという眼鏡が使われる。(㉡) 紫外線の透過をもっと強力に遮断するために「ガラス」に該当する部分は機能的に特化された強化ガラスやプラスチックで作る。(㉢) 周辺の異物から目を保護するためにガラスは眼鏡のフレームに該当する部分がなく顔に圧迫して密着される。(㉣)

〈보기〉

強力な太陽光が目に吸収されるのを防ぐための用途として広く使われる。

❶ ㉠　② ㉡　③ ㉢　④ ㉣

40.

CD は光を利用してデジタル情報を保存する媒体だ。(㉠) プラスチックの原版の上に銀やアルミニウム膜が薄くコーティングされていて、微細な溝 (ピット) が刻まれている構造になっている。(㉡) 平たい部分をランドと呼び、溝が掘られた部分をピットと呼ぶ。(㉢) 情報はレーザーで CD の表面に溝を刻んで記録する。(㉣) この時レーザーが溝の形によって違った強さで反射される原理を利用する。

〈보기〉

保存された情報は溝が刻まれた表面にレーザーを照らして読み出す。

① ㉠　② ㉡　③ ㉢　❹ ㉣

41.

山に登っていると多くの人が無理な歩き方で登るのをよく目にする。(㉠) 自分の体力的な限界を考慮しないで他の人を追い掛けていく人たちは結局登り始めて間もなく登るのをあきらめて山から下りてしまう。(㉡) 自分のスピードは無視したまま他の人ばかりを追い掛けていく人たちは自分の目の前に広がった絶景を見ることができない。(㉢) 私たちが自分だけの歩幅、自分だけの目で世の中を見る時に私たちの暮らしはより豊かになるのではないか。(㉣)

〈보기〉

この人たちには前の人のかかとだけが見えるだけだ。

① ㉠　　② ㉡　　❸ ㉢　　④ ㉣

※［42～43］次を読んで問いに答えなさい。(各2点)

プルルル～。「チユンママ、私！元気？」

息子チユンには「伯母」がいる。生後 2カ月から三歳まで育ててくれた方だ。五十歳をちょっと過ぎた、江原道が故郷で体も大きく、気前もいい人情の厚い方。誕生日や祝日または夢見が悪い日は決まって電話で様子を尋ねる。今日も寒いからうちのチユンが元気に学校に通っているか気になって電話したとのことだ。その方に会ったのは私と子供にとって最高の幸運だった。

子供を生んだ後、職場に復帰してから間もなくの頃のことだ。やっとのことで見つけた保育ママが椎間板ヘルニアを訴えて２週間で辞めたので新たに保育ママを探さなければならなかった私は気が気ではなかった。土砂降りの雨が降り注いでいた日に携帯電話が鳴り、どんな人なのか、どんな家なのか調べる余裕もなく翌日ちょうど生後 3カ月になった子供を連れて行って預けた。

伯母 (＝保育ママ) の家族は中学生の二人の息子とご主人の四人。不思議にも二人の息子がチユンととても似ていた。彼らは子供が大好きな人たちだった。預かって育てていた赤ちゃんが引っ越したのでいまだにおもちゃやら本やらが散らかっていた。「情って不思議なもので、別れる時はあまりにも胸が痛むのでもうやめようと思ったけど…。」と言いながらも保育ママの家族は赤ちゃんが可愛くて仕方がないという表情でのぞきながらにこにこしていた。体が大人よりも大きい二人の息子は学校が終わるとバスケットボールもやめてまっすぐに家に帰ってきてチユンと遊んでくれたりした。勉強に邪魔になるのではないかと心配する私に保育ママは「大丈夫。あの子たちは勉強ができないから」と言って気にしないようにと安心させてくれた。

42. 下線部に表れた私の心情として適切なものを選びなさい。

① 見苦しい　　② 複雑な気持ちだ

❸ 慌てている　　④ 薄情だ

43. この文の内容と同じものを選びなさい。

① 江原道に住むチユンの伯母はたまに近況伺いの電話をくれる。
② 伯母の息子二人とチユンはいとこなので不思議なほどよく似ている。
③ 最初の保育ママが急にやめた時は本当に恨めしかった。
❹ 二番目の保育ママの家族は大人も子供もみんな赤ちゃんが好きだった。

※［44～45］次を読んで問いに答えなさい。（各2点）

> 文化は人を人らしくする。経済と文化芸術の水準がだいぶ向上したにもかかわらず貧困階層は相変らず文化を享受できないまま疎外されている。このような文化疎外階層の文化への欲求をかなえてあげるための「文化分かち合い」運動が文化・芸術界をはじめとする社会各界に拡散している。これまで文化を通じて収益を追い求めて来た文化芸術界にも、これからは収益を追い求める前に分かち合いを実践すべきだという社会的な共通意識が形成されたようだ。現在多くの文化分かち合いの団体が設立されて文化疎外階層に公演、展示など様々な文化活動支援事業を行なっている。しかし、このような支援が単に（　　　　）社会的な雰囲気に呑まれていやいやながらやらざるを得ないことにはならないようにしなければならないだろう。

44. この文の主題として適切なものを選びなさい。

① 貧困階層も文化を享受できる支援策の策定が急務だ。
② 文化を通じて収益を追い求めることは道理にかなっていない。
❸ 本当の意味での文化の分かち合い運動が実現できるように努力が必要だ。
④ いやいやながら行なう各種の文化活動は廃止されるべきだ。

45.（　　　　）に入る内容として最も適切なものを選びなさい。

① 疎外階層の主張に迎合する
② 社会的な共感が求められる
❸ 分かち合いをを実践すべきだという
④ 文化の収益追求はけしからんという

※［46～47］次を読んで問いに答えなさい。（各2点）

> 落ち葉が落ちる理由は木の葉が冬の厳しい寒さに耐えることができないからだ。（ ㉠ ）それで木はますます短くなる昼の長さを信号として冬の休息期に予め備える。（ ㉡ ）この過程で興味深いことは木が自ら木の葉にある葉緑素という緑の物質を幹や枝に返して栄養分を自給自足するということだ。この現象は動物が生活するのに不利な冬という環境条件に適応するために体内の代謝活動を減らして体温も下げるのと同じ理屈だ。（ ㉢ ）この時残った成分が鮮かな色彩配合を成して華麗な紅葉を作るようになる。（ ㉣ ）私たちが見る美しい紅葉が実際は役に立たなくなった葉っぱの皮に過ぎないのだ。

46. 次の文章が入るのに最も適切な場所を選びなさい。

このように物質が抜け出てから黄色い成分や赤い成分はもとの場所にそのまま残る。

① ㉠　　② ㉡　　❸ ㉢　　④ ㉣

47. 次この文の内容のようなことを選んでください。
① 日照時間が短くなるに比例して紅葉の色彩が濃くなる。
② 木は寒さに備えて葉で葉緑素を吸収、蓄積する。
③ 気温が下がると動植物は活動を止めて休息期に入る。
❹ 葉緑素の抜けた木の葉が色とりどりの紅葉になる。

※［48～50］次を読んで問いに答えなさい。(各2点)

ナノ技術はナノメートルサイズの物質を基礎として私たちの実生活に有用なナノ素材、ナノ部品などを作る技術だ。黒煙やダイヤモンドのような鉱物は同じ炭素原子でできているが、堅いダイヤモンドに比べて黒煙は六角形の板の模様で繋がって（　　　　）。ところが黒煙をナノ単位で分けた後再構成すると、鋼鉄より 100 倍に達する強さを持った性質に変わるようになる。

それに銅ほど電気をよく通すようになる。このようなナノ技術はすでに私たちの生活の中に入って来て様々な分野で活用されている。情報を保管するコンピューター部品に使われて小さな本体にメモリーの用量を充分に入れることができ、エアコン、洗濯機、空気清浄器のような家電製品には少量の銀で抗菌物質を作って大きい効果を上げている。未来に難病治療、健康状態のチェックや病気の予防、交通手段などにもナノ技術が活用されれば私たちの生活の質はもっと高められるだろう。

48. 上の文を書いた目的として適切なものを選びなさい。
① ナノ技術の材料と原理、特性を紹介するため
② 実生活でのナノ技術の積極的な活用を促すため
❸ ナノ技術とその使い道を説明するため
④ 医療分野でのナノ技術の重要性を強調するため

49. （　　　　）に入る内容として適切なものを選びなさい。
❶ 柔らかくてこわれやすい　　② 軟らかくて簡単に曲がる
③ 形が雪と似ている　　④ 電気が通じない。

50. 下線部に表れた筆者の態度として適切なものを選びなさい。
① ナノ技術の様々な活用方法を提案している。
② 生活の質を高めるためにナノ技術を採用することを主張している。
❸ 実生活に適用できるナノ技術の活用について期待している。
④ 生活の質に比例してナノ技術もさらに活用されるということを認めている。

第2回 模擬試験 読解 ………………… p.254

※［1～2］(　　　　) に入る最もお適切なものを選びなさい。(各2点)

1. 今年に入ってガソリン代が (　　　　) 他の物価もかなり上がった。
① 上がると言って　② 上がったにしては
③ 上がるどころか　❹ 上がったせいで

2. 試験に (　　　　) とても心配したが、合格して幸いだ。
① 落ちようか落ちまいか　② 落ちて
❸ 落ちるかと思って　④ 落ちると言うから

※［3～4］次の下線部と意味が似ているものを選びなさい。(各2点)

3. 注文したものが届くかもしれないので待っていたから出かけられなかった。
① 届くはずがないので　② 届いたせいで
③ 届いたようで　❹ 届くかもしれないので

4. 会費が高すぎて参加しようかどうしようか考え中だ。
① 参加するまでもなく　② 参加しようがしまいが
❸ 参加しようかしまいか　④ 参加しようがしまいが

※［5～8］次は何についての文なのか選びなさい。(各2点)

5.
家庭の必需品！
だだをこねる子供もデジタル機能ですばやく正確に測定できます。

① 電子地図　❷ 体温計　③ デジタル時計　④ 温度計

6.
一人で悩んでいますか？
ためらわないでここに来て下さい。
あなたの話を聞いて一緒に考えます。

① 文具店　② 喫茶店　❸ 相談室　④ 職業紹介所

7.
神秘的な海の中の世界
海中に生きる珍しい生物の姿が生き生きと迫力たっぷり画面いっぱいに繰り広げられます。
監督：キム・インス

① 本の紹介　② 展示会の案内　③ 公演の案内　❹ 映画の紹介

8.

> 性能が良く、値段がお手頃です。
> サイズが小さくて保管と使用に便利で、フィルターが半永久的です。

① 注意事項　② 使用方法　③ 購入案内　❹ 長所の紹介

※［9～12］次の文、またはグラフの内容と同じものを選びなさい。（各2点）

9.

> **第 15 回江原道農産物展示会**
> ・期間：20 ××年 10 月1日～ 10 月7日
> ・時間：午前 10 時～午後5時（最終日は午後4時まで）
> ・場所：ソウル公園の野外展示場
> ・お問い合わせの電話：02-8765-4321
> ※ものによっては販売もいたします。
> ※期間中は江原道料理の屋台も出します。

① 展示された農産物はすべて販売される。
② 期間中は毎日午後5時まで展示される。
❸ 展示会は一週間開かれる。
④ 農産物の購入はあらかじめ電話で予約しなければならない。

10.

会社員味覚調査結果　（単位%）

薄味で食べる	9.1%	やや薄味で食べる	15.3%
普通に食べる	46.2%	やや濃い味で食べる	23.7%
濃い味で食べる	5.7%		

① 濃い味で食べる人が薄味で食べる人より多い。
② 薄味で食べる人は全体の1割を越える。
❸ 普通に食べる人は全体の半分に及ばない。
④ 薄味とやや薄味で食べる人は全体の3分1程度になる。

11.

> 京畿道南揚州市は「第 67 回植樹の日」を迎え、来る4月2日から4日まで「（苗）木の無料配布会」を実施する。この行事では森と木の重要性を知らせるために展示会と植樹についての専門家の相談会も開かれる。また果物の（苗）木 14,000 株を地域の住民に配り「私の木を植えよう運動」に参加するよう広報する予定だ。

① この行事は森で開かれる予定だ。
② 植樹運動を広報するために専門家らが出席する。
③ 行事に参加する住民には果物の（苗）木を配る予定だ。
❹ 専門家らが行事に来て植樹についての相談にも乗ってくれる。

12.

未婚女性 10 人中6人は父親と似た男性を恋人候補として好まないことがわかった。結婚情報会社が最近 20 才以上の未婚男女 1196 人（男 628 人・女 568 人）に「両親に似た異性との恋愛」について調べた結果だ。それによると男性の 66.1% は「母親に似た恋人だったら良いと思う」と答えた。しかし、女性の 60.4% は「父親に似た恋人だったら嫌だと思う」と答えた。「両親が恋人との交際を反対したらどうするか」という質問には男性（82.3%）と女性（53.2%）は「両親の意見とは関係なく引き続き恋愛する」という意見が最も多かった。

① 女性はほとんど父親と似た男性を好む。
② 男性はほとんど母親と似た女性は好きではない。
③ 女性はほとんど両親が恋人との交際を反対したらやめる。
❹ 男性はほとんど両親が反対しても恋人との交際を続ける。

※［13～15］次を順序通りに正しく配列したものを選びなさい。（各2点）

13.

(가) それにより断水する予定です。
(나) 管理事務室からお知らせします。
(다) 8日午前8時から午後3時まで貯水槽の清掃を実施します。
(라) 水をお使いの方はあらかじめ水を汲み置くようお願いします。

【正答】 ❹ (나) – (다) – (가) – (라)

14.

(가) コンピュータがウイルスに感染すると保存された情報が消されることがある。
(나) ファイルがコンピューターウイルスに感染されているかも知れないからだ。
(다) だから随時ウイルス治療プログラムで点検しなければならない。
(라) 特に他の人のファイルを受け取る際は気を付けなければならない。

【正答】 ❸ (가) – (다) – (라) – (나)

15.

(가) 晴れて湿度が低いとたいてい気持ちよくなる。
(나) このように天気は体の状態と気分に大きな影響を与える。
(다) 天気によって人間の気持ちはかなり変わってくる。
(라) しかし、曇って湿度が高いと体が重くて気分もすぐれない。

【正答】 ❸ (다) – (가) – (라) – (나)

※［16～18］次を読んで（　　　）に入る内容として最も適切なものを選びなさい。（各2点）

16.

> 結婚相手の（　　　　）ことは重要なことだ。特に結婚相手の経済的な能力は重要な要素だ。しかし結婚はお金とするのではない。基本的に相手を愛する気持ちがなければ結婚しても幸せになれない。

❶ 条件を確かめてみる　② 第一印象を重視する
③ 財産を調べてみる　④ 成長の背景を把握する

17.

> 最近ブームになっているインターネットショッピング。数百ウォン代の文房具類から数百万ウォンの電気製品まで様々な商品をそろえている。売り場を直接見て回らなくてもウェブサイトを調べて安い製品を（　　　　）ので時間も節約できて便利だ。

① 送ることができる　② 売ることができる
③ 配達してくれる　❹ 選ぶことができる

18.

> うちの両親は私が一人で外国にいるので（　　　　）ようだ。ところが私は必要な用事がある時にだけ電話をかける。昨日も一ヶ月ぶりに電話をかけた。年老いた両親にとても申し訳ない。これからは必ず一週間に一回は電話をかけると約束した。

① 会いに来たい　❷ 心配事が多い
③ 電話をよくかける　④ たまには寂しい

※［19～20］次の文を読んで問いに答えなさい。（各2点）

> 人間の特性上、怒らないことは非常に難しく大変なことだ。怒らない人はいない。ただ腹が立ったときにどのように対応するかが違うだけだ。腹が立ったときにその怒りを（　　　　）調節することができないと体にまで影響を及ぼすようになる。専門家らは約 10 分程度の時間があれば怒りを収めることができると言う。10 分が経った後に、怒らせた対象に向い合うともう少し理性的な状態で問題を解決することができる。

19. （　　　　）に入る適切なものを選びなさい。
① ようやく　② ひとりでに　❸ 自ら　④ かろうじて

20. この文の内容と同じものを選びなさい。
① 健康のために怒りを科学的に調節することができなければならない。
② 腹が立って持続する時間は 10 分を越えると危ない。
③ 怒るのも適切に調節できるのも人間の特性だ。。
❹ 怒ってから 10 分ぐらい経つと比較的冷静になることができる。

※［21～22］次の文を読んで問いに答えなさい。（各2点）

最近生活水準が向上したことで生活の質と健康に対する関心がぐんと高まっている。しかし 20 ～ 30 代の場合、健康に関心がないばかりでなく定期的に病院を訪れる人もほとんどいない。健康は一度失えば取戻すのが難しいので「（　　　　　）」にならないように気を付けなければならない。したがって体に異状がなくても定期的に自分の健康状態を確認するのが重要だ。

21. （　　　　　）に入る適切なものを選びなさい。

① 馬の耳に念仏　　② 朝飯前

③ やぶ蛇　　❹ 泥棒を捕らえて縄をなう

22. この文の中心となる考えを選びなさい。

① 若者が健康に関心を持つように病院が指導しなければならない。

❷ 若者も健康状態の定期的なチェックが望ましい。

③ 若者の健康に対する無関心が危険水準に達した。

④ 若い時から定期検診の必要性を教育してあげなければならない。

※［23～24］次の文を読んで問いに答えなさい。（各2点）

手品を覚えたのは高校3年生の時だ。受験生なので勉強に疲れきっていた。そんなある日、テレビで手品を見た。人の手の動きに合わせて雪を降らせる手品だった。雪が出て来る場所はその人の手だった。雪がやむとカードが出てき始めた。その次はロープ、つえ、そして最後は鳩が現れた。目を疑った。その時初めて手品にはまった。手品を習うことは本当に難しかった。街で売っている手品関連の本には生活用品を利用した初級の手品しかなかった。そんな時インターネットで手品同好会の会員たちと出会った。彼らの公演を見て指導を受け、毎日練習をした。そうして磨きあげた手品を児童養護施設などで見せたりもした。たまに手品について「詐欺だ」「いんちきだ」と言って非難する人もいる。しかし、手品に接したことは私にとって大きな幸運だったと思う。

23. 下線部に表れた私の心情で適切なものを選びなさい。

① 疑わしい　　② 荒唐無稽だ　　❸ 驚異的だ　　④ 淡々としている

24. この文の内容と同じものを選びなさい。

① 今でも手から鳩が出てくるのが信じられない。

② 児童養護施設で手品を見せて「詐欺だ」と言われた。

❸ 手品同好会の会員たちのおかげで手品を覚えることができた。

④ 高校3年生の時、手品にはまって手品師になったことは良かったと思う。

※［25~27］次の新聞記事のタイトルを最もよく説明したものを選びなさい。（各2点）

25.

> 韓国映画相次ぐ興行成功 … 映画株、高空行進

❶ 韓国映画が相次いで興行に成功することによって映画関係の株価が急騰した
② 韓国映画の公開が相次ぎ、観客たちが映画館の前に長蛇の列をなしている
③ 映画会社の積極的な営業活動が韓国映画の興行を左右している。
④ 映画会社の株価が上がるにつれて韓国映画の興行が成功している。

26.

> パパの車こっそり運転して120m 転落した中学生、九死に一生

① パパが車を運転中、事故が起こったが、中学生息子だけは無事だった。
② パパがスピートの出しすぎで事故を起こして中学生の息子が重傷を負った。
③ パパの車をこっそり高速で運転していた中学生が事故を起こして重傷を負った。
❹ パパの車をこっそり運転していた中学生が転落したが、幸い命だけは助かった。

27.

> 「海の近道」を作れ … グローバル運河、建設ブーム

① 海での石油掘削と運河建設が盛んだ。
❷ 国際的な海路を短縮するための運河建設がブームになっている。
③ 海洋資源開発のための国際的な運河建設が着工された。
④ 国際的な運河建設と海上ルートの開発が盛んだ。

※［28~31］次を読んで（　　　）に入る内容として最も適切なものを選びなさい。（各2点）

28.

> 私たちはこれからインターネットをはじめとする様々な情報通信技術のおかげで数多くの情報を手軽く得ることができる。しかし、（　　　　）私たちが抱えている問題が自然に解決されるわけではない。「玉が３斗あってもつないでこそ宝だ（いかに価値があるものでも場を得なければ真価を発揮できない）」という言葉があるように情報使用者である私たちがインターネットを通じて得た情報をよく判断して私たち周辺の様々な問題を解決するのに利用しなければならない。

① 情報を集めて分析するからといって
② 取得した情報を選別するからといって
❸ ある情報を得たからといって
④ 情報を適切に利用するからといって

29\.

> ストレスとは私たちの体に有害な因子が入って来て、これに対応して緊張する状態を言う。適当なストレスは活力素になることもあるが、度が過ぎたストレスは万病の原因でもある。ストレスに対処する方法の一つは適当な運動をすることだ。運動の中でもジョギング、スイミングなどのような非競争的な運動を選んだ方が良い。しかし、最初から無理に運動をすると（　　　　　）また別のストレスを受けかねないので徐々に強度を高めていくのが必要だ。

① 万病の原因になるだけでなく　　② 緊張状態が急速に高まって
③ 有害な因子が増えて　　❹ ストレスを解消するどころか

30\.

> 人々は褒め言葉にとても敏感だ。心理学者は毎日褒め言葉を聞きながら育つ子供とそうではない子供は学校の成績だけではなく性格、社会性などでも大きい差が出ると言う。しかし、ある植物は水を頻繁に与えないと枯れてしまうけれど、ある植物は水を頻繁に与えて枯れてしまうこともある。誰かを誉めることも同じだ。褒め言葉が良い結果を生むからと言って人の類型を考慮しないまま（　　　　　）ことは良くない。褒める対象の性格によって褒める方法と回数を変えたほうが効果的だ。

① 敏感な話を遠慮なくしゃべる　　❷ 無条件にたくさん褒める
③ 学校の成績の話をやたらにする　　④ 急に誰かを褒める

（既出 41 回）

31\.

> 立派な芸術家は作品活動をしている途中、壁にぶつかると突破口を見つけ出す。画家に（　　　　　）は「毒」というより「薬」だった。手が震えて描くことができなかったある画家は紙を切って絵の具を塗って貼る方法で新しい作品世界を切り開いた。また貧しくて絵の材料が買えなかったある画家はたばこの包装紙にスケッチをした。このような芸術作品を通じて自分だけの芸術世界を築いた。

① 材料の不足と好奇心　　② 経済的な貧困と芸術性
❸ 身体的な障害と劣悪な環境　　④ 芸術的な限界と精神的な苦痛

※［32～34］次を読んで内容が同じものを選びなさい。（各2点）

32\.

> スウェーデンは 1人世帯の割合が全体の 47%に達する。国民二人に一人は一人で暮らすという話だ。それにもかかわらずスウェーデンでは「孤独死」のような社会的な問題は見当たらない。伝統的な家族の概念が解体されたにもかかわらず「住みやすい国」に数えられる。秘訣は様々な福祉制度と社会安全装置だ。特に「共同住宅政策」は 1人世帯のための核心となる支援策だ。集合住宅の居住者が個人ワンルームを除いて共同のキッチンと育児センターなど残りの施設を共有できるようにするのだ。多様な年齢帯の居住者は各自の経験と情報を交流して共同体を切り回して行く。これによって 1人世帯であっても孤立することはない。

① スウェーデンは1人世帯が多いので孤独死が問題になっている。
② 様々な福祉制度がスウェーデンの伝統的な家族を解体した。
❸ スウェーデンは住宅政策を通じて1人世帯の孤立を防いでいる。
④ 多様な年齢帯の居住者がいなければ共同体を切り回すのは難しい。

33.

糖尿病患者が規則的に有酸素運動と筋力運動を並行すれば血糖値を下げるのに効果的だ。有酸素運動は10分以上1時間未満するのが良く、軽く汗ばむほどの中位の強さでするのが望ましい。サイクリング、早歩き、スイミング、水中エアロビクスなどが良い。筋力運動は一度に8回くらいできる程度の重量が良い。有酸素運動と筋力運動は合わせて1週間に計150分程度すればよい。心血管の疾患を伴っている場合は室内ですると体温をうまく調節することができる。

① 糖尿病患者の運動は一日に3時間を超えないほうが良い。
② 筋力運動は一度に8回以上しなければ血糖値を下げることができない。
③ 有酸素運動は1回に 10 分以上毎日すると効果的だ。
❹ 糖尿病患者は1時間以上の有酸素運動は避けたほうが良い。

（既出 41 回）

34.

北極グマは高脂肪の食事に早く適応した動物だ。北極グマは体の 50%が脂肪で、子供が飲む乳の脂肪も27%にのぼる。人がこれくらいの脂肪を持っていると心血管疾患のような成人病で命を失う可能性もある。しかし、北極グマは血の中に脂肪を濾過する遺伝子があって脂肪による副作用を防いでくれるのだと言われる。この動物の遺伝子を研究すれば人間の成人病の治療に役に立つと期待される。

❶ 北極グマは心血管疾患にあまりかからない。
② 北極グマは脂肪が少ない食べ物を主に摂取する。
③ 北極グマの体は 27% が脂肪で成り立っている。
④ 北極グマの研究で人間の成人病を治療している。

※［35～38］次の文の主題として最も適切なものを選びなさい。（各2点）

35.

保険商品には予定利率と言うのがある。保険会社が加入者に保険金を渡す時に、利子を加えて返すのだが、この時保険会社が加入者に保障する利率のことだ。銀行の預金金利に似ている概念で保険料を策定するうえで基準になる。予定利率を調整するのは保険会社が自律的にするようになっている。金融市場の金利と会社の健全性などを考慮して「各自の判断で」決めるように規定されている。しかし、これは規定上だけだ。新しい予定利率を適用した保険商品を販売しようとすると金融当局に届け出るか認可を受けなければならない。結局金融当局にあらかじめ許諾を受けなければ新しい商品の開発は不可能だということが分かる。

❶ 保険会社が予定利率を決めることができるという規定は見かけだけだ。
② 保険商品の販売が活性化できるように有名無実な規定は廃止しなければならない。
③ 加入者の保護のために保険商品は金融当局の許可を受けるようにしなければならない。
④ 金融当局の過度な干渉が保険会社の健全性を阻害している。

36.

よく女性は女性らしくないといけないという固定観念を持っている人たちがいる。ところがその時の「女性らしさ」が多くの場合嫁に行く前は魅力のある女性になるために悩み、結婚した後は夫の世話をよくする「家内」として満足することのみを意味する場合がよくある。しかし、これからはこういう「女性らしさのわな」から脱して人間らしさの土台の上でまた違った新しい女性らしさを見つけなければならない。

① 女性らしさは時代とともに進化して行かなければならない。
② 女性の役割に対する固定観念を持った社会の意識を変えなければならない。
❸ 従来の女性像から脱して新しい女性の役割が模索されなければならない。
④ 女性らしさを磨き上げるための悩みは時代を超越したテーマだ。

37.

一般的に人間の利己心は否定的なこととして見なされている。しかし、個人が自分の利益を追求することは極めて当然なことで、社会が統制できる領域のことでもない。しかし、私たちの社会は相変らず利己心を排斥すべき社会悪と見なし、個人の利己心に罪悪感を与えることで個人に利己心を取り除けという不可能な要求をしているのだ。取り除くか統制することが不可能ならそれを認めて否定的な影響を最小化する方向に導くのが最も良い。

① 公共の利益のためには個人の利己心の統制は仕方ない。
② 個人の利己心に対して罪悪感を与えるのは不可能だ。
③ 自分の利益を追求することは結局社会全体の利益になる。
❹ 個人の利己心を否定するより認めて対応する姿勢が必要だ。

（既出 41 回）

38.

人々は蜂蜜が健康に良い食品だと思っている。だから蜂蜜は糖尿病患者にも良く、砂糖と違って肥満にならないとも思っている。蜂蜜には栄養素が豊かだが、血糖値を高めるので糖尿病患者に砂糖よりもっと良いものでは決してない。私たちが思っている蜂蜜の長所はほとんど科学的に証明されていない。蜂蜜と砂糖の決定的な違いは消費者の意識であって実際の長所と短所ではない。

① 蜂蜜は砂糖より健康に良い代替食品だ。
② 糖尿病患者は砂糖の代りに蜂蜜を取らなければならない。
❸ 蜂蜜について信じられている長所は事実ではない可能性がある。
④ 蜂蜜が健康に及ぼす影響は科学的に証明された。

※［39～41］次の文で〈보기〉の文章が入るのに最も適切な場所を選びなさい。（各2点）

39.

親と子供の関係が平等だという認識が対話の出発点になる。（ ㉠ ）子供が親に対して近寄りがたいと感じると対話が断絶されやすいので、親は子供が考えていることが何なのか良く聞いて、常にその意見を充分に理解しているという共感を示さなければならない。（ ㉡ ）また子供たちが自分の考えを充分に表現できるように可能性を開いておくことが望ましい。（ ㉢ ）したがって対話をするときは傾聴と質問を通じて子供との考えを共有しなければならない。（ ㉣ ）

〈보기〉

子供たちが一方的な助言や忠告を聞かされると心のドアを閉めてしまってむしろ関係が悪くなる恐れがある。

① ㉠　② ㉡　❸ ㉢　④ ㉣

40.

紫外線の有害性が物議を醸してから「紫外線に当たるべきか避けるべきか」で悩んでいる人たちが多い。（ ㉠ ）実際、体には紫外線が必要だ。（ ㉡ ）紫外線は骨を丈夫に維持する役割をするビタミン D を生成してくれる。（ ㉢ ）また紫外線は殺菌効果を持っていて、鬱病を予防するのにも役に立つ。（ ㉣ ）結局、このような主張のポイントは利点を認めたとしても得るものより失うものが多いので、紫外線は避けるに越したことはないということだ。

〈보기〉

紫外線のこのような利点にもかかわらず相変らず多くの人が紫外線による被害の事例がもっと多いと主張している。

① ㉠　② ㉡　③ ㉢　❹ ㉣

41.

大学生たちに科学の講義をしている間に、偶然にも小学校の生徒たちを教える機会があった。（ ㉠ ）大学生はまったく質問する人がいないのに比べて小学生は絶えず質問をするということだ。（ ㉡ ）質問する時間を制限しなければまったく終わらせようとしない。（ ㉢ ）人間をさらに人間らしく特徴付けることの中の一つがまさにこの「好奇心」であるが、幼い頃あんなに多かった好奇心は成長しながらどこに行ってしまったのだろう。（ ㉣ ）たぶんその理由は過度な勉強の量で疲れて知的好奇心がすっかり消えてしまったせいかも知れない。

〈보기〉

しかし、この二つの集団の間で本当に驚くべき違いを発見した。

❶ ㉠　② ㉡　③ ㉢　④ ㉣

※［42〜43］次を読んで問いに答えなさい。（各2点）

去年韓国で買ってきてから手首（腕）につけることもなく止まった時計を今日になって修理に持って出かけた。故障よりはバッテリーが切れたという心証（?）はあったが、今日明日と先延ばしにしてきた理由は間違いなく「腹よりへそのほうが大きい（本末転倒）経験」をするかも知れないという恐れからだった。案の定、故障ではなくてバッテリーを変えなければならないという。バッテリーの値段は15ドル。韓国のお金で約1万2千ウォンぐらいだから、結局腹よりへそのほうがまた大きくなる（また本末転倒の目にあう）瞬間だった。その時計はわずか1万ウォンのものだったからだ。10年以上オーストラリアに住みながら一度や二度経験したわけでもないのにおのずと失笑せざるを得なかった。数日前に息子の靴の修理に行った時もやはり似たような経験をした。割れた靴底を張り替えるのに4万8千ウォンぐらいかかると言われた。その靴を1年前に6万ウォンで買ったのだからその修理代なら、もう少しお金を出していっそ新しいものを買ったほうがいいのではないか。「ひどすぎる。」と何度も愚痴をこぼしてから結局新しい靴を買ってあげてしまった。

実際オーストラリアではあきれることといったらこれよりひどいことが少なくない。先日芝刈り機が故障して修理を依頼すると約100ドルぐらいかかるという見積りが出た。機械自体を120ドルで買ったのに比べると修理代が高過ぎるのでやめるといったら、なんと故障した部分をチェックするのにかかった費用だと言って20ドルを別途請求するではないか。自分たちとしては無駄なことをしたわけだからかかった時間ぐらいの人件費をもらわなければならないという論理だ。理屈としては正しいが、何一つ修理したところもないのに無駄にお金を使わざるを得ないことが私は悔しかった。

42. 下線部に表れた私の心情として適切なものを選びなさい。

① 哀れでわびしい　② 照れくさい

③ なんとなく寂しい　❹ あきれ返る

43. この文の内容と同じものを選びなさい。

① 時計が止まったが、修理費が高いので修理屋に行く気にならない。

② オーストラリアでは靴底が高価なので修理に出す人がほとんどいない。

❸ オーストラリアでは修理費が新しいものとそれほど変わらないのであきれる場合が多い。

④ 高額の修理代のせいでものが故障すると捨てて新しいものを買う。

※［44〜45］次を読んで問いに答えなさい。（各2点）

大企業はある瞬間から顧客の満足を越えて顧客の感動を追求し始めた。消費者は細心の心配りがなされたときに感動を覚える。自分が忘れていた記念日を恋人が祝ってくれたり友だちが一番必要なものをプレゼントしてくれたりするときに感動を覚える。このような感動は私的な領域のことであったが、資本主義の商品化が発達するにつれ、感動が（　　　　）使われ始めた。しかし、商品を売買する関係を越えて恋人や家族からのみ得られる感動まで贈ろうとする企業のマーケティングの裏側には激しいストレスに苦しむ感情労働者たちがいる。この感情労働者たちの苦労を理解するなら無用な顧客の感動は断るのが消費者の望ましい態度であるだろう。

44. この文の主題として適切なものを選びなさい。

① 私的な領域の感動は親しい人から与えてもらわなければならない。
② マーケティングの手段として感動を活用する価値がある。
③ 感情労働者たちも消費者の過度な要求は拒否しなければならない。
❹ 消費者は不必要な顧客感動の提供に応じてはいけない。

45. （　　　　）に入る内容として最も適切なものを選びなさい。

① 商品開発のためのアイディアとして
❷ 商品の販売のための道具として
③ 販売実績を評価する指標として
④ 販売促進のための景品として

※［46～47］次を読んで問いに答えなさい。（各2点）

国民健康保険は国で運営する公的保険として医療サービスを提供する社会保障制度だ。（ ㉠ ）このように国民健康保険には個人に見舞われた危険を社会的に解決する相互扶助の精神が込められている。（ ㉡ ）国民健康保険は個人の健康が社会的責任だという観点から国民なら誰でも利用することができる。（ ㉢ ）そして社会的な連帯に基づいて医療費の問題を解決しようとすることが目的なので、保険料の負担は個人の経済的能力によって負担する。（ ㉣ ）国民健康保険公団で毎年国から補助を受ける金額を計算して差し引いた後、その残りの金額をすべての国民が経済的な負担能力によって平等に負担する。

46. 次の文章が入るのに最も適切な場所を選びなさい。

高額の診療費によって家計が破綻することを防ぐために国民が普段保険料を出して互いの危険を分担する。

❶ ㉠　　② ㉡　　③ ㉢　　④ ㉣

47. この文の内容のようなことを選んでください。

① 経済的能力によって保険料の負担と医療サービス提供に差別がある。
② 国民健康保険は相互扶助の医療サービスだが、未加入者は例外だ。
❸ 病気になると誰でも利用できる制度が国民健康保険だ。
④ 経済的能力によって保険公団から出る医療費の補助金が変わる。

※［48～50］次を読んで問いに答えなさい。（各2点）

公演芸術団体がこれまで慣例として来た無料招待券の配布をやめることにした。招待券を濫発することは公演芸術の未来を暗くするだけだという自覚があったからだ。観客数を重要視する公演界の特性上、公演企画者は当面の（　　　　）観客誘致をあきらめることができないので無料の招待券を配ってでも客席を満たそうとする。ところが無料の観客は作品の水準が期待に及ばなくても無料なので厳しくない。したがって公演企画者は水準の高い作品で観客を満足させようとする努力をあまりしなくなる。結局無料の招待券は作品の質を落とすことになり、ついには作品の水準に満足できない観客は公演会場に背を向けてしまうことになるだろう。

48. 上の文を書いた目的として適切なものを選びなさい。
① 観客数と作品の水準の相関関係を説明するため
② 観客数を重要視する公演界の実情を知らせるため
③ 公演芸術団体の慣例を理解させるため
❹ 公演界の無料招待券濫発の問題点を指摘するため

49. （　　　　）に入る内容として適切なものを選びなさい。
❶ 収益をあきらめても　② 収益を確保するためには
③ 観客数を増やすには　④ 成功のためには

50. 下線部に表れた筆者の態度として適切なものを選びなさい。
① 招待券の濫発による観客数の増加を非難している。
② 作品の質より観客数に頼る実態を批判している。
❸ 無料招待券がもたらす悪影響について心配している。
④ 作品の水準がつまらない公演の未来に対して絶望している。

答案用紙
サンプル

제××회 한국어능력시험
TOPIK II
1 교시 (듣기)

성 명 (Name)		
	한 국 어 (Korean)	
	영 어 (English)	

수 험 번 호											
					8						
0	0	0	0	0		0	0	0	0	0	0
1	1	1	1	1		1	1	1	1	1	1
2	2	2	2	2		2	2	2	2	2	2
3	3	3	3	3		3	3	3	3	3	3
4	4	4	4	4		4	4	4	4	4	4
5	5	5	5	5		5	5	5	5	5	5
6	6	6	6	6		6	6	6	6	6	6
7	7	7	7	7		7	7	7	7	7	7
8	8	8	8	8	●	8	8	8	8	8	8
9	9	9	9	9		9	9	9	9	9	9

※결 시 확인란	결시자의 영어 성명 및 수험번호 기재 후 표기	○

※답안지 표기 방법(Marking examples)	
바른 방법(Correct)	바르지 못한 방법(Incorrect)
●	✓ ⊙ ◐ ⊗ ✗

※ 위 사항을 지키지 않아 발생하는 불이익은 응시자에게 있습니다.

※감독관 확 인	본인 및 수험번호 표기가 정확한지 확인	(인)

번호	답		란	
1	①	②	③	④
2	①	②	③	④
3	①	②	③	④
4	①	②	③	④
5	①	②	③	④
6	①	②	③	④
7	①	②	③	④
8	①	②	③	④
9	①	②	③	④
10	①	②	③	④
11	①	②	③	④
12	①	②	③	④
13	①	②	③	④
14	①	②	③	④
15	①	②	③	④
16	①	②	③	④
17	①	②	③	④
18	①	②	③	④
19	①	②	③	④
20	①	②	③	④

번호	답		란	
21	①	②	③	④
22	①	②	③	④
23	①	②	③	④
24	①	②	③	④
25	①	②	③	④
26	①	②	③	④
27	①	②	③	④
28	①	②	③	④
29	①	②	③	④
30	①	②	③	④
31	①	②	③	④
32	①	②	③	④
33	①	②	③	④
34	①	②	③	④
35	①	②	③	④
36	①	②	③	④
37	①	②	③	④
38	①	②	③	④
39	①	②	③	④
40	①	②	③	④

번호	답		란	
41	①	②	③	④
42	①	②	③	④
43	①	②	③	④
44	①	②	③	④
45	①	②	③	④
46	①	②	③	④
47	①	②	③	④
48	①	②	③	④
49	①	②	③	④
50	①	②	③	④

答案用紙
サンプル

제××회 한국어능력시험
TOPIK Ⅱ
1 교시 (쓰기)

성 명 (Name)	한 국 어 (Korean)	
	영 어 (English)	

수 험 번 호

					8						
0	0	0	0	0		0	0	0	0	0	0
1	1	1	1	1		1	1	1	1	1	1
2	2	2	2	2		2	2	2	2	2	2
3	3	3	3	3		3	3	3	3	3	3
4	4	4	4	4		4	4	4	4	4	4
5	5	5	5	5		5	5	5	5	5	5
6	6	6	6	6		6	6	6	6	6	6
7	7	7	7	7		7	7	7	7	7	7
8	8	8	8	8	●	8	8	8	8	8	8
9	9	9	9	9		9	9	9	9	9	9

※결 시 확인란	결시자의 영어 성명 및 수험번호 기재 후 표기	

※답안지 표기 방법(Marking examples)

바른 방법(Correct)	바르지 못한 방법(Incorrect)
●	

※ 위 사항을 지키지 않아 발생하는 불이익은 응시자에게 있습니다.

※감독관 확 인	본인 및 수험번호 표기가 정확한지 확인	(인)

주관식 답안은 정해진 답란을 벗어나거나 답란을 바꿔서 쓸 경우 점수를 받을 수 없습니다.
(Answers written outside the box or in the wrong box will not be graded.)

51	㉠	
	㉡	
52	㉠	
	㉡	
53	아래 빈칸에 200자에서 300자 이내로 작문하십시오 (띄어쓰기 포함). (Please write your answer below; your answer must be between 200 and 300 letters including spaces.)	

53

※ 54번은 뒷면에 작성하십시오. (Please write your answer for question number 54 at the back.)

答案用紙
サンプル

54	주 관 식 답 란 (Answer sheet for composition) 아래 빈칸에 600자에서 700자 이내로 작문하십시오 (띄어쓰기 포함). (Please write your answer below; your answer must be between 600 and 700 letters including spaces.)

54

※ 주어진 답란의 방향을 바꿔서 답안을 쓰면 '0' 점 처리됩니다.
(Please do not turn the answer sheet horizontally. No points will be given.)

答案用紙サンプル

제××회 한국어능력시험
TOPIK Ⅱ
2 교시 (읽기)

성 명 (Name)	한 국 어 (Korean)	
	영 어 (English)	

수험번호											
					8						
0	0	0	0	0		0	0	0	0	0	0
1	1	1	1	1		1	1	1	1	1	1
2	2	2	2	2		2	2	2	2	2	2
3	3	3	3	3		3	3	3	3	3	3
4	4	4	4	4		4	4	4	4	4	4
5	5	5	5	5		5	5	5	5	5	5
6	6	6	6	6		6	6	6	6	6	6
7	7	7	7	7		7	7	7	7	7	7
8	8	8	8	8	●	8	8	8	8	8	8
9	9	9	9	9		9	9	9	9	9	9

※결 시 확인란	결시자의 영어 성명 및 수험번호 기재 후 표기	○

※답안지 표기 방법(Marking examples)	
바른 방법(Correct)	바르지 못한 방법(Incorrect)
●	✓ ⊙ ◐ ⊗ ✗

※ 위 사항을 지키지 않아 발생하는 불이익은 응시자에게 있습니다.

※감독관 확 인	본인 및 수험번호 표기가 정확한지 확인	(인)

번호	답		란	
1	①	②	③	④
2	①	②	③	④
3	①	②	③	④
4	①	②	③	④
5	①	②	③	④
6	①	②	③	④
7	①	②	③	④
8	①	②	③	④
9	①	②	③	④
10	①	②	③	④
11	①	②	③	④
12	①	②	③	④
13	①	②	③	④
14	①	②	③	④
15	①	②	③	④
16	①	②	③	④
17	①	②	③	④
18	①	②	③	④
19	①	②	③	④
20	①	②	③	④

번호	답		란	
21	①	②	③	④
22	①	②	③	④
23	①	②	③	④
24	①	②	③	④
25	①	②	③	④
26	①	②	③	④
27	①	②	③	④
28	①	②	③	④
29	①	②	③	④
30	①	②	③	④
31	①	②	③	④
32	①	②	③	④
33	①	②	③	④
34	①	②	③	④
35	①	②	③	④
36	①	②	③	④
37	①	②	③	④
38	①	②	③	④
39	①	②	③	④
40	①	②	③	④

번호	답		란	
41	①	②	③	④
42	①	②	③	④
43	①	②	③	④
44	①	②	③	④
45	①	②	③	④
46	①	②	③	④
47	①	②	③	④
48	①	②	③	④
49	①	②	③	④
50	①	②	③	④

著者　李昌圭
武蔵野大学名誉教授

▷市販中の著書はネット書店で著者名から検索できます。

韓国語能力試験合格対策講座2
NEW TOPIK Ⅱ［3級～6級　読解編］改訂新版

2016年4月 8日　初版発行
2020年4月30日　改訂新版1刷発行
2022年6月10日　改訂新版2刷発行

著　者　　李昌圭
発行者　　佐藤康夫
発行所　　白帝社
〒171-0014　東京都豊島区池袋2-65-1
TEL：03-3986-3271　　FAX：03-3986-3272
E-mail：info@hakuteisha.co.jp
https://www.hakuteisha.co.jp/

デザイン・DTP　（株）アイ・ビーンズ
印刷・製本　　ティーケー出版印刷

Printed in Japan

ISBN 978-4-86398-405-9

◎定価はカバーに表示してあります。
◎製本には十分注意しておりますが、落丁乱丁の際はお取替えいたします。

◆本書の追加、訂正情報があれば掲載しています。
https://www.hakuteisha.co.jp/book/b507514.html

李昌圭《イチャンギュ》 著 **韓国語参考書** LINE UP!

ハン検合格特訓シリーズ 全4巻

新試験形式に完全対応！

合格力を鍛えぬく実戦模試５回大特訓！

ハングル能力検定試験
5級 直前模試
A5判・202p.　1900円

ハングル能力検定試験
4級 直前模試
A5判・234p.　2200円

ハングル能力検定試験
3級 直前模試
A5判・282p.　2600円

ハングル能力検定試験
準2級 直前模試
A5判・292p.　2700円

韓国語能力試験合格対策講座シリーズ 全3巻

NEW TOPIK I〜II 読解・聞き取り・作文

韓国語能力試験合格対策講座１
NEW TOPIK I
１級・２級編
CD-ROM付き
A5判・388p.　2500円

韓国語能力試験合格対策講座２
NEW TOPIK II
３級〜６級　読解編
改訂新版
A5判・384p.　2400円

韓国語能力試験合格対策講座３
NEW TOPIK II
３級〜６級
聞き取り・作文編
CD-ROM付き
A5判・404p.　2600円

韓国語中級読解練習
−TOPIK＆ハン検中級レベル−
四六判・232p　2000円

音声無料ダウンロード
韓国語文170題!!
読む・聞く・書く力を
つける！

※価格はすべて税別です。

白帝社 〒171-0014 東京都豊島区池袋2-65-1
TEL 03-3986-3271　FAX 03-3986-3272
お近くの書店または小社に直接ご注文ください。
詳しくはHPへ ➡ **http://www.hakuteisha.co.jp**
韓国語のページ➡